Schreeuw onder water

Øbro & Tornbjerg

SCHREEUW ONDER WATER

Vertaald door Angélique de Kroon

2011 Prometheus Amsterdam

05. 09. 2011

Eerste druk mei 2011
Tweede druk juni 2011
Derde druk juni 2011

Oorspronkelijke titel *Skrig under vand*
© 2010 Øbro & Tornbjerg
© 2011 Nederlandse vertaling Uitgeverij Prometheus
en Angélique de Kroon
Omslagontwerp Havok Studios
Foto omslag Favim
Foto auteurs Les Kaner/Scanpix
www.uitgeverijprometheus.nl
ISBN 978 90 446 1781 8

Het kind in het badwater huilt niet langer.

Ze geniet van de stilte.

Maar het geluid echoot nog na. Het blijft door haar hoofd snerpen.

Ze is zo toe aan een beetje rust. Is dat te veel gevraagd? Gewoon een beetje rust. En slaap.

Overdag zit ze op de bank met haar handen tegen haar oren.

Het kind huilt de klok rond. Ze wordt er gek van. Het is als een eeuwigdurende aanklacht tegen haar. Je bent niet goed genoeg, je doet het niet goed genoeg, je kunt niet voor mij zorgen.

Het kind heeft zich tegen haar gekeerd.

In eerste instantie probeerde ze het tegen zich aan te houden, het met haar lichaam te troosten.

Maar het wees haar af. Het is haar vijandig gezind. Dat kan ze duidelijk merken. Hoe moet ze voor een kind zorgen dat zo vijandig gestemd is tegenover haar? Hoe kan ze liefde voelen voor een dergelijk kind?

De wijkverpleegster heeft gezegd dat het goed voor het meisje is om buiten in de kinderwagen te slapen, dus dat mag ze dan. Daar huilt ze ook, maar zo krijgen haar oren tenminste een pauze.

Ze is zo aan stilte toe.

Haar gedachten worden steeds onbeheersbaarder. Ze zou ze dolgraag tegenhouden, maar ze laten zich niet temmen. En ze wil geen gezichtsverlies lijden door haar man te vertellen hoe slecht het eigenlijk gaat.

Dit was niet hoe het moest zijn. Maar ze kan niet anders. Ze heeft dit kind niets te geven. Ze heeft er zelfs geen melk voor. Het is alsof haar lichaam weigert er nog meer aan op te offeren. En ze heeft ook al genoeg opgeofferd! Maar dat vindt het kleine monster niet!

Ze voelt de woede omhoogborrelen. De kleine egoïste. Blijft maar meer van haar vragen. Hoe kan ze zo'n egoïstisch schepsel ter wereld hebben gebracht?

Als ze een man was geweest, was de gedachte waarschijnlijk al bij haar opgekomen dat dit misschien niet haar eigen telg was. Maar ze heeft het zelf gedragen en gebaard.

Ze blijft al snel om een bepaalde gedachte heen draaien die niet hardop uitgesproken kan worden. Ze is te erg. Maar dat maakt nog niet dat ze weggaat.

Ze zou uit de grond van haar hart willen dat het kind nooit geboren was.

Nu ontwaakt ze een beetje uit haar sluimertoestand.

Het is net alsof ze zichzelf vanaf een afstand gadeslaat. Ze zweeft rond in de ruimte boven haar. Ze ziet haar eigen lichaam, op de grond naast het bad zittend. Er is iets goed mis. Eerst begrijpt ze niet wat het is. Dan dringt het tot haar door.

Het kind in het water is slap en levenloos.

Wat is er gebeurd? Ze begrijpt het niet. Ze haalt het met een ruk uit het water en legt het op de grond. Er is geen ademhaling. Ze geeft het hartmassage en blaast lucht in het kleine mondje.

O god...

Net wanneer ze denkt dat het vergeefse moeite is om het slappe lichaampje weer tot leven te brengen, hoest het meisje, en het water uit haar longen gutst uit haar neus en mond.

Ze observeert het kind de rest van de dag nauwlettend. Het schreeuwt als altijd.

Wanneer haar man thuiskomt van de oogkliniek, vertelt ze hem niets. En hij ziet ook niets. Het gezichtsveld van de oogarts is opmerkelijk beperkt.

Nog lange tijd erna durft ze het kind niet in bad te doen.

Katrine Wraa bevond zich in meer dan een opzicht op de bodem.

Op de bodem van de Rode Zee en op die van haar carrière.

Ze gaf er de voorkeur aan om vooral aan dat eerste te denken en het laatste te proberen te vergeten.

Op dit moment had ze nog lucht genoeg over voor een minuut en dertig seconden langer in de kleurenorgie voordat ze weer naar de oppervlakte moest zwemmen om adem te halen.

Ze zoog de indrukken in zich op. Het voortdurend knabbelen aan het koraalrif door de papegaaivis was een permanent achtergrondgeluid hier beneden, waar het koraal op van alles kon lijken, van hersens tot een modern abstract kunstwerk. Een clownvis zwom loom langs haar heen. Zijn mollige wit met oranje gestreepte lijfje deed haar verlangen haar hand uit te strekken om hem aan te raken.

Nu werd het gauw tijd. Ze gleed langzaam door het water naar boven en rekte het een beetje.

Tot haar grote ergernis was het haar nog niet gelukt het paniekgevoel te onderdrukken dat was ontstaan toen ze met zuurstof probeerde te duiken en de eerste grensoverschrijdende inademing onder water moest doen.

Daarom snorkelde ze en dook ze zonder zuurstof, en daar was ze dan ook aardig goed in geworden. Ze probeerde voortdurend haar eigen record te verbreken. Op drie minuten en vijf seconden lag dat nu.

Nog een meter tot aan het wateroppervlak. De drang om in te ademen was nu groot. Nu. Haar gezichtshuid kwam in contact met de lucht, en ze vulde haar longen.

Ze had het geprobeerd. Dat had ze echt. En Ian, haar Australische duikervriendje, was ongelooflijk geduldig met haar geweest. Maar ze was nog niet in staat geweest om zichzelf te overwinnen. Zij, die zich had voorgesteld haar verlangen naar escapisme uit te leven, duikinstructeur te worden en nooit meer terug te keren naar de academische arena die ze in Engeland had achtergelaten!

Ze ademde lucht in voor een nieuwe duik. Ze had de techniek van de beste vrijduikers bestudeerd en zich eigen gemaakt. Maar ze wist dat het meditatieve van het duiken aan haar voorbijging. Het daar beneden in het water tussen de vissen en koralen gewoon mogen zíjn.

Ze genoot van het gevoel dat haar lichaam sterk en soepel met hoge snelheid door het water schoot, danig versneld door de grote zwemvliezen.

Ze was algauw weer op de bodem.

Ian fronste niet-begrijpend zijn wenkbrauwen, zodat de bruine enigszins leerachtige huid van zijn voorhoofd rimpelde. Katrine bekeek zijn vakantieluie duikerslichaam, dat comfortabel uitgestrekt lag in de kussens die waren gerangschikt in iets wat ze in het Westen loungestijl zouden noemen en wat voor de Bedoeïenen al duizenden jaren hun alledaagse woonkamer onder de sterren was, wanneer ze een kamp opsloegen.

Het kampvuur knetterde.

'Ik begrijp gewoon niet hoe zulke mensen ooit in het normale leven kunnen functioneren.'

Het romantische gespreksonderwerp was 'psychopaten'. Vreemde en soms macabere gespreksonderwerpen waren een beroepsrisico waarvan Katrine zich al lang geleden had gerealiseerd dat ze die moest accepteren, aangezien ze ervoor had gekozen om op het snijvlak van de psychologie en criminaliteit te werken.

Ze waren in een lange discussie verwikkeld geraakt over psychopaten of mensen met psychopathische trekjes. Geen van beiden kon zich uiteindelijk herinneren hoe het gesprek daar überhaupt op was gekomen.

'En wat is een normaal leven dan wel?' vroeg ze plagend terug.

'Je weet wel; een gezin hebben en ervoor kunnen zorgen. Zoals normale mensen, hè?'

'Dus wij zijn eigenlijk helemaal niet normaal?' ging ze door.

'Kom op, je weet best wat ik bedoel.'

'Ja, ik weet het wel,' zei ze. 'Oké, maar doorgaans kunnen ze ook niet echt op een "normale" manier functioneren. Dat is ook de reden dat ze sterk zijn oververtegenwoordigd in de gevangenissen. Als je naar de levensloop van een psychopaat kijkt, dan zal die meestal worden gekenmerkt door extreem veel wisselingen, zowel wat partners als werk betreft. Ze kunnen zich gewoon moeilijk aan een plan houden. Maar er zijn natuurlijk uitzonderingen. Simpel gesteld, kun je zeggen dat het afhangt van hun vermogen tot impulscontrole; of ze in staat zijn om de impuls tot handelen te onderdrukken of niet.'

'En waar wordt dat door bepaald?'

'Nou, kijk, hier moeten we ons binnen de neuropsychologie gaan begeven en naar de prefrontale cortex kijken en...'

'Ja, ja, oké, laten we het hier maar bij laten.' Hij dacht even na. 'Het is ook zo fascinerend, hè? Geen wonder dat er zoveel boeken en films over psychopaten worden gemaakt,' zei Ian.

'Ik denk omdat het griezelige er aan is dat we weten dat ze geen geweten hebben,' antwoordde ze. 'Dat ze ik weet niet wat kunnen doen. En ze kunnen ons manipuleren, er op los liegen en een enorme macht over hun omgeving krijgen zonder met de ogen te knipperen of zelfs maar een seconde te overwegen of wat ze doen misschien verkeerd is. Ze zijn maar in één ding geïnteresseerd: hun eigen behoeften te bevredigen.'

'Hm,' zei hij.

Ze leunde weer achterover in de kussens, nam een trekje van

de waterpijp met appeltabak en keek omhoog naar de hemel boven de woestijn, die in een gekrioel van sterren explodeerde dat zijn weerga niet kende. Hier in de woestijn was er in kilometers omtrek geen licht te bekennen, afgezien van dat van de sterren en van het kampvuur, waar eerder op de avond het lamsvlees op was geroosterd.

Ze maakten een reis langs de oostkust van het Sinaïschiereiland, in Ians oude jeep. 's Nachts sloegen ze hun kamp op bij bedoeïenen in de woestijn of namen ze aan de kust een kamer in een hotel aan zee. Overdag snorkelden ze samen.

'Hoeveel ben jij er tegengekomen?' vroeg hij nieuwsgierig op een elleboog leunend. 'Ik bedoel échte psychopaten?'

'Mijn baas, bijvoorbeeld,' zei ze met een wat cynisch lachje. 'Nee, dat is niet waar. Zij heeft alleen ietwat psychopathische trekjes. Nee, ik ben er wel een aantal tegengekomen.' Ze dacht even na. 'Maar er was er vooral een die echt indruk op me heeft gemaakt.'

'Wie dan?'

'Een gevangene die ik ooit heb geïnterviewd. Een vrouw.'

'Wat had ze gedaan?'

'Ze had haar twee kleine kinderen vermoord.'

'Mijn god.'

'Ja, die was die dag in ieder geval niet aanwezig,' zei ze en nam een grote slok van haar Egyptische bier, een Stella. 'Ze zei dat ze lawaai maakten. En toen heeft ze ze in de badkuip verdronken.'

Ze zwegen.

Ze zag uit haar ooghoeken dat hij haar intensief opnam.

'Denk je dat je hier blijft, Darling? Bij mij?' voegde hij eraan toe.

'Dat is wel even een verandering van onderwerp.'

'Ja, maar denk je dat?'

'Ondanks het feit dat je me Darling blijft noemen, hoewel je weet dat ik een hekel heb aan mijn middelste naam, en ondanks het feit dat je daar op slinkse wijze achter bent gekomen door stiekem even in mijn paspoort te kijken,' zei ze en haalde uit naar zijn arm. 'Ben ik nog steeds gek op je. En,' voegde ze eraan toe, 'ik ben bereid om je dat van mijn naam te vergeven. Je laat het als een Australische versie van James Bond klinken, elegant en echt heel erg grappig.'

'Gaat dit ook nog ergens heen?'

'Ik weet het niet. Dat ben ik aan het uitzoeken terwijl ik praat.'

'Gek!'

'Ja!' zei ze resoluut. 'Dát ben ik. En ik ben ook behoorlijk dronken. Dus je moet me niet zulke grote vragen stellen.'

'Je bent onweerstaanbaar, Darling.'

'Wat een geluk!'

Ze lachten en gingen tegen elkaar aan naar de sterren liggen kijken. Ian legde een deken over hen heen tegen de koele woestijnwind.

In tegenstelling tot veel anderen die werden afgeschrikt door haar gepassioneerde interesse voor mensen die tot de ergste misdaden in staat waren, was Ian enorm door haar werk gefascineerd.

En natuurlijk had ze hem tijdens de eerste week langs haar persoonlijke checklist gehaald voordat ze hem in haar persoonlijke levenssfeer had toegelaten. Deze checklist bestond onder andere uit de Robert Hares-screening. Dat was een internationaal aanvaarde methode om mensen met een dissociale persoonlijkheidsstoornis te diagnosticeren, of met andere woorden – psychopaten. Ian was goedgekeurd.

'Ik wil niet terug, morgen,' kreunde ze en voelde zich meteen weer wat nuchterder. Ze haastte zich om een slok van haar bier te nemen.

'Dat wil ik ook niet,' zei hij, zuchtte en hield haar wat steviger vast.

Ze waren er al twee weken en de vakantie liep ten einde. Ian moest weer aan de slag als duikinstructeur in de badplaats Sharm el Sheikh. Katrine moest zien uit te vinden wat ze wilde doen met haar leven. Uitvinden of er een uitweg was uit de doodlopende weg op carrièregebied, waar ze op was beland.

'Ik heb besloten dat ik dat duikbrevet ga halen,' zei ze. Ze droomde ervan om net zo'n leven als hij te leiden, waarbij de moeilijke beslissingen over een nieuwe baan bestonden uit een keuze maken tussen Sharm, Koh Tao in Thailand, Costa Rica, het Great Barrier Reef ... Toen Ian over alle plaatsen waar hij was geweest vertelde, werd ze alleen al bij de gedachte eraan helemaal blij.

'Je hoeft toch geen duikinstructeur te worden om hier te blijven,' zei hij zachtjes, nogmaals, en ze kon hem in het donker horen glimlachen. 'Er zijn massa's schurken hier, die je kunt helpen vangen. Geloof me, binnen Sharm ...'

'Ik moet er gewoon overheen zien te komen.'

'Katrine, Darling, het zit je behoorlijk dwars...'

'Ik kom er wel overheen!'

Ze keek hem vastbesloten aan. Zo goed kenden ze elkaar natuurlijk ook weer niet na een relatie van drie maanden. Ze had hem kort na haar aankomst in Sharm ontmoet, en was na een week bij hem ingetrokken. En wat hij nog niet over haar wist, dacht ze, was dat ze over een rotsvaste overtuiging beschikte dat ze alles kon, waar ze zich maar toe zette.

Had ze dat tot nu toe misschien nog niet gedaan?

De studie psychologie aan de University of London, ondanks haar middelmatige middelbare schoolcijfers in Denemarken. Haar PhD in *forensic psychology*. Assistent en gedoodverfde opvolger van een van de meest gerenommeerde wetenschappers en adviseurs van de Engelse politie, professor Caroline Stone, de vrouw die haar leven er aan gewijd had om *criminal profiling* tot een erkend en gerespecteerd gebied binnen de psychologie te maken, vooral bij politie en justitie.

En dus ook de vrouw waar Katrine een flinke aanvaring mee had gehad, wat had geresulteerd in haar vertrek uit Engeland, drie maanden geleden, om een denkpauze te houden. Sindsdien had ze zich gewichtsloos en vrij zwevend in de Rode Zee gevoeld.

Bevrijdend en beangstigend op hetzelfde moment.

Ze waren weer terug in Sharm.

Katrine ging op Ians kleine balkon een sigaretje zitten rollen. Verbazingwekkend hoe tabak in haar sensorische systeem nog steeds met de zuidelijke, warme lucht samenhing. Ze had al jaren niet meer gerookt, maar was een paar dagen na aankomst in Sharm el Sheikh weer begonnen.

Als je in de ene hoek van het balkon op je tenen stond, kon je net een glimp opvangen van de zee. Haar zongebleekte, dikke, schouderlange haar droop zilt naar beneden over de bruine, blote schouders. Het was eerst roodblond, maar langdurige blootstelling aan zon en zout hadden het een – zelfs voor Katrine – ongekende, oranjegouden kleur gegeven. Haar huid rook naar zon en zee. Thuis in Engeland, en in Denemarken, waren de kerstdagen voorbij. Nieuwjaar wachtte. Iedereen was bezig met verteren. Maar zij zat hier met zand tussen haar tenen, net terug van een fantastische snorkeltocht langs de kust.

Ian was de hele dag met toeristen op pad. Ze zouden langs de kust gaan snorkelen, naar Blue Hole – het einde van de tocht, waarbij je over een 80 meter diep gat in het koraalrif zwom. Ze was verschillende keren met hem mee geweest. Het was angstaanjagend en simpelweg fantastisch tegelijk om in zulk diep water te zwemmen. Verscheidene onbesuisde duikers waren door de jaren heen verdronken in een poging door een onderwatertunnel ver in de diepte te zwemmen. Herdenkingsplaten voor hen waren in de rotsen op de wal geschroefd.

Ze pakte haar telefoon en zuchtte. Ze kon het maar net zo goed achter de rug hebben. Ze had hem in Ians appartement laten liggen toen ze vertrokken. Maar dat was niet erg. Dan was ze tenminste niet helemaal platgebeld.

Er waren drie berichten van een nummer dat ze niet kende.

Afgezien van de tien die Caroline, zoals te voorspellen viel, had achtergelaten. Ze luisterde het eerste bericht van het onbekende nummer af.

'Hallo Katrine Wraa, met Per Kragh, hoofd moordzaken, politie Kopenhagen.'

Het pasbenoemde hoofd moordzaken van de politie van Kopenhagen op haar telefoon? Een onbestemd gevoel van spanning verspreidde zich in haar lichaam.

Ze had hem ontmoet op een conferentie in Zweden, ergens vorig jaar, of het jaar daarvoor. Hij was, nadat ze een presentatie had gegeven over cognitieve interviewtechnieken en het geheugen, naar haar toegekomen en had zich aan haar voorgesteld. Ze herinnerde zich hem als een correct, diplomatiek en modern type. Begin veertig. Zijn benoeming kwam enigszins als een verrassing voor haar toen ze er een paar maanden geleden over las in een van de Deense internetkranten die ze dagelijks doorscande. Hij was haast wat te veel een ambtenaar voor de rol van hoofd moordzaken, had ze gedacht. Nu had hij maar liefst drie berichten op haar antwoordapparaat achtergelaten. Wat zou hij willen?

'Ik wil graag iets met je bespreken. Dus als je me zo spoedig mogelijk wilt bellen.' Het was geen vraag, maar eerder een constatering. Hij sprak zijn nummer in. 'Bedankt.'

Ze staarde lang naar haar telefoon. Heel lang.

Toen luisterde ze zijn volgende bericht af. En het volgende, dat vier dagen daarvoor was ingesproken.

'Ja, weer met Per Kragh,' nu klonk hij ietwat gestrest. 'Het is kennelijk lastig om je te pakken te krijgen. Ik hoop je nog voor de jaarwisseling te kunnen spreken. Anders zal ik met een andere kandidaat verder moeten gaan.'

Een andere kandidaat? Bood het hoofd moordzaken van de politie van Kopenhagen haar echt een baan aan?

Vier dagen geleden. Haar hartslag was flink gestegen. Ze keek naar de datum op haar telefoon, morgen was het Oudejaarsdag.

Ze luisterde het eerste bericht van Caroline af. 'Bel me als je klaar bent met voor *dive bum* spelen. Maar wel voor de jaarwisseling. Anders laat ik Diana het overnemen. Ik denk dat je wel weet wat dat betekent.' Ze verwijderde de rest van Carolines berichten zonder ze af te luisteren. Ze zouden alleen maar erger worden.

Ian keek Katrine met droeve ogen aan. Maar hij probeerde op geen enkele manier op haar geweten te werken. Hij vond het gewoon heel jammer dat ze weg moest. Dat vond zij net zo goed. Maar de doodlopende weg was niet langer afgesloten. Er was een uitweg ontstaan. Haar verlangen naar escapisme was verdwenen als sneeuw voor de Egyptische zon.

Ze was in Kopenhagen geweest voor een sollicitatiegesprek en had de baan meteen gekregen.

Ze legde de laatste dingen in haar koffer en keek lang naar Ian. Hun ontmoeting was kort maar intens geweest.

'Waar ga je wonen?' vroeg Ian.

'Ik heb na haar overlijden een zomerhuisje van mijn moeder geërfd.' Ze had Ian over haar ouders verteld. Dat haar moeder gestorven was en dat haar vader, een Engelsman, naar Londen was terugverhuisd. 'Het ligt op een uur rijden ten noorden van Kopenhagen.' Die afstand maakte niet veel indruk op een Australiër. Dat deed de winterkou, waar ze hem over verteld had, daarentegen wel.

'Maar het is nu toch winter in Denemarken?' zei hij met een van afschuw vertrokken gezicht bij de gedachte aan het ongerief, dat de kou met zich mee zou brengen.

'Ja, maar er is een houtkachel.'

'Maar toch...' Een koude rilling trok helemaal door zijn lichaam.

'Ik moet erachter zien te komen wat ik ermee wil doen. Dat lukt het beste door er een tijdje door te brengen.'

'Wil je het verkopen?'

'Dat weet ik dus niet,' zei ze.

'Maar heeft het dan gewoon leeggestaan na je moeders overlijden?'

'Nee, het werd verhuurd via een bureau. Dat is ook de reden dat ik er nog geen besluit over heb hoeven nemen. De huuropbrengst heeft dit ook mede mogelijk gemaakt,' en ze zwaaide met haar handen. 'Mijn moeder heeft het geld door de jaren heen op een spaarrekening voor mij weggezet.'

'Maar het zal toch wel makkelijker voor je zijn om in de stad te wonen.'

Ze keek hem aan.

'Ik hou ervan om als ik vrij ben de stad uit te kunnen. En in de zomer wordt het geweldig – het ligt pal aan het strand. Ik zou nu nooit meer aan zo'n huis kunnen komen.'

Ian fronste niet-begrijpend zijn wenkbrauwen.

'Sorry, maar waar twijfel je dan nog over? Hoe kun je dan overwegen om het te verkopen?'

Ze keek weg in haar koffer en wenste zich ver weg van zijn vragen.

'Ik... Er zijn daar wat dingen gebeurd toen ik jong was,' ze probeerde verder te gaan, maar kon niet op de juiste woorden komen. 'Een sterfgeval,' zei ze ten slotte en vertelde hem het verhaal.

Hij luisterde zwijgzaam naar haar, terwijl ze sprak.

'En daar heb je jezelf al die jaren de schuld van gegeven?' vroeg hij verbaasd.

Ze knikte.

'Arme jij,' zei hij zacht. 'Je moet teruggaan om in het reine te komen met het verleden.'

'Het is helemaal niet zeker dat het wat voor me is om daar te zijn,' zei ze en ze keek weer weg. 'En misschien kan ik wel helemaal niet meer in Denemarken aarden. Het is toch een eeuwigheid geleden dat ik daar woonde. Ik ken er geen hond meer.'

Spijt overviel haar voor een moment en dat gaf een raar gevoel in haar maag. Waar was ze in hemelsnaam mee bezig? Ze was op weg het paradijs te verlaten, en haar pasgeboren – weliswaar ietwat premature, maar toch – besluit om voor een hartstikke fantastisch en simpel leven te kiezen. 'En het is er ook nog eens verschrikkelijk koud!' jammerde ze. 'Ondanks de klimaatveranderingen.'

'Dan kom je gewoon weer terug,' zei hij.

Ze ging naast hem op bed zitten. 'Ja, dan kom ik gewoon weer terug,' zei ze. Hij kuste haar intens. De huid rond zijn mond smaakte zoals altijd naar zout. Ze werd warm door haar hele lichaam en het gevoel van spijt in haar buik transformeerde in lust, die zich door haar hele lichaam verspreidde.

Katrine nam een grote slok van haar tweede gin-tonic. De drang om te roken was nu heel sterk. Ze at het zakje gezouten cashewnoten helemaal leeg en bestelde nog een GT bij de stewardess.

'We mogen een psycholoog aanstellen. Een daderprofiler met ruime ervaring,' had Per Kragh over de telefoon gezegd, toen ze hem terugbelde. Ze had haar oren niet kunnen geloven. Het was te mooi om waar te zijn.

'Er is sprake van een positie in een nieuw te vormen Task Force tegen bendecriminaliteit.'

Oké, de tijd van wonderen was relatief snel gekomen en ook weer snel voorbijgegaan.

Bendecriminaliteit? Georganiseerde criminaliteit zei haar geen moer. Dus was het toch niet waar ze op had gehoopt.

'We moeten de ontwikkeling die op dit moment plaatsvindt een halt zien toe te roepen,' had hij gezegd. 'Ze rekruteren momenteel in toenemende mate en het werven gebeurt op ongelooflijk inventieve wijze. Ze maken van alle mogelijke middelen gebruik om jongeren te lokken, poolparty's, "jeugdclubs", drugs, T-shirts – noem maar op! We moeten veel meer weten over wíe het zijn en hoe ze opereren. De studies hierover in Denemarken zijn tien tot twintig jaar oud.'

'Met alle respect – je moet waarschijnlijk nog steeds vooral naar de lagere sociale klasse kijken?'

'Ja, maar we zien ook dat er plotseling wel eens een artsenzoon tussen zit van de dure villa's aan de kust. En een recentere trend is dat er steeds weer nieuwe bendes opduiken die de bestaande imiteren. Aan die trend willen we een einde maken! We moeten niet alleen opsporen en oplossen, maar ook op veel grotere schaal zelf kennis over deze milieus opdoen, zodat we ze voor kunnen zijn en precies weten hoe we *de-ganging* aan kunnen pakken – ze weer wegkrijgen uit het bendemilieu. En we moeten nieuwe methodes in gebruik gaan nemen bij ons opsporingsonderzoek en het in kaart brengen ervan. Daarom heb jij in onze optiek een uitermate interessante achtergrond, deels omdat je Deens bent, natuurlijk...'

'Half Deens, half Engels.'

'Ja, ja, maar absoluut doorslaggevend is natuurlijk dat je zowel onderzoekservaring als praktijkervaring hebt. Voor zover ik weet, zijn er geen andere Denen die zo gekwalificeerd zijn als jij.'

Katrine haalde diep adem. Dit was niet gemakkelijk om te zeggen.

'Ik ben toch bang dat ik niet de juiste persoon ben voor deze baan. Bendeoorlogen zijn niet echt mijn specialiteit,' zei ze met een stem die duidelijk blijk gaf van een teleurstelling die ze niet eens probeerde te verbergen.

'Even tussen ons,' zei hij op vertrouwelijke en indringende toon, en ze kon duidelijk horen dat hij nu even afstand deed van de officiële benadering. 'Dan heb ik zelf nog een andere agenda, waarvan ze hier niet op de hoogte zijn.'

'O, ja?' De nieuwsgierigheid was weer teruggekomen.

'Dus ik ga ervan uit dat ik erop kan rekenen dat dit tussen ons blijft?'

'Daar kun je zeker van uitgaan,' had ze gezegd en was nu weer helemaal enthousiast.

'Ik heb de heel concrete ambitie en plannen om de opsporingsonderzoeksmethodes bij moordzaken te reorganiseren en te moderniseren. En daarom zou ik onder andere graag iemand met jouw profiel op de afdeling aanstellen,' had hij gezegd. 'Ja, ik loop hier al mee rond sinds die conferentie van vorig jaar waar we elkaar ontmoet hebben. Het zou helpen om ons op de kaart te zetten, ook in internationaal verband. Dus mijn wens is dat wanneer deze Task Force over een of twee jaar, na afronding van haar missie, weer opgeheven kan worden, jouw werk in de tussentijd stevig verankerd is, zodat ik je naar moordzaken kan laten doorschuiven. Op dit moment krijg ik zo'n functie er hier onmogelijk door.'

Ze had er maar even over na hoeven denken.

'Oké!'

'Fantastisch!' Per Kragh had uitgelegd dat ze officieel bij moordzaken zou worden aangesteld in een tijdelijke positie en uitgeleend zou worden aan de Task Force. Hij maakte zelf geen deel uit van de leiding van de Task Force, maar zou de gang van zaken vanaf de zijlijn volgen.

Ze waren nog bezig met de planning, dus de eerste week zou ze bij moordzaken meedraaien en een introductie krijgen terwijl ze met de rechercheurs mee zou gaan bij concrete, lopende moordzaken – bendegerelateerd of niet.

'Dus je begint eigenlijk bij mij,' had Per Kragh tevreden gezegd.

Ze nam nog een slokje van haar GT, probeerde een comfortabele houding te vinden in de vliegtuigstoel, maar gaf het op. Haar lichaam echode nog na van het afscheid met Ian. De gelukshormonen – en de alcohol deed waarschijnlijk ook zijn werk – maakten het soepel en ontspannen.

Ze kwam vanuit een positie waarin ze zeer bevoorrecht was geweest.

Vanwege haar functie als assistent van Caroline Stone, was ze op menig plaats delict geweest en dichter op het onderzoek dan je normaal gesproken als psycholoog kwam. Ze was in de VS geweest en had met de FBI samengewerkt, en ze was betrokken geweest bij een paar van de meest besproken zaken in de media in Engeland.

Ze zat op fluweel, en de meeste studenten forensische psychologie in Engeland zouden hun rechterarm hebben gegeven voor wat zij had bereikt. Daarom had het velen binnen het gebied verbaasd dat ze vertrokken was. Iedereen wist dat Caroline Katrine klaarstoomde om haar opvolger te worden wanneer ze over een jaar of vijf met pensioen zou gaan. Wat kon ze zich nog meer wensen?

Dat de prijs niet zo hoog was gebleken.

Caroline was in toenemende mate voorwaarden gaan stellen met betrekking tot Katrines vakkundigheid. Er waren methoden die 'go' waren, namelijk die van Caroline – en er waren methoden, die 'no go' waren – die van haar concurrenten, ook al waren ze minstens zo valide en bruikbaar. Een, in Katrines optiek, hopeloos ouderwetse instelling, waar ze zich niet in kon vinden. De discussies tussen hen waren niet fraai geweest, de afgelopen tijd.

Het kwam erop neer dat veruit de meeste psychologen in dit vakgebied onderzoek deden of achter een bureau zaten en nooit een crimineel van dichtbij zagen. Zo wilde ze toch echt niet eindigen. Maar als ze in Engeland wilde werken, dan was er geen andere optie, zoals de kaarten nu lagen.

Nou zou er een verklaring komen die iedereen zou kunnen begrijpen; dat Katrine de mogelijkheid had gekregen om zich in haar tweede vaderland te vestigen. Ook al wisten degenen die haar kenden heel goed wat de echte reden van haar vertrek was.

Waar ze nu met spanning op zouden wachten, was hoe haar relatie met Caroline voortaan zou zijn – op de lange termijn. Zou Caroline Katrine afstraffen en de handen van haar afhouden, haar buitensluiten, zoals ze had gedaan met anderen die de Koningin hadden uitgedaagd? De allianties waren sterk en de posities gepolariseerd. Het was academische oorlogsvoering van de ergste soort. En nu zou Carolines schoothondje, Diana, het dus van Katrine overnemen. Nou, ik wens ze het allerbeste, dacht ze.

Het was nog steeds niet helemaal tot haar doorgedrongen hoe opeens out of the blue een baan voor haar was ontstaan, in Denemarken. Met die mogelijkheid had ze nooit rekening gehouden. Denemarken was zo klein, zo onschuldig ook op een bepaalde manier. Vijftig moorden per jaar, die bijna allemaal ook werden opgelost. Maar criminaliteit bestond natuurlijk uit nog zoveel meer. Bendeoorlogen. Motorbendes. Drugs. Ze had zich nooit in dat soort zaken willen verdiepen.

Het was helemaal aan Kraghs geheime agenda te danken dat ze ja had gezegd. En dat had ze hem wel duidelijk gemaakt.

Als het niet zou werken of als Per Kragh zijn natte droom niet vervuld zou krijgen, kon ze altijd terug naar Sharm. Of de vs. Verdorie, Katrine Wraa, zei ze bij zichzelf. Laat die tunnelvisie eens los en ga de strijd aan, de wereld is groot.

Ik geef het een kans, beloofde ze zichzelf plechtig. En anders ben ik degene die verder is gaan kijken!

Daar toostte ze op door haar derde GT achterover te slaan. En toen werd het waarschijnlijk wel eens tijd om te stoppen. Op de luchthaven van Kopenhagen zou een huurauto voor haar klaarstaan.

De sneeuw knerpte onder het gewicht van de grote zwarte vierwielaandrijver, toen Katrine het kleine weggetje naar het zomerhuisje indraaide dat zoals verwacht niet vrij was gemaakt van sneeuw. Ze had er goed aan gedaan haar slechte geweten te trotseren en dit benzineslurpende monster te huren, zodat ze er kon komen en ook weer weg kon komen zonder plotseling in een sneeuwstorm vast te komen zitten.

Het was al donker geworden, maar ze kon de plek blindelings vinden. Katrine stopte en kon het zwarte houten huisje met de witte kozijnen in het schijnsel van de koplampen zien. Ze bleef even aarzelend in de auto zitten, voordat ze uitstapte.

Het ruisen van de zee klonk welbekend vanaf de andere kant van het huis. Zo ruw en koud op dit moment, ten opzichte van de zee waar ze net vandaan kwam. Ze zag voor zich hoe de golven ver het strand op sloegen.

Ze kende deze plek zo goed. En het was alsof die haar ook herkende.

Ze had hier elke zomer van haar jeugd doorgebracht. Het was bijna een verlengde van haar lichaam en haar herinneringen. Zoveel indrukken waren hier ontstaan. Warme, branderige huid op een laken in het gras. Het zweet, dat tussen de stof en de huid ontstond terwijl je daar lag te lezen. De koude kippenvelhuid in de ijzige golven buiten het badseizoen. De spieren die daarna trilden van de kou, of je nu wilde of niet. En de geuren; van kruidig grenen, zoete aardbeien en geroosterd brood in de ochtend, wanneer ze opstond, nog warm van het dekbed en het haar rechtopstaand van het zout, en naar buiten ging naar haar ouders die op het terras aan het koffiedrinken waren.

Ze liep naar het huisje toe en deed de voordeur open. De bedompte geur van een huis dat het grootste deel van het jaar onverwarmd leegstond, drong meteen in haar neusgaten en stond in schril contrast met de beelden die ze net had opgeroepen.

Ze ging naar binnen en sloot de deur. Het huis was ijskoud en het zou wel even gaan duren voordat het goed doorgewarmd was. De kou zat flink vast in de muren, de meubels en de vloer. Als ze de koffers naar binnen had gebracht, moest ze haar warmste kleren maar tevoorschijn halen.

Ze liep langzaam het huis door en probeerde de sfeer weer op te roepen.

Daar stond de tafel waar ze aan hadden gegeten of gekaart als het te koud was om buiten te zitten. Daar was de kachel die op een kille avond werd aangestoken. Daar was de dubbele deur met spijlen, die naar het houten terras in de achtertuin leidde.

Net buiten had je de brede, houten traptreden, waar ze god weet hoeveel zomerse uren op had gezeten en... wat had gedaan?

Helemaal niets. Gewoon er zíjn.

Als ze hier met daglicht zou zijn, wat, besefte ze zich, niet zou zijn vóór de eerste werkweek voorbij was, zou ze naar buiten gaan en de besneeuwde tuin bekijken. Ze stelde zich voor hoe ze zichzelf zou overwinnen, het hek aan het einde van de tuin zou openen en de houten trap naar het strand af zou lopen.

Maar die reis begon hier al. Ze keek met tegenzin naar de deuren van de twee slaapkamers die tegenover elkaar lagen in het kleine gangetje.

De slaapkamer van haar ouders. En – ze haalde diep adem en keek naar de tweede deur van haar eigen kamer waar ze had geslapen, die lange, lichte zomeravonden.

En waar ze had geslapen toen haar vriendin van de middelbare school, Lise, haar wakker had gemaakt met de woorden die later fataal bleken te zijn, 'we kunnen Jon niet vinden'.

Ze zag het allemaal weer voor zich. Ze hadden net eindexamen gedaan. De lange reeks feesten was voorbij, en ze waren met een stel vrienden hiernaartoe gekomen om van de nieuw verworven vrijheid te genieten. Het was zo lang geleden. Bijna alsof het in een ander leven geweest was. Ze was hier daarna nog maar een paar keer geweest.

Maar ze was niet blijven slapen.

'Het is gewoon de eerste nacht die ik door moet,' zei ze geruststellend tegen zichzelf. Ze liep resoluut naar haar kamer en opende de deur. Alles leek hetzelfde. 'Ik kan hier best zijn,' zei ze tegen zichzelf en geloofde bijna haar eigen woorden.

Toen begon ze het huisje in bezit te nemen.

Ze had haardhout gekocht bij een tankstation en stak onmiddellijk de kachel aan. Ze deed alle radiatoren aan en begon haar spullen en etenswaren naar binnen te dragen. Ze was onderweg langs Hillerød gereden en had flink ingeslagen toen de winkels gelukkig op zondag open bleken te zijn. Ze kon waarschijnlijk wel een maand ingesneeuwd zitten. Echt iets voor haar. Ze kon zich gewoon niet inhouden in een supermarkt. Was gek op eten. Maar wat was het toch vreselijk duur geworden, dit kleine landje. Ze was bijna in katzwijm gevallen toen ze de prijzen van alledaagse levensmiddelen zag. Om maar niet te spreken van de delicatessen, waar ze zich graag aan te buiten ging; goede espresso, verse pesto, hemelse geitenkaas, lamsvlees, vis en groenten, wijn en ladingen fruit.

Ze was in shock geweest over het bedrag dat ze bij de kassa moest betalen en waar ze in Engeland maanden van had kunnen leven!

Een kwartier later had ze alles een plek gegeven.

Na een korte beschouwing besloot ze in haar oude kamer te slapen en die van haar ouders te gebruiken om haar spullen in op te slaan. Ze legde de ijskoude matras voor de houtkachel neer en gooide daar wat hout in. Toen haalde ze de dikke wollen sokken en truien tevoorschijn en sneed wat brood af en een beetje van de dure geitenkaas en zette een pot espresso. Ze ging voor de kachel zitten eten en keek als gehypnotiseerd naar het vuur.

Ze stuurde een sms'je naar Ian om te zeggen dat ze was aangekomen en nu tot aan haar knieën in de sneeuw stond. Toen belde ze haar vader en vertelde hem dat alles volgens plan was verlopen en dat het huisje nog niets was veranderd. In de tussentijd was er een sms'je van Ian gekomen. 'Hi Darling, ik zei het je toch. Je had gewoon hier moeten blijven.'

Ze ging naar de badkamer. Keek in de spiegel. Ze zag er echt uit als een *diver bum*.

De droge oranjegouden krullen omkransten haar gezicht als weerspannige, excentrieke leeuwenmanen. Ze had het niet aangedurfd om in Sharm naar de kapper te gaan. Maar wat had ze eigenlijk gedacht? Moest ze morgen zo op haar eerste werkdag verschijnen, tussen politiemensen, advocaten en ambtenaren?

Resoluut nam ze haar nagelschaartje ter hand en begon de

droge puntjes eraf te knippen. Ze had het eerder gedaan, met prima resultaat, toen ze een arme studente was. Het resultaat was niet fantastisch, maar zeker beter dan daarvoor.

Ze bracht de rest van de avond door met het aansluiten van haar laptop op het draadloze internet waar ze een abonnement voor had genomen. Daarna at ze nog wat meer en scande ze zoals altijd de internetkranten van die dag door, een paar Deense en een paar Engelse.

Voordat ze naar bed ging, pakte ze haar vakliteratuur uit en zette die in een boekenkast in de woonkamer. Ze pakte een boek dat een van haar voormalige collega's had geschreven over cognitieve interviewtechnieken; verhoormethoden die de meest effectieve zoektocht in het geheugen van de ondervraagde creeren.

In Denemarken waren er geen schandaalzaken geweest zoals in verschillende buurlanden. Zweden, Noorwegen, Engeland. Overal waren gevallen geweest waarbij de politie er zo op gebrand was geweest om een bekentenis los te krijgen dat ze die hadden afgedwongen. Voordat de DNA-tests in gebruik werden genomen, resulteerde dat in gevallen waarbij onschuldige mensen jarenlang vastzaten voor misdaden die zij niet hadden begaan.

Het was kenmerkend voor de landen waar dit soort gevallen zich hadden voorgedaan, dat men er erg aan had gewerkt om de praktijk te verbeteren en daarmee de rechtszekerheid van de verdachte – onder andere door de politie beter op te leiden in verhoortechnieken voor het ondervragen van verdachten, slachtoffers of getuigen.

Cognitieve interviewtechnieken waren gebaseerd op het inzicht dat het menselijk geheugen iets ingenieus maar niet altijd even betrouwbaars is. Herinneringen werden opgeslagen als deel van een context, en vaak zou de ondervraagde zweren dat wat zij of hij zich herinnerde volledig in overeenstemming was met de werkelijke gebeurtenissen. Maar waar maar weinig mensen zich echter van bewust waren, was dat er veel dingen van invloed konden zijn op het geheugen, bijvoorbeeld het fenomeen van de suggestibiliteit; dat je wat je je herinnert van een specifieke gebeurtenis steeds bijstelt.

Een onderzoek na een vliegtuigcrash bij Schiphol in Amsterdam illustreerde dit perfect. Op televisie waren in de dagen na het ongeluk beelden van het beschadigde vliegtuig en het vernielde gebouw te zien geweest; 75 procent van de deelnemers die een vragenlijst invulden, antwoordde bevestigend op de vraag of zij op televisie beelden hadden gezien van het vliegtuig terwijl het crashte.

Maar er bestonden geen beelden van de crash zelf.

Er was genoeg stof voor vele goede discussies in dit gecentraliseerde hulpmiddel voor rechercheurs. Het boek was uitstekend qua theorie, terwijl het tegelijkertijd juist ook heel praktisch bruikbaar was. Meerdere hoofdstukken met betrekking tot geheugen en methode waren meteen toepasbaar wanneer ze politiemensen les moest gaan geven.

Bij de gedachte aan deze zeer concrete gebeurtenis in de nabije toekomst registreerde Katrine enkele aanwijzingen van haar lichaam, waaruit bleek hoe ze zich voelde over dit deel van haar nieuwe baan. Haar spijsverteringsstelsel ging zonder aarzelen op een laag pitje, zodat het lichaam de reserves kon gebruiken om te vechten of te vluchten. Of met andere woorden; ze was ontzettend nerveus en kreeg vlinders in haar buik van het formaat van... meeuwen? Aparte vergelijking, dacht ze, en realiseerde zich dat het misschien tijd was om naar bed te gaan, zodat ze morgen fris en goed uitgerust op het werk kon verschijnen.

Een schreeuw?

Was het een schreeuw geweest? Of een vos? Dat kon klinken alsof een vrouw schreeuwde. Akelig en schel. En sporen van vossen waren niet ongebruikelijk in de tuinen.

Adam Ehlers besloot het ongemak van het uit zijn warme bed stappen te trotseren en de zaak verder te onderzoeken, ook al was het, hij keek op zijn horloge... bijna tien over vijf, mijn hemel, hij hoefde pas over twee uur op. Hij had de hele nacht slecht geslapen, oppervlakkig en onrustig vanwege de bestuursvergadering morgen. De financiële crisis had het adviesbureau dat hij bijna tien jaar geleden eigenhandig had opgericht hard geraakt.

Maar hij had toch nooit eerder een vos met een dergelijk stemgeluid gehoord.

Zijn vrouw sliep zoals altijd diep en had blijkbaar niets gehoord.

Hij liep over de eerste verdieping naar de studeerkamer, een hoekkamer die op de tuin van de familie Winther uitkeek, waar hij dacht dat het geluid vandaan was gekomen.

Een blik op de tuin bevestigde zijn vermoeden. En wat hij daar beneden in het schijnsel van een straatlantaarn zag, was verrassend en onwerkelijk tegelijk.

Een vrouw, die hij herkende als zijn buurvrouw Vibeke Winther, zat gebogen over een gedaante die op de grond lag en waarvan Adam Ehlers aannam dat het Mads Winther, haar man, moest zijn. Het leek alsof ze probeerde om hem eerste hulp te verlenen. Maar waarom waren ze in de tuin, dacht hij. In de sneeuw? In deze kou? Op dit tijdstip? Zijn hersenen verwerkten de visuele indrukken veel te langzaam. Maar plotseling ontwaakte hij uit zijn tranceachtige toestand, en realiseerde zich dat hij iets moest doen. Hij riep zijn vrouw.

'Anne-Marie, wakker worden. Er is iets aan de hand bij de Winthers.' Zijn vrouw kwam verward overeind in bed. Adam pakte zijn mobiele telefoon, rende snel de trap af, trok zijn laarzen en jas aan en rende naar de buren.

'Nee...' Hij kon het zachte jammeren van zijn buurvrouw al vanaf de straat horen.

'Neee...'

Vibeke Winther leek moedeloos, en zat nu aan de kleding van de levenloze gedaante te trekken.

Toen Adam Ehlers dichterbij kwam, besefte hij waarom.

Mads Winther was dood.

En je hoefde geen arts te zijn om dat te constateren. Zijn bovenlichaam was een grote bloederige massa, zijn gezicht was bleek en grotesk verstijfd in een verbijsterde uitdrukking.

Adam Ehlers legde een hand op Vibeke Winthers schouder. Ze reageerde niet.

Hij ging iets verderop staan en toetste 112 in op zijn mobiele telefoon.

Katrine werd wakker en zou zweren dat ze door het geluid van haar eigen klappertanden gewekt was. De slaapkamer voelde zo koud aan als het buiten vermoedelijk ook was. Er moest iets mis zijn met de elektrische paneelverwarming in het huis. Ze stond op en sprong snel in haar kleren van de vorige dag, tastte naar het lichtknopje en vond haar weg naar de woonkamer. Daar was het zeker niet warmer. Ze keek op de klok. Het was kwart over vijf. Nog bijna een uur tot ze op moest staan. Maar ze kon onmogelijk verder slapen in deze kou. Misschien kon ze even gaan hardlopen? Dat zou de bloedsomloop zeker op gang brengen. Ze haalde haar trainingspak tevoorschijn en stookte de kachel op. Dan zou het iets warmer zijn wanneer ze thuiskwam.

Gelukkig had ze er aan gedacht om een hoofdlamp te kopen. Er was hier geen licht op de wegen. Gedurende de nacht was er meer sneeuw gevallen, maar het voelde buiten warmer aan dan gisteren en het leek alsof het zou gaan dooien. Haar schoenen werden nat. Het was niet direct een pretje wat ze deed, maar naderhand zou het goed voelen, troostte ze zich.

Haar telefoon ging net toen ze een halfuur later de deur opende. In drie grote stappen was ze er.

'Katrine,' hijgde ze in de telefoon.

'Goedemorgen, Katrine, met Per Kragh. Het spijt me, heb ik je wakker gemaakt?'

'Nee, nee, het is in orde, ik heb hardgelopen. Ik ben helemaal wakker, dat kan ik je wel vertellen.' Ze kon horen dat hij moest glimlachen.

'Nou, ik bel eigenlijk omdat we te maken hebben met een nieuwe moordzaak vanochtend, dus ik dacht dat je misschien net zo goed meteen naar de plaats delict kon rijden. Je introductiepartner is al op weg ernaartoe.'

'Oké, geef me het adres maar, dan kom ik zo snel mogelijk.' Hij gaf haar het adres op, ergens in Frederiksberg.

'Goed, dan zien we je daar.'

'Daar?'

'Ja, ik ga altijd naar de plaats delict toe.'

'Ja. Ja, natuurlijk.' Ze moest nog even wennen aan de duidelijk andere moordfrequentie. Als de hoogste baas bij moordzaken in Londen naar alle gevallen toe moest gaan... Dat zou fysiek onmogelijk zijn.

Haar push-ups moesten maar wachten tot vanavond. Ze deed er gewoonlijk honderd na een rondje hardlopen. En zo'n honderd sit-ups. Ze moest ook zo snel mogelijk een aantal gewichten kopen voor krachttraining. De set die ze in Sharm had gekocht, had ze bij Ian achtergelaten. 40 kilo ijzer kostte te veel aan extra bagage.

In een razend tempo douchte ze, at snel een kommetje havermout, pakte haar camera en opnameapparatuur en stoof het huis uit. Voor koffie en make-up was geen tijd. Ze toetste het adres in op de gps en reed weg.

Jens Høgh bekeek de dode man die in een smurrie van sneeuw en bloed in zijn eigen voortuin lag. Het was nog niet bekend hoe vaak een scherp voorwerp, waarschijnlijk een mes, het lichaam had gepenetreerd, maar degene die het voorwerp had vastgehad, had de hartgrondige wens gehad dat deze man zou sterven. Daarover bestond geen twijfel.

Het had gesneeuwd in de laatste uren van de nacht. Toen ze aankwamen bij de grijze villa in Frederiksberg vielen er nog grote, zachte sneeuwvlokken uit de lucht. De witte massa lag als een grote isolerende deken die alle geluiden dempte op de grond.

Het merkwaardige was dat het slachtoffer onder deze sneeuwdeken was gevonden. Hij had hier dus enkele uren gelegen totdat hij naar de voorlopige verklaring van zijn vrouw iets over vijven vanmorgen door haar was gevonden.

Jens hurkte neer naast het lijk in de tent, die haastig ter bescherming van de plaats delict was opgezet. Twee technisch rechercheurs namen foto's en stelden zorgvuldig de sporen buiten de deur veilig. Ze mopperden over het feit dat het dooide, wat het erg bemoeilijkte om voetafdrukken te nemen in de tuin en op de oprijlaan. Er was op dit moment niets dat erop wees dat de moordenaar binnen was geweest, maar een ander team van de technische recherche was binnen aan het werk om dit duidelijk te krijgen. De forensisch pathologen, een jonge vrouw en een oudere heer, wachtten respectievelijk ongeduldig en geduldig hun beurt af.

Ieder was bezig met het uitvoeren van zijn specialisme om er zo snel mogelijk achter te komen wie Mads Winther, een tweeënveertigjarige gynaecoloog, had gedood.

De informatie dreef in een constante stroom door de winterlucht, naarmate ontdekkingen werden gedaan en mogelijkheden de revue passeerden.

'Waarom heeft je vrouw je niet gemist in jullie warme tweepersoonsbed?' vroeg Jens zich af.

Hij zag ernaar uit de verklaring van de vrouw te horen. De meeste moordenaars bevonden zich onder de naaste verwanten van de overledene, meestal de partner, niets nieuws onder de zon daarmee. Maar het scenario was vreemd; haar man in de voortuin neersteken, naar bed gaan en gaan slapen of de rest van de nacht wachten? Opstaan, haar man in de tuin 'vinden', hem proberen te reanimeren – ze was ook arts – en vervolgens pretenderen door dit alles heen te hebben geslapen?

Maar het was allemaal eerder voorgekomen, alles was mogelijk.

Erop gebrand dit mysterie zo snel mogelijk te gaan ontrafelen, sprong hij op, maar duidelijk iets te snel. Het werd zwart voor zijn ogen. Hij had geen tijd gehad om te ontbijten. Hij wreef met een hand over zijn voorhoofd.

'Hé Jens, alles in orde?'

Anne Mi Kjær, een van de forensisch anatomen, keek bezorgd naar hem. Hij lachte scheef naar haar.

'Ja hoor, een beetje zuurstoftekort in de hersenen, maar verder alles oké. Denk ik.'

Ze keek sceptisch.

Hij ging iets verderop staan en bekeek Mads Winther vanaf daar. Hij moest zich blijven focussen. In de zaak opgaan, zoals hij altijd deed wanneer hij bij een nieuwe moord kwam. Maar zijn hersenen hadden hun eigen leven gekregen. Als je dat überhaupt zo kon zeggen. Te weinig zuurstof en te veel zorgen, deels over zijn naar macht hongerende dertienjarige dochter, Simone, en deels omdat hij erg bang was te worden overgeplaatst naar het nieuwe bendebestrijdingsteam en daarmee weg van wat naar zijn mening de beste baan binnen de hele politie was – rechercheur moordzaken bij de politie van Kopenhagen. Na de hervormingen binnen de politie heette dat dan wel 'afdeling persoonsgerichte criminaliteit', maar voor hem was en bleef het moordzaken.

Hij keek de tentopening uit en kreeg zijn baas, chef moordzaken Per Kragh, in het oog die op weg naar hem toe was. Naast hem liep een vrouw met nogal ongebruikelijk, bijna oranje haar dat weerbarstig wild krulde en als een boze halo rond haar hoofd uitstak. Dat moest de psychologe zijn waar Kragh over had verteld. Hij merkte hoe zijn humeur daalde. De introductie van een psycholoog was slecht nieuws geweest. Ze zou wel voor de Task Force gaan werken. Was het een hint dat hij tot de mensen die zouden worden overgeplaatst behoorde? Hij hoopte vurig dat dat niet het geval was.

Hij was verdorie rechercheur moordzaken! Het was natuurlijk ook moord wanneer bendes elkaar en onschuldige voorbijgangers op straat en in restaurants neermaaiden. Maar het was toch iets anders. Je wist dat het 'de anderen' waren. Je wist dat het de georganiseerde misdaad was. Pure wraakacties. Natuurlijk moest dit als onkruid worden bestreden. Als iemand anders het maar deed.

De recente moord- en schietpartijen tussen sommigen van die aso's, die hij had helpen onderzoeken, waren een drama geweest van eindeloze verhoren van getuigen die niets durfden te zeggen, uit angst voor represailles.

De meningen waren sterk verdeeld geweest over het idee van het hoofd moordzaken om een psycholoog aan te stellen bij de nieuwe Task Force ter bestrijding van bendecriminaliteit. Maar blijkbaar had hij aan de juiste touwtjes weten te trekken. Per Kragh bleek een genie te zijn in het spel in de wandelgangen.

Sommigen waren faliekant tegen dat van die psycholoog en vonden het maar grote onzin om dat soort mensen bij serieus recherchewerk te betrekken. Was het werk dat de politiemensen leverden misschien niet goed genoeg, luidden de protesten. Anderen stonden er wel voor open en waren nieuwsgierig. Jens was sceptisch, maar had zich niet op de barricades geworpen en zich laten gelden. Hij bewaarde zijn energie.

Het zou wel niet direct kwaad kunnen als een psycholoog probeerde uit te zoeken hoe je die idioten kon laten ophouden met elkaar neer te knallen. Maar zouden ze er ook baat bij hebben? Daar zouden ze nog wel achter komen. Hij klampte zich vast aan de hoop dat Kragh hem alleen om zijn pragmatische houding had gevraagd haar op sleeptouw te nemen in een introductieperiode totdat de Task Force was opgestart.

Hij liep hen tegemoet. Ze keek hem aan met een ferme blik. Gaf hem een ferme handdruk. Wat een boel... fermheid.

'Jens Høgh,' begroette hij met een knikje.

'Katrine Wraa,' antwoordde ze met een paar heel heldere en lichte ogen.

Hij bestudeerde haar. Ze had een voor de tijd van het jaar opmerkelijk kleurtje, dat bijna onnatuurlijk was in vergelijking met haar haarkleur, als dat al haar echte kleur was.

Katrine nam haar nieuwe partner op. Ze waren leeftijdsgenoten, midden dertig. Zijn hoofd was bijna gladgeschoren. Een millimeter donker haar stak uit.

Ze dacht dat hij het wel verschrikkelijk koud moest hebben op zijn hoofd. Hij had donkere, warme ogen, die haar taxerend aankeken. En iets anders. Gereserveerdheid? Bezorgdheid? Zou het met haar te maken hebben? Of met iets heel anders?

'Wees welkom,' zei Jens Høgh en hield zijn gezicht een beetje in de plooi.

Het psychologeneffect? Het was een oude klassieker. Mensen geloofden graag dat zij onmiddellijk hen en hun moeilijke jeugd zou doorzien. Maar die interesseerde haar niet, tenzij het een concreet doel diende. Anders was ze wel therapeut geworden.

'Bedankt.'

'Je valt er meteen middenin,' constateerde Per Kragh.

'Ja, je kunt maar beter meteen toeslaan als er een moord gebeurt in Denemarken,' antwoordde ze opgewekt en hoopte gelijk dat ze zojuist geen flater had begaan en hen beiden had beledigd. Ze moesten niet denken dat ze hen provinciaal vond.

Jens stootte een hoog lachje uit.

'Precies, dat dacht ik ook,' zei Kragh en keek afkeurend naar Jens. 'En het geeft je een kans om helemaal vanaf het begin te kunnen zien hoe wij in het veld werken. Ik heb natuurlijk iedereen op de hoogte gebracht over je toekomstige werkzaamheden bij ons, maar de forensisch pathologen en de mensen van het

Forensisch Instituut zijn nog niet geïnformeerd, dus ik spreek ze straks even toe.'

De vlinders van het formaat van meeuwen kwamen weer terugfladderen en haar hartslag steeg, zodat haar oren suisden. Nu kwam het erop aan. De eerste indruk was het belangrijkst. En het was voor het eerst dat ze er helemaal alleen voor stond. Ze had Caroline altijd gehad om de zaken mee door te spreken.

*

Ulla Jørgensen parkeert haar kleine Fiat. Ze is blij dat ze zich nog een auto konden veroorloven. Het maakt haar leven makkelijker. Op hetzelfde moment dat ze haar portier opent, hoort ze het.

Nu ligt het meisje daar weer in de achtertuin te huilen. Het huis ligt aan het einde van de straat en grenst aan een groot natuurgebied met een kleine grindgroeve.

Ulla zucht diep.

Als dit zo doorgaat, moet ze de gemeente maar eens bellen. Het begint toch op verwaarlozing te lijken. Ze denken blijkbaar dat de buren doof en blind zijn. Maar Ulla heeft geen problemen met haar gezichtsvermogen en gehoor noch met haar hart, en ze is verontwaardigd over wat ze hoort en ziet bij haar buren met de kleine zuigeling.

Ze zet haar boodschappentassen snel in de gang en rent de tuin van de buren in. Het gehuil is overgegaan in lange hartverscheurende uithalen, zoals alleen zuigelingen die kunnen produceren.

Ulla neemt het meisje uit de kinderwagen. Houdt het kleine trillende lichaampje tegen zich aan. Ze slaat het dekentje beschermend om de wat afgekoelde baby heen. Ze ruikt naar oude urine. Ulla bemerkt het vocht op haar arm.

'Hoe lang lig je hier al, kleintje?' Ze kijkt naar het gezicht van het meisje, dat helemaal van angst en onbehagen vetrokken is. Ze heeft vast honger en dorst.

Ze voelt een knoop in haar maag ontstaan.

Ze heeft zelf drie kinderen, die nu allemaal schoolgaand zijn.
Ze denkt aan hoe ze voor hen zorgde toen ze klein waren. Haar
hele lichaam was als een grote radar, gericht op het ontvangen
van hun signalen. Honger? Slaap? Een natte luier?

En zoals ze het zich nu herinnert, waren ze altijd in haar ar-
men. Ze weet best dat dat waarschijnlijk niet zo was, want ze
zorgde tegelijkertijd voor een heel huishouden. Maar ze herin-
nert zich het gevoel in haar lichaam als ze op de bank zat met het
kleine mensje dicht tegen zich aan en er bijna weer een mee werd.
Zoals toen het in haar buik zat. Er is vast niemand die dit kind dit
saamhorigheidsgevoel biedt.

Instinctief wil ze het meisje met zich meenemen. Haar mee
naar huis nemen. Het kleine hulpeloze schepseltje geven wat ze
nodig heeft en niet van haar ouders krijgt. Maar je kunt een kind
niet zomaar met je meenemen.

Ze moet nu zelf ook bijna huilen.

Ze kan het kleintje niet troosten. Honger wordt niet gestild door
een paar beschermende armen. Ze belt aan.

Haar grens is bereikt. Boosheid stijgt in haar op. Hoe vaak is ze
hier al niet geweest?

Ze neemt ter plekke een beslissing. Ze zal aanbieden om een
paar uur per dag op de kleine te passen, zodat haar moeder wat
ontlast wordt. En zodat ze weet dat het meisje althans in die uren
de juiste zorg krijgt. Ze heeft een parttime baan als secretaresse
bij een tandarts voor enkele uren in de ochtend, maar 's middags
kan ze best op het kind passen. En haar eigen kinderen zijn al bij-
na zo groot dat ze het wel gezellig zullen vinden, zo'n baby. Vooral
haar twee dochters.

Ze klopt weer aan. Niemand antwoordt.

Ulla is radeloos. In deze situatie, is het enige juiste misschien
wel het kind mee te nemen? Ze neemt een beslissing en loopt haas-
tig met de baby naar haar eigen huis.

Hoewel Ulla haar eigen kinderen altijd verschoonde voordat ze te eten kregen, moet ze het meisje iets te eten geven voordat ze een schone luier krijgt, zo hongerig als ze is.

Die van haar waren nooit zo hongerig geworden, dacht ze verontwaardigd.

Ulla warmt wat volle melk op totdat het de temperatuur heeft van de binnenkant van haar pols. Uit pure nostalgie heeft ze een paar flesjes bewaard waar ze die van haar pap in gaf toen ze meer voeding nodig hadden dan moedermelk.

Het meisje schrokt het spul naar binnen, klaarblijkelijk gewend aan flesvoeding, en boert luid over Ulla's schouder. Ulla lacht en aait haar over het ruggetje.

En nu de luier. Ze verwijdert het wasgoed van de tafel in de bijkeuken die ze als commode gebruikte, en legt het meisje op een aantal zachte handdoeken. Een akelige stank dringt haar neusgaten binnen als ze de luier opent. Hij zit helemaal vol. Ze wast het meisje grondig, maar merkt dat ze wel een goed bad zou kunnen gebruiken.

Ulla haalt het babybadje tevoorschijn dat ook in de bijkeuken staat. Ze gebruikt het om wasgoed in de week te zetten. Met de kleine veilig in een handdoek gewikkeld op de tafel begint ze het badje in de spoelbak af te wassen naast de plek waar het kindje ligt. Ze kunnen zich zo omrollen, zulke kleintjes, dus ze houdt haar goed in de gaten. Ze maakt geluidjes tegen haar.

Ze vult het badje en houdt de kleine in haar armen terwijl het water erin loopt.

De wasbeurt wordt kort. Het meisje vindt het beslist niet leuk. Ze barst in een bijna akelig schreeuwen uit wanneer ze in het water komt. Ulla wast gauw de kleine huidplooien. Onder het kinnetje zit een koek van vuil. Ulla krijgt bijna tranen in haar ogen. 'Geen wonder dat je het niet prettig vindt,' zegt ze tegen de baby. 'Je bent helemaal niet gewend om in bad te gaan, arm ding.'

Maar nu is ze tenminste schoon.

Haar buurvrouw gebruikt kunststof overbroekjes met stoffen luiers erin. Het overbroekje is gelukkig niet vuil. Ulla pakt wat versleten, maar schone theedoeken, die ze anders als poetsdoek gebruikt, kiest zorgvuldig de zachtste uit en improviseert een luier.

Tevreden, schoon en het buikje vol. Ulla zit op de bank met de baby op haar been, zodat ze naar elkaar kunnen kijken. Ze heeft een babydekentje opgescharreld en het meisje daar in gewikkeld om haar warm te houden.

Ze kan niet veel oogcontact krijgen.

Hoe oud zou je zijn? denkt Ulla en rekent terug. Ongeveer drie maanden, komt ze tot de conclusie dat het geleden moet zijn dat ze de buurvrouw met een reiswiegje zag thuiskomen uit het ziekenhuis. Ze denkt weer aan haar eigen kinderen.

Op deze leeftijd konden ze elkaar lang en onderzoekend aankijken, en ze glimlachten zo lief naar haar, dat haar hart opzwol. Ze kon gezichten trekken, die de kleine dan nadeed; mond wijd open, tong uitsteken, een brede glimlach.

Maar ze kan niet voor langere tijd oogcontact krijgen met dit meisje.

Ulla neemt een beslissing. Ze zal contact opnemen met de gemeente. Dat is haar plicht als moeder en als burger, vindt ze.

Maar de kleine gaapt en heeft slaap nodig. Ze kan hier vast wel even een dutje doen terwijl zij belt? Dan zal ze daarna nog eens aanbellen en haar hulp aanbieden.

Maar voordat ze zo ver komt, wordt er op de deur geklopt. Buiten staat de buurvrouw. Ze lijkt woedend. Gaat tegen haar tekeer over het feit dat Ulla haar kind heeft meegenomen. Ulla gaat er tegenin en zegt dat ze had aangebeld, maar dat niemand reageerde. De buurvrouw grist het kind uit Ulla's handen, draait zich op haar hakken om en verdwijnt in haar eigen huis.

*

Katrine keek in de richting van de tent waar grote lampen waren opgesteld, om in het donker te kunnen zien. Het daglicht was nog niet aangebroken.

37

In het wit geklede gedaanten bewogen zich rustig rond in het felle licht. Ze vormden lange zwarte schaduwen in de witte sneeuw.

'Wie hebben we hier?' vroeg ze.

'Mads Winther, een gynaecoloog van begin veertig, getrouwd, twee kinderen. Een tweeling, geloof ik,' zei Jens Høgh.

Zij liepen verder, maar bleven op gepaste afstand van de plaats delict staan, aangezien ze geen beschermende kleding droegen. Katrine keek naar het huis, een grote grijsgepleisterde oude kast van een herenhuis. Goed inkomen, dacht ze. Of drugs? Oud geld? Nouveaux riches?

'Mag ik even jullie aandacht?' Per Kragh sprak luid en verwachtte duidelijk stilte. 'Heel kort, zodat jullie weten wie onze nieuwe collega is; Katrine Wraa, vers of vrijwel vers uit Engeland, waar ze onderzoek heeft verricht en de Engelse politie heeft bijgestaan. Zo nu en dan heeft ze ook de FBI geassisteerd op Quantico,' zei hij met nauwelijks verholen trots.

'Katrine is een daderprofiler en ze zal deel uitmaken van de nieuwe Task Force, die zoals bekend in de loop van de komende weken zal worden opgericht. Het is geen geheim dat wij van de staf van mening zijn dat we werkelijk een scoop hebben door jou te kunnen aanstellen,' zei hij en keek naar haar.

'Leuke meid – en leuke achternaam!' zei Jens met een zowel serieuze als bijdehante uitdrukking op zijn gezicht.

'Hij is niet dom – hij heeft gewoon een verschrikkelijk slecht gevoel voor humor,' zei een jonge vrouw die goed verstopt zat achter haar witte masker geruststellend tegen Katrine.

'Tja, humor is ook een soort uiting van intelligentie, hè?' zei Katrine en keek wat bezorgd naar Jens. Hij bloosde een klein beetje, constateerde ze tevreden.

'In dit geval niet,' zei Jens, onbedoeld grappig.

'Nou, mensen, ik waardeer zowel jullie humor als jullie intelligentie, maar aan het werk maar weer,' zei Kragh resoluut. 'Jens, Katrine, jullie oriënteren je op de plaats delict en ondervragen vervolgens de echtgenote van het slachtoffer.' Hij liep naar de lijkschouwers. Jens keek Katrine aan met een ernstige uitdrukking.

'Zoals gezegd: slachtoffer – Mads Winther. Een buurman belde het alarmnummer om tien over vijf. De echtgenote, Vibeke Winther heeft geprobeerd hem zelf eerste hulp te verlenen. Zij is ook arts. Het sneeuwde terwijl hij hier heeft gelegen en ze heeft de plaats delict behoorlijk verontreinigd, omdat ze natuurlijk heeft gedaan wat ze kon om hem te reanimeren. Ze is binnen,' hij knikte in de richting van het huis en keek daarna naar de lucht.

'En nu dooit het, dus is het veiligstellen van de sporen, tja...' hij trok mismoedig zijn schouders op. 'Het zijn knappe lui, die van KTC, maar de omstandigheden zijn vrij slecht. Het gaat moeilijk voor hen worden om de schoenafdrukken en andere sporen in de sneeuw te interpreteren. Het ligt allemaal onder de nieuwe laag sneeuw en die is dus in de oude sneeuw aan het smelten. En het gebied dat het meest interessant voor hen is, is dit, waar het ambulancepersoneel, de buurman en zijn vrouw allemaal al overheen hebben gelopen.'

'Hoe lang ligt hij hier al?'

'Hij is sterk afgekoeld volgens de ambulancearts, maar de lijkschouwers hebben zijn temperatuur nog niet gemeten, dus hebben we nog geen schatting gekregen.'

'Maar het klinkt alsof hij hier al lang ligt?'

'Ja, hij lag hier waarschijnlijk al toen het een paar uur geleden sneeuwde. Er zit sneeuw op zijn kleren.'

'Dat betekent dat zijn vrouw niet heeft gemerkt dat hij niet naar bed is gekomen?'

'Daar zou het op kunnen wijzen. Maar ze kunnen ook aparte slaapkamers hebben.'

'Een paar op deze leeftijd?' zei ze twijfelend. 'Dat hoort toch zeker meer bij het wat oudere deel van de bevolking.'

'Het zou je nog verbazen. Dan is er ook de simpele mogelijkheid dat zij het heeft gedaan.'

'En doet alsof ze door alles heen heeft geslapen?'

'Mm, maar dat is dus wat we nog moeten uitzoeken,' zei hij.

'Zo, kunnen we nu een zogenaamd daderprofiel krijgen?' Een man van begin vijftig kwam op hen af slenteren. Dat klonk niet als een toekomstige fan, dacht Katrine.

'Zo snel gaat dat helaas niet,' zei ze, en probeerde opgewekt over te komen, zodat het allemaal nog steeds als collegiale scherts klonk.

'Bovendien gaat mijn interesse in eerste instantie vooral uit naar het slachtoffer.'

'Torsten Bistrup, onderzoeksleider,' zei hij met de nadruk op het woord leider. Hij gaf Katrine een hand voordat hij verderging. 'Ik verwachtte anders zoiets als: "Vijfentwintigjarige blanke satanist had naast de pot gepist..."?' Hij keek onschuldig vragend naar Katrine, die hem zwijgzaam opnam terwijl ze haar tactiek overdacht.

'Nee?' Hij schudde zijn hoofd overdreven. 'Kennelijk niet!'

Het sarcasme was erg slecht verholen. Ze kende het type maar al te goed; bitter, gefrustreerd mannetje van middelbare leeftijd. Teleurgesteld in het leven zoals het tot dusverre was verlopen en liet zijn omgeving daarvoor boeten. Er was een minuscule kans dat de man gewoon dom was en dat hij zelf echt dacht dat hij grappig was. Hij keek rond naar de anderen voor steun en kreeg die van een gedrongen man die eruitzag als een menselijke versie van een pitbull.

'Maar dit is geen tv-serie, hè?' zei ze, en gaf daarmee te kennen dat hij haar bullshitgrens binnen niet al te lange tijd zou bereiken als hij zo doorging.

'Nee, precies. Hoewel we zijn begonnen met rekruteren, zodat je het bijna wel zou denken, toch?' zei hij en liep zelfvoldaan weg na deze uitsmijter. Oké, bitter, gefrustreerd én hatelijk mannetje van middelbare leeftijd, dacht ze.

'Heb je ook een diagnose voor dat soort mensen?' vroeg Jens.

'Ja.'

'En?' Hij keek haar verwachtingsvol aan.

'Je hoeft geen psycholoog te zijn om die te kunnen stellen!'

'He, he.'

'En hij is onze onderzoeksleider?' zei ze mismoedig.

'Jep. En hij is écht zo. Dus je zult met hem moeten leren leven.'

'Geweldig!'

'Maar even tussen ons,' zei hij en liet zijn stem dalen. 'Het valt te hopen dat Kragh zijn geduld met hem verliest!'

'Hm. Maar, kom, we waren ergens mee bezig.'

'Ja, laten we eens naar hem gaan kijken, maar we moeten eerst de ruimtepakken aandoen. Ik ga er vanuit dat je ze kent?' Ze knikte. Hij overhandigde haar de welbekende witte overalls, een paar beschermingshoesjes voor aan de voeten en een mondkapje. Zij had het allemaal vlug aan. Hij zat wat met het mondkapje te prutsen.

'Nemen jullie het ook op, het... hoe heet het?' Ze knipte ongeduldig met haar vingers. Ze kon gewoon niet op de woorden komen, verdomme, *Investigative Interview*, hoe heette dat toch? Ze wilde niet als een allochtone Deen klinken.

'De verhoren?' suggereerde hij met licht opgetrokken wenkbrauwen.

'Precies.'

'Nee, hoor.'

'Ik zou dat wel graag willen,' zei ze met klem.

Jens fronste zijn wenkbrauwen, zodat er een sceptische frons ontstond.

'Ik weet het niet, hoor. Is dat niet een beetje...'

'Het is moeilijk om aan de lichaamstaal van mensen af te lezen of ze liegen,' legde ze uit.

'Ook al beweren veel deskundigen het tegendeel. Maar je kunt heel vaak veel uit hun taalgebruik halen. Daar is alleen een nauwgezette transcriptie van het verhoor voor nodig. Onze hersenen hebben overigens helemaal niet de capaciteit om elk detail en elke nuance van alles wat er tijdens een verhoor wordt gezegd te registreren.'

'Aha.' Hij keek sceptisch. 'Ik zou denken dat het met ervaring te maken heeft, toch? We zijn er toch in getraind om alles op te vangen en je op de essentie te richten.' Hij sloeg sceptisch zijn armen over elkaar.

'Ja, maar...' zei Katrine en ze wilde net naar een studie uit de vs verwijzen waaruit duidelijk bleek dat zelfs ervaren ondervragers doorgaans ongeveer 25 procent van de met een zaak verband houdende gegevens uit een verhoor vergaten. Maar oké, misschien kon ze beter voorzichtig aan doen. Ze wist uit ervaring dat zelfs agenten die positief tegenover haar inzet stonden, gemakkelijk een verzadigingspunt in het onderwezen worden konden bereiken.

Het had even geduurd voordat ze dat door had gehad. Ze hongeren vast naar dit soort kennis, had ze aan het begin van haar carrière gedacht. Op feiten gebaseerde kennis die zij met veel moeite had verworven en waar anderen nu hun voordeel mee konden doen. Maar zo zit de wereld niet helemaal in elkaar, had ze ontdekt, en kon er nog steeds om lachen hoe ze enthousiast haar kennis op welk moment en tegen wie dan ook had gespuid. Er waren velen geweest die het niet zo mateloos interessant hadden gevonden als zij.

'Maar wat?' vroeg hij.

'Ja, het is zeker zo, dat je mettertijd beter wordt,' zei ze daarom maar en knikte bevestigend. Hij keek haar een beetje wantrouwig aan. Ze was een tamelijk slechte leugenaar.

'O ja, nog één ding,' zei ze. 'Ik weet niet wat voor beeld je eigenlijk van mijn werk hebt. Maar ik ben niet zo iemand die mysterieuze ingevingen krijgt en als een kip zonder kop achter haar "intuïtie" aanrent. Ik baseer mijn onderzoeken op dezelfde harde feiten als politiemensen.'

'Eh, oké,' zei Jens en leek een beetje gedesoriënteerd na deze woordenvloed. 'Nou, dat is dan ook weer duidelijk.'

Ze liepen naar de tent en stapten naar binnen, terwijl ze er zorgvuldig voor waakten de twee technisch rechercheurs die nauwgezet elke mogelijke kledingvezel, haar of afdruk op de kleren van de dode man veiligstelden, niet voor de voeten te lopen.

Mads Winther lag op zijn rug.

Hij was een knappe man geweest; goed geproportioneerd, mannelijke trekken, brede kin, donkere dikke haardos. Zijn bovenlichaam was een bloederige massa door vele diepe messteken. De dode ogen staarden in een verbijsterde uitdrukking voor zich uit in de ruimte.

'Een tamelijk hoog agressieniveau,' zei Katrine en probeerde in te schatten van hoeveel messteken er sprake was. Dat was onmogelijk.

'Ja, het is iemand geweest die behoorlijk kwaad was.'

Katrine keek hem verbaasd aan. Interessant understatement.

'Jaloezie, wraak, haat – het lijkt héél emotioneel.'

'Waar verbaas je je het meest over hierbij?' vroeg hij.

'Het feit dat hij in de tuin ligt,' zei ze. Ze liep dichter naar de man toe en keek naar zijn kleding. De sneeuw was grotendeels weg van het bovenlichaam, vanwege de eerste hulp die Vibeke Winther geprobeerd had te geven. Mads Winther droeg een lichtgrijze trui die doorboord was en doordrenkt met bloed. Op zijn onderlichaam zat nog veel sneeuw, maar je kon er een donkerblauwe spijkerbroek doorheen zien. Maar geen overkleding. Aan zijn voeten had hij grote zwarte winterlaarzen waarvan de veters los waren. 'En hij had ofwel geen tijd om meer kleren aan te doen en zijn laarzen vast te maken, of rekende erop weer snel naar binnen te gaan. Hij kende zijn moordenaar waarschijnlijk. En ik zou denken dat hij vrijwillig mee hiernaartoe is gegaan.'

'Ja?'

'Tenzij, natuurlijk, de moordenaar hem gedreigd heeft of hem mee heeft gelokt onder het voorwendsel van autopech of iets dergelijks. Maar dat is niet logisch.'

'Want?'

'Wat is het motief? Je hebt toch geen waardevolle spullen bij je als je op dit moment van de dag en zo gekleed je tuin inloopt. Dus tenzij er binnen soms iets gestolen is, is het motief in ieder geval niet roof.'

'Precies.' Jens keek tevreden. Hij was duidelijk bezig haar vermogen om de plaats delict te ontcijferen te testen. Nou, hij deed maar. Ze was er altijd van overtuigd geweest dat het geen zin had om binnen deze tak van de psychologie te werken, als je niet ook een grote interesse had in forensisch onderzoek en forensische geneeskunde.

'Maar?' vroeg hij haast verwachtingsvol.

'Wij wachten af of de technische recherche sporen vindt die erop wijzen dat er iemand binnen is geweest. Hij kan, in theorie, onder bedreiging het huis uit hebben moeten gaan om te voorkomen dat de rest van het gezin wakker werd.'

'Ja. Maar als we even aannemen dat hij zijn moordenaar kende: naar wie zijn we dan op zoek?'

'Iemand uit de naaste omgeving, echtgenote, vrienden, collega's. Hij was arts – dus ex-patiënten zijn ook een mogelijkheid.'

'Hij was gynaecoloog...' Jens keek sceptisch, en ze kon zijn gedachten lezen als een open boek, het beeld van een hoogzwangere vrouw of jonge moeder als brute messenmoordenaar was behoorlijk grotesk.

'Vrouwen die gaan bevallen hebben vaak ook een man.'

Jens knikte om dit onweerlegbare feit.

Ze haalde haar schouders op. 'Het komt steeds vaker voor dat gewone burgers boos zijn op deskundigen.'

'Dat is waar. En een ander belangrijk ding?'

'Het moordwapen? Is dat al gevonden?'

'Nog niet. Maar even terug naar de naaste omgeving waar we ons op moeten richten; de echtgenote. Moeten we niet eens met haar gaan praten?'

'Dat is waar. Maar ik zou graag nog even wat foto's van hem willen maken voordat hij hier weggehaald wordt,' zei ze. De mensen van de technische recherche waren klaar en hadden de tent verlaten, en de forensisch pathologen gingen naar binnen en stonden op het punt om het onderzoek van het lijk over te nemen.

'We gebruiken altijd die van de technische recherche – zij nemen ze vanuit elke denkbare hoek.'

'Ja, maar ik neem die waar je niet aan denkt,' zei ze overtuigend.

'Oké, ik verheug me erop die te zien! Vinden jullie het goed?' vroeg hij de forensisch pathologen. De jonge vrouw die eerder commentaar had gegeven op Jens' humor, knikte.

'Prima, zolang jullie niets aanraken,' zei ze met een vastberaden gezichtsuitdrukking.

'Dat spreekt voor zich.'

'Anne Mi Kjær, heet ik overigens.'

'Hallo,' Katrine stak haar hand op ter begroeting, aangezien ze elkaar geen hand konden geven vanwege de handschoenen.

'En dit is Hans Henrik Havmand,' zei Jens en knikte in de richting van de oudere man. 'Ons forensisch orakel.'

'Nou overdrijf je, Jens,' zei Havmand. 'Welkom bij de club.'

'Bedankt.'

Ze nam snel wat foto's van het slachtoffer, een close-up van zijn gezicht en een aantal waar ze het volledige scenario op probeerde vast te leggen. Dat was niet makkelijk in de relatief kleine tent.

'Ja, dat moet genoeg zijn,' zei ze.

'Perfect, dan gaan wij nu aan de slag,' zei Anne Mi.

Jens en Katrine liepen de tent uit.

Katrine liep naar het tuinhek en nam foto's met het huis op de achtergrond en de tent op de voorgrond.

'Zeg, zijn onze foto's soms niet goed genoeg?' klonk het beledigd vanaf het huis.

Katrine deed alsof ze de opmerking niet hoorde.

'Jullie foto's zijn geweldig, Tom!' riep Jens haast zodat ze het op straat ook konden horen. 'Maar psychologen zien de wereld misschien vanuit een iets ander perspectief. Wie weet? We moeten voor alles openstaan!'

De reactie van de technisch rechercheur ging op in het geluid van andere stemmen. Ze zuchtte achter het mondkapje. Het was hier ook weer hetzelfde liedje. Ze zag precies dezelfde strijd voor zich, die Caroline ook had gehad in Engeland.

Ze ging terug naar Jens. 'Ik ben eigenlijk wel klaar.'

'Goed. Laten we de pakken uittrekken.' Ze liepen een stukje verder en stroopten de pakken af. Het was een opluchting om het mondkapje af te kunnen doen. Daar vormde zich ijzige condens in.

'Zullen we beginnen met de dokter te leren kennen?'

'Nog beter dan zijn beste vriend!'

'En je zou dan graag de verhoren opnemen, zei je?'

'Ja, en als Vibeke Winther met ons mee kan lopen door het huis en ons precies laat zien wat ze deed toen ze vanochtend opstond, zou dat helemaal geweldig zijn.'

'Ja, als dat zou kunnen...'

'Als ze er toe in staat is, natuurlijk. Anders moet het wachten.'

'Oké, we zullen kijken hoe het met haar gaat.'

'En anders houd ik me gewoon een beetje op de achtergrond.'

'Ja, oké.'

Ze bemerkte een glimlachje rond zijn lippen.

Vibeke Winther zat rechtop op de bank en staarde wezenloos voor zich uit. In eerste instantie reageerde ze niet toen ze de kamer in kwamen. Jens wierp een vluchtige blik op het interieur. Dure designmeubels, klassieke inrichting met moderne kunst aan de muren. De kleurstelling was consequent doorgevoerd in koel grijs en wit. Alles was op elkaar afgestemd en geen kussentje lag verkeerd. Jens zou niet hebben vermoed dat er kleine kinderen in huis waren als hem dat niet was verteld.

Een stijlvol interieur, zouden sommigen het vinden. Koel,

zouden anderen zeggen. Vibeke Winther paste er, ondanks het feit dat ze een ochtendjas en slippers droeg, heel natuurlijk tussen als onderdeel van de rest van de inrichting, stijlzuiver en modern. Haar donkere, steile haar was in de nek bijeengebonden. Het viel hem op dat ze uitzonderlijk slank was.

'Mogen we u condoleren,' Jens stak zijn hand uit naar Vibeke Winther, die hem met een ondoorgrondelijke blik een hand gaf.

'Gecondoleerd,' zei Katrine net als Jens. 'Het spijt me voor u.'

Het opmerkingsvermogen stond op scherp in dit soort situaties. De eerste indruk die de rouwenden maakten. Wie waren de naasten van het slachtoffer? Wat waren het voor mensen? Wat voor leven hadden ze samen geleid? De nabestaanden maken ons verhaal af, dacht hij vaak. En het geeft hen een enorme macht. Want het maakt hen meester over het beeld dat we te zien krijgen. Dit was het moment, net nadat het gebeurd was, dat ze het meest naakt en kwetsbaar waren. Het was misschien wel het eerlijkste moment van alle.

Dit was het moment dat we kleine vibraties konden onderscheppen, het onuitgesprokene tussen het uitgesprokene. Aarzeling, onzekerheid, ronddwalende ogen. Voordat het verhaal van wat er gebeurd was uiteindelijk gevormd was. Tenzij het van tevoren uitgedacht was.

De politie was bijna altijd de eerste die deze voorlopige constructie van het verhaal van een nieuwe moord te horen kreeg.

Dus Jens Høghs opmerkingsvermogen sloot alle gedachten over Simone, psychologen en motorbendes af en zoomde honderd procent in op Vibeke Winther. Maar het werd extra verscherpt toen hem iets opviel: Vibeke Winther zag er niet uit als iemand die net haar geliefde verloren had.

'Gaat u zitten,' zei ze en keek hen aan.

Ze gingen gehoorzaam zitten. Er bestond geen twijfel over het feit dat ze tegenover een vrouw zaten, die over een natuurlijke autoriteit beschikte.

Katrine haalde haar mp3-recorder tevoorschijn.

'Is het goed dat ik het verhoor opneem?' vroeg ze.

Vibeke Winther knikte. Katrine plaatste hem op de glazen tafel. Jens negeerde het zo goed als hij kon. Hij was niet zo gecharmeerd van het idee om zijn eigen stem later terug te horen.

'Mijn naam is Jens Høgh en ik heb mijn nieuwe collega, Katrine Wraa, bij me die psychologe is.'

'O, ja?' Vibeke keek heel even verwonderd. Jens had besloten om niet in te gaan op het feit waarom hij een psycholoog mee had, tenzij ze er om vroeg.

'Het wordt nu alleen een kort gesprek,' zei Jens. 'Maar we zouden u graag op het politiebureau hebben voor een echte ondervraging.'

Vibeke schudde haar hoofd. 'Houdt u zich vooral niet in. Ik wil graag dat u alle vragen stelt die u moet stellen.'

'Ja, maar we zouden u toch willen vragen...'

'Dat is goed,' zei ze. 'Vanzelfsprekend kom ik mee.'

'Goed. En de kinderen, wie past er op hen?'

'Onze au pair heeft hen naar het kinderdagverblijf gebracht, en ze haalt hen vanmiddag weer op.'

'Hoe oud zijn ze?'

'Anderhalf jaar. Ons ene zoontje is ziek,' zei ze.

'Wat heeft hij?'

'Een maand geleden is de diagnose leukemie bij hem gesteld.'

Jens knikte en moest even slikken. Hij begreep opeens beter waarom deze vrouw zo beheerst was. Ze gebruikte waarschijnlijk al haar krachten om zichzelf bij elkaar te houden.

'Dat vind ik echt heel erg om te horen,' zei hij. 'Heeft u ook slachtofferhulp aangeboden gekregen?'

'Ja. Ik neem het in overweging.'

'Goed. Vibeke, we zijn helaas genoodzaakt u een heleboel vragen te stellen.'

Ze knikte instemmend.

'Hoe laat stond u vanochtend op?'

'Om vijf uur. Ik moest naar een conferentie in Lund. Ik wist dat Mads laat thuis zou kunnen komen, dus ik had een slaappil ingenomen om vandaag goed uitgerust te kunnen zijn. Ik heb moeite om opnieuw in slaap te komen als ik tussendoor gewekt word,' legde ze uit. 'Toen hij niet in bed lag en ik kon zien dat hij ook niet naar bed was gekomen, verwonderde dat me natuurlijk wel. Ik dacht dat hij misschien in het ziekenhuis had moeten blijven, aangezien hij niet thuisgekomen was.'

'Is dat wel eens eerder voorgekomen?'

'Het zou zeker niet de eerste keer zijn. Ik keek of hij een sms'je had gestuurd of iets had ingesproken, maar dat had hij niet gedaan. Dus ik belde hem.' Ze veranderde haar blikrichting en keek recht voor zich uit. 'Toen ik zijn telefoon hoorde gaan beneden in de hal, wist ik dat er iets mis was. Hij zou nooit uit vrije wil zo vroeg opstaan.'

'Maar hij had ook bij de kinderen kunnen zijn.'

'Ja,' zei ze kortaf. 'In theorie wel. Maar dan zou zijn telefoon op zijn nachtkastje liggen. Hij gebruikt die als wekker... gebruikte,' corrigeerde ze zichzelf.

'U nam slaappillen in, zegt u. Was u niet bang dat u de jongens niet zou horen wanneer ze wakker werden?'

'Ik had met onze au pair, Maria, afgesproken dat zij zou opletten of ze hen hoorde. Ze kreeg de babyfoon bij zich. Ze zou vanochtend ook voor de kinderen zorgen, aangezien ik vroeg weg moest en Mads zijn slaap nodig had.'

'Hm, ja.'

Jens voelde een zekere onrust bij de psycholoog achter hem.

'Natuurlijk zullen we ook uw au pair ondervragen.'

'Natuurlijk.'

Jens hield een korte pauze om daarna de draad weer op te pakken. 'Wat deed u toen u zijn telefoon in de hal hoorde gaan?'

Katrine onderbrak hem.

'We zouden eigenlijk graag willen dat u ons laat zien wat u deed, nu we hier toch in huis zijn.' Katrine wierp een snelle blik op Jens.

'Natuurlijk.' Vibeke stond op en liep naar de hal en verder de brede trap op naar de eerste verdieping. Ze gingen de slaapkamer in waarin op een mooi zacht wit tapijt een tweepersoonsbed stond. De ene zijde was onbeslapen en de andere was nog onopgemaakt. Er waren twee deuren, waarvan er een naar de badkamer leidde en een naar een inloopkast.

'Ik stond dus op. En toen belde ik hem. Vervolgens liep ik naar de trap.' Ze volgden Vibeke wederom de gang in. 'Ik hoorde zijn telefoon beneden afgaan. Dus ik deed mijn eigen telefoon uit en ging naar beneden.'

Ze liep de trap af en zij volgden haar.

'Ik zag dat alle lichten in de gang en in zijn kantoor aan waren.' Ze liepen Mads Winthers kantoor in, dat was ingericht met eenvoudige zwarte meubels. 'Ik had gezien dat zijn jas op zijn plaats hing, dus in eerste instantie nam ik aan dat hij in huis moest zijn. Op dat moment was ik zelfs bang dat hij ergens zou liggen met een hartaanval. Ik liep de woonkamer rond, deed lampen aan en ging naar hem op zoek.' Ze keek naar Jens met een vertwijfelde uitdrukking op haar gezicht. 'Maar hij was hier niet.'

Vibeke Winther liep de kamer door, naar de keuken en ging een deur door die naar een kleine gang met twee deuren en een keldertrap leidde. 'Ik ging naar binnen en wekte Maria en vroeg haar of ze hem gezien had, maar dat was niet het geval.' Vibeke opende de deur naar een grote, lichte kamer, waar net als in de rest van het huis een pijnlijke orde heerste. Het was niet te zien dat hier een jong meisje woonde. Het meubilair was beduidend goedkoper dan in de rest van woning. Licht, goedkoop grenen, constateerde Katrine.

'Toen ging ik naar buiten, deed de voordeur open en wilde hem net weer dichtdoen, toen ik het zag. Dat er iemand op het gazon lag, bedekt onder de sneeuw. Het leek heel grotesk. Onwerkelijk. Toen ik dichterbij kwam, kon ik het bloed zien dat door de sneeuw heen naar boven was gedrongen.' Ze keek naar haar handen en zweeg. 'Ik veegde de sneeuw weg en kon zien dat hij het was. En ik probeerde om hem eerste hulp te verlenen. Maar hij voelde erg koud aan, en ik kon wel nagaan dat hij er al een tijd had gelegen,' zei ze zacht.

'Er was niets meer aan te doen.'

Jens gaf haar even de tijd voordat hij vroeg:

'Weet u ook wat hij deed vanaf het moment dat hij thuiskwam, totdat hij de tuin in ging?'

'Hij had voor zichzelf een whisky ingeschonken. Ik neem aan dat hij nog een beetje televisie wilde kijken voordat hij naar bed ging.'

'Was dat gebruikelijk?'

'Ja, volstrekt. Hij moest altijd even bijkomen na het werk.'

'Hoe was zijn alcoholgebruik?' vroeg Jens.

Vibeke Winther haalde haar schouders op.

'Matig. Ongeveer twee glaasjes doordeweeks en iets meer in het weekend. Hij hield wel van wijn. En van een goede whisky.'

'Kon u zien of hij iets heeft gedaan wat anders dan gebruikelijk was?' ging Jens verder.

'Nee.'

'Heeft hij hier thuis een computer?'

'Ja, natuurlijk.'

'Oké. We zouden die graag onderzoeken. Dat gaat als volgt. Er wordt een kopie gemaakt van zijn harde schijf, zodat u hem snel terugkrijgt.'

Vibeke knikte onverschillig.

'Heeft u in de loop van de nacht ook iets gehoord of gezien?'

Ze keek hem aan alsof hij ze duidelijk niet allemaal op een rijtje had.

'Ik had een slaappil genomen.'

'Ik moet dit wel vragen.'

'Ja, maar natuurlijk. Sorry.'

Jens kreeg het gevoel dat er bij Vibeke Winther een wereld aan tegenstrijdige gevoelens speelden achter het ongelooflijk beheerste uiterlijk.

Haar gezicht onthulde niet veel over haar innerlijk leven, maar in een glimp liet ze een mengeling zien van verdriet, boosheid en... was dat bitterheid?

Je moest het wel in je achterhoofd houden, zelfs in gevallen waarin het onwaarschijnlijk leek; had zij het gedaan? Of was het een huurmoord? Hij noteerde voor zichzelf dat ze uitgebreid de financiën van het paar, drugsgebruik, overspel – alles – met inbegrip van de afbraaktijd van haar slaappillen moesten onderzoeken. Eigenlijk moesten ze zo snel mogelijk een bloedtest afnemen. In theorie, als je even verder doordacht, kon ze ze later hebben ingenomen dan ze...

'Hoe laat nam u de slaappillen in?' vroeg Katrine op nonchalante toon.

Vibeke Winther en Jens keken haar beiden om heel verschillende redenen verbaasd aan.

'Om tien uur,' antwoordde Vibeke.

'Wat voor soort slaappillen?' vroeg Katrine.

'Ziclovan, een kortwerkend slaapmiddel.'

'Het kan goed zijn dat we een bloedtest nodig hebben,' zei Katrine en keek naar Jens.

'Ja, dat is zo.' Jens knikte enigszins verwonderd.

'Dat is prima,' zei Vibeke Winther en keek op haar horloge.

'Maar ik betwijfel of jullie die ergens voor kunnen gebruiken. De eliminatiehalveringstijd van Ziclovan is 3,5 keer 2, dat is 7 uur. Dus was het uit mijn lichaam toen ik Mads vond.'

'Nou, ik moet zeggen,' zei Jens met lichte verbazing. 'Daar weet u wel veel van.'

'Ik werk in de farmaceutische industrie, dus het is eigenlijk mijn werk om dit soort dingen te weten. En aangezien ik vandaag vroeg auto moest rijden, wilde ik niet het risico lopen nog steeds onder invloed te zijn,' antwoordde ze op behoorlijk overtuigende wijze.

Jens ging snel naar buiten om Anne Mi te gaan halen. Het was niet gezegd of ze er wat aan hadden, maar ze konden beter op zeker spelen. Als ze nog steeds sporen van de stof in haar lichaam had, kon je daaruit afleiden dat ze het later had ingenomen dan ze beweerde. En als ze later een tijdstip van overlijden zouden krijgen, konden ze misschien conclusies trekken uit deze twee gegevens.

'Ze komt zo,' zei Jens toen hij even later terugkwam.

'Hoe was jullie huwelijk?' vroeg Katrine. Ze bestudeerden beiden het gezicht van de weduwe nauwgezet, terwijl ze op het antwoord wachtten. Vibeke aarzelde wat langer dan bij een van de vorige vragen.

'We hadden een goed huwelijk,' zei ze toen. 'We deelden dezelfde fundamentele waarden in het leven; carrière en gezinsleven waren het meest belangrijk.'

'In die volgorde?'

'In precies die volgorde.'

'Relatief hoog activiteitniveau voor iemand die zich op de achtergrond zou houden,' zei Jens met een glimlach, die ook zei dat hij het prima vond.

Ze wachtten in de hal terwijl Vibeke Winther een bloedtest onderging.

Hij had Kraghs psycholoog allang geaccepteerd. Ze was oké. Bijdehand.

In feite was hij heel opgetogen bij het vooruitzicht zich met haar op de zaak te storten.

'Dat kan zo ineens over je komen, hè? Wanneer komt het resultaat van de bloedtest?'

'Daar gaan waarschijnlijk wel een paar dagen overheen. We moeten haar nu mee de tuin in hebben.' Hij schudde zijn hoofd en leunde een beetje naar Katrine toe. 'Het is een heel beheerst persoon,' fluisterde hij.

'Ze is ook in shock. Dat kan vele gezichten hebben.'

'Maar er is nog iets anders. Ze heeft een beetje iets... bitters over zich.'

Anne Mi Kjær kwam naar hen toe en glimlachte even bij het zien van de twee fluisterende mensen.

'Jullie krijgen de resultaten later op de dag.' Ze keek nieuwsgierig naar Katrine.

'Waar heb je dat prachtige kleurtje toch vandaan?'

'Sharm el Sheikh, de Rode Zee.'

'Mm, klinkt geweldig. Hé, we moeten een keer samen gaan lunchen. Ik wil graag over je werk in Engeland horen.'

'Dat lijkt me heel leuk,' zei Katrine, blij met de uitnodiging.

'Super, jullie horen nog van mij!' zei ze en liep naar de voordeur.

'Is dat een belofte of een dreigement?' riep Jens haar na.

Anne Mi zwaaide ten antwoord, nog steeds met haar rug naar hen gekeerd, en verdween de deur uit. Katrine keek haar na. Ze had een heel bijzonder uiterlijk met zowel Aziatische als Afrikaanse trekken. Haar huid had een lichte melkchocoladekleur en ze had heel kleine zwarte pijpenkrulletjes, die vrolijk uitstaken. Hoe zou...?

'Afro-Koreaans,' zei Jens, alsof hij haar gedachten gelezen had.

'Natuurlijk!' zei Katrine.

'Natuurlijk, zeg je gewoon. Ik had daar nooit eerder van gehoord, toen ze me dat vertelde. Maar dat is het precies, he? Koreaanse vrouw en zwarte Amerikaanse soldaat ontmoetten elkaar in Vietnam. Anne Mi werd geadopteerd door een Deens onderwijzerspaar. Goed. We moeten verder,' zei hij en liep naar de woonkamer voor Vibeke Winther.

'Ik ben klaar,' zei Vibeke en ze kwam op hetzelfde moment naar hen toe.

'Hij was een van de meest getalenteerde rechercheurs moordzaken van deze tijd. Jens Høgh was een te korte tijd bij de Deense politie beschoren voordat hij in de wijk Nørrebro door geweervuur omkwam. Ik weet dat ik namens het gehele personeelsbestand spreek wanneer ik zeg dat hij zal worden gemist. Ik wil u vragen een minuut stilte met mij in acht te nemen. Ter nage-dachtenis aan hem.' Hij moest eraan denken dat laatste met een zeer plechtige gezichtsuitdrukking te zeggen.

Torsten Bistrup stond in gedachten verzonken naar Mads Winther te kijken.

Høgh en de psychologe hadden kort verslag gedaan over het inleidende verhoor van Vibeke Winther. Zo meteen was er de lijkschouwing met Havmand.

Hij was er niet zeker van of het een afwijking was, hij zou het in ieder geval zeker niet aan iemand vertellen, maar in de afge-lopen jaren was hij in zichzelf grafredes gaan houden voor men-sen die hem irriteerden.

Hij had zo al heel wat bazen en collega's begraven en hij was er niet slecht in, al zei hij het zelf. Hij kon zich niet herinneren wanneer het precies begonnen was. Er was een soepele over-gang geweest van zijn uitgebreide innerlijke portretten voor de grote kranten en een paar mannenbladen in het lagere segment, *Euroman* en dergelijke, met hemzelf als onderwerp naar aanlei-ding van zijn benoeming tot hoofd moordzaken. Gewiekste journalisten hadden hem dan listige vragen gesteld die hij altijd vakkundig en slim had beantwoord.

Maar toen Torsten gaandeweg had beseft dat hij een verdere promotie wel kon vergeten, waren zijn interne dialogen tot lan-ge en zeer gewaardeerde grafredes geworden, die hij ten over-staan van een diep bewogen menigte van politiemensen en fa-milieleden op de daaropvolgende begrafenisreceptie hield.

Als het hem op de man af zou worden gevraagd, zou Torsten Bistrup nu te allen tijde ontkennen dat hij hogere ambities had gehad. Maar hij had zich vaak in zijn fantasie voorgesteld hoe hij de troepen aan zou sturen. Met vaste hand en zijn goede hu-meur. In plaats daarvan stond hij stil op de leeftijd van drieën-vijftig, nu met al die chefs in jongere versies van hem. En nu ook nog eens een psycholoog opgedrongen gekregen – welis-waar maar voor tijdelijk... hij voelde zijn woede groeien. Wat wist zo'n stomme, verwaande academicus überhaupt van gedegen recherchewerk? Ze was zich al naar voren aan het werken, nam haar eigen foto's en dacht dat ze de dader wel zou kunnen vinden met haar profielen en dure woorden! Alsof hij niet wist hoe dit af zou lopen! Weldra zouden ze er zo eentje bij alle grote onderzoeken meekrijgen.

Iedereen wist toch dat het enige wat werkte goed en gedegen politiewerk was. Honderden, duizenden uren van verhoor van getuigen en naaste verwanten. Een nauwe en systematische samenwerking met mannen als Tom, die zelfs een schaamhaar in een smyrnatapijt konden vinden.

Als de Deense politie zich zo zou ontwikkelen, dan zou dat mooi zonder hem zijn. Ze moesten niet denken dat hij niets anders zou kunnen vinden. Je had de verzekeringsbranche, beveiligingsbedrijven en diverse particuliere bureaus die ook nog eens beter betaalden. Maar tot dat moment wist hij precies wat zijn voornaamste taak moest worden; zo'n groot mogelijke twijfel scheppen over wat zo'n boekenwurm hier te zoeken had.

Dat soort lui waren toch van de pot gerukt! Hij zou achter haar zwakke plekken zien te komen. Hij was, al zei hij het zelf, wel een beetje een mensenkenner.

En verder zou het een enorm genoegen zijn als Høgh met haar meeging naar die bende-Task Force. Die stond hem erg tegen, had hij wel kunnen merken. En dan was hij hem ook kwijt. Twee vliegen in een klap.

Torsten kende Bent Melby, die de Task Force zou gaan leiden. Was het niet een idee om een goed woordje voor Jens bij hem te doen? Zeker nu hij zo goed met hun psycholoog overweg leek te kunnen?

Hij was trots op zijn eigen vindingrijkheid. Niet slecht, Torsten. Niet slecht.

*

De kleine slaapt niet langer buiten.

Maar Ulla kan haar in huis horen huilen. Het is een kwelling voor haar. Ze probeert zich af te sluiten en er niets om te geven. Maar dat kan ze natuurlijk niet.

Nog dezelfde dag gaat ze erheen en probeert ze haar hulp aan te bieden.

Ze krijgt een onbeschoft antwoord terug dat ze haar niet nodig hebben.

Dan belt ze met de gemeente om de verwaarlozing te melden.

Ze wil het kind toch alleen maar helpen. Ze vertelt over hoe ze het meisje dagelijks hoort huilen en dat er niemand opendoet.

Ze zullen er naar kijken.

De dag daarop ziet ze hoe de wijkverpleegster hun een bezoek brengt. Ze komt er glimlachend weer vandaan en werpt een blik in de richting van Ulla's huis. Er is iets vreemds met die blik. Het is geen waarderende blik voor de plichtsgetrouwe burger. Het is eerder een verwijtende blik. Alsof zij degene was die iets verkeerd had gedaan. Ulla snuift; zij is toch degene die ervoor heeft gezorgd dat het kind schoon is!

Ze krijgt een telefoontje van een mevrouw van een instantie, die haar duidelijk te verstaan geeft dat de buurvrouw overweegt haar aan te geven omdat ze haar kind mee naar huis had genomen.

Ulla legt uit wat er aan de hand was, maar kan net zo goed tegen een muur praten. Er wordt niet geluisterd.

Gewoon omdat het een artsenpaar is, snuift ze. Die geloven ze op hun woord, terwijl ze twijfelen aan de onbeduidende secretaresse. Een vrouwelijke arts – een neuroloog zelfs! – heeft er toch zeker wel het meeste verstand van hoe je een zuigeling verzorgt.

Na enige tijd houdt de baby op met schreeuwen. Het is alsof ze het heeft opgegeven, heeft beseft dat het toch niets uitmaakt.

Ulla huilt inwendig om de trieste jeugd, die haar kleine buurmeisje te wachten staat. Ze volgt haar op afstand.

*

'Ja, daar zit jij,' zei Jens tegen Katrine en wees op het bureau tegenover dat van hem. Tussen de kantoren aan de lange gang zaten klapdeuren, en er was ruimte voor twee personen in elke kamer. Voor elk bureau stond een stoel voor de ondervraagde.

Hij zag uit zijn ooghoeken, hoe Katrine bijna als vertrouwd
op haar nieuwe plek ging zitten. Ze leek hem iemand die je
waar dan ook neer kon zetten, en ze zou zich er settelen alsof
het de gewoonste zaak van de wereld was.

Vibeke Winther nam plaats op een stoel tegenover hem, die
Jens haar wees. Jens ging aan zijn bureau zitten en nam haar
grondig op.

Katrine zette haar recorder voor Vibeke neer.

'Kunt u ons iets vertellen over Mads? Wat was hij voor iemand?' vroeg Jens.

'Hij was een zeer vakkundige en geliefde arts. Vakmatig zeer
gerespecteerd door zijn collega's.' Weer dezelfde prioritering,
dacht Katrine.

'En als echtgenoot en vader?'

'Zeer liefdevol, zeer verantwoordelijk en goed met de jongens. We konden erg moeilijk kinderen krijgen. En toen zouden we er opeens twee krijgen...' Voor het eerst kwamen er tranen in Vibeke Winthers ogen. Ze veegde ze snel weg. 'Hij was
heel erg blij dat hij zelf vader zou worden.'

Jens gaf haar de tijd om bij te komen. Vibeke Winther keek
hem aan, ten teken dat ze er weer klaar voor was.

'Hoe lang kenden jullie elkaar?'

'Sinds onze studie geneeskunde. We kregen in het tweede jaar
iets met elkaar.'

'En jullie begonnen met studeren in...?'

'1988.'

'Bij welk ziekenhuis werkt u?'

'Ik heb gekozen voor een iets andere richting dan Mads. Ik
werk in de farmaceutische industrie.'

'Welke soort?'

'Wij produceren voornamelijk voor de psychiatrie.'

'En u bent...?'

'Product- en kwaliteitsmanager.'

'En vrienden – wie zien jullie privé?'

'Mads heeft een goede vriend, Thomas Kring, uit hetzelfde jaar als wij bij geneeskunde. Hij heeft zijn eigen vruchtbaarheidskliniek. En verder gaan we nog met een paar andere collega's om. Maar ons sociale leven is er de laatste jaren wel wat bij ingeschoten.'

'Hoe was jullie huwelijk?'

'Ik denk dat ik die vraag al heb beantwoord; we hadden een goed huwelijk.' Lichte irritatie.

'Hebben jullie de laatste tijd ruzie gehad?'

'Niet meer dan te verwachten valt in een doorsnee huwelijk met de stress van kleine kinderen en een recent ontdekte ziekte.'

'Het spijt me, maar ik moet dit vragen: is er sprake geweest van slippertjes of bepaalde grotere conflicten?'

'Absoluut niet.' Ze keek van de een naar de ander. 'Ik zie waar jullie heen willen. En ik begrijp best dat jullie vragen moeten stellen en zien uit te vinden of ik een motief heb. Maar ik weet eigenlijk niet wat jullie je hadden gedacht? Dat ik mijn man omgebracht zou hebben net nu wij met ons ene zoontje voor een slopend ziekteproces staan? Hoe denken jullie eigenlijk dat ik het vind om hier alleen doorheen te moeten?'

Jens sloeg zijn ogen heel kort neer voordat hij Vibeke Winthers blik opnieuw ontmoette.

'Het klopt, wat u zegt. We moeten die vragen wel stellen, al is dat moeilijk voor u. Wanneer heeft u hem voor het laatst gezien?'

'Gisterochtend, voordat hij naar zijn werk ging.'

'Heeft u hem nog aan de telefoon gehad?'

'Nee.'

'En u sliep toen hij thuiskwam?'

'Ja.'

'Hoe was zijn stemming de afgelopen tijd? Was er iets wat hem dwarszat?'

'We waren beiden natuurlijk erg terneergeslagen vanwege de ziekte van onze zoon,' zei ze zachtjes.

'Ja, dat is begrijpelijk,' zei Jens begripvol. 'Heeft u de laatste tijd iets ongebruikelijks gemerkt aan zijn gedrag? Was er iemand die hem bedreigde of iets dergelijks? Of vreemde voorvallen?'

Katrine deed haar uiterste best om zich in te houden en niets te zeggen. Jens had erg de neiging om meerdere vragen achter elkaar te stellen. Het was een heel slechte verhoortechniek.

'Ja, eigenlijk wel,' zei Vibeke tot hun verrassing. 'Er is een man die hem verschillende malen heeft opgezocht. Een Tsjetsjeen die een paar maanden geleden zijn vrouw verloor tijdens de bevalling. Mads was verantwoordelijk voor het verloop. Maar geen van ons heeft er iets achter gezocht dat hij Mads opzocht. En Mads nam het heel rustig op. Het is een arme vluchteling met een posttraumatische stressstoornis.'

'En wat voor karakter hadden hun gesprekken? Bedreigde hij Mads ronduit?'

'Hij kon wel intimiderend overkomen met zijn gedrag. Hij was erg boos en gefrustreerd en weinig begripvol over het feit dat ze niet in staat waren geweest het leven van zijn vrouw te redden.'

'Nou, met hem zullen we natuurlijk moeten praten,' zei Jens. Hij rondde de ondervraging af en begeleidde Vibeke Winther naar een surveillancewagen die haar naar huis moest brengen.

'Verdomme! Waarom vertelt ze dat nu pas?' Jens bleef schelden terwijl ze met grote passen naar zijn dienstwagen liepen, een zwarte Peugeot 306. Ze waren elk in hun eigen auto naar het bureau teruggereden.

Voordat ze vertrokken, had Jens de afschriften opgevraagd van alle telefoonnummers die aan de familie Winther toebehoorden; twee mobiele en een vast nummer.

'Het lijkt niet dat ze het heel serieus hebben genomen. Maar ze is erg gesloten. Ze laat niet veel los over hun privéleven. Het lijkt alsof er iets anders is wat haar bezighoudt en waar ze niet over praat,' zei Katrine.

'Dat gevoel heb ik ook, maar ik had gehoopt dat je zo even een scherpe psychoanalyse op tafel zou gooien.'

'Mja...'

'Jij bent de psycholoog,' zei hij en grinnikte uitdagend.

'Ja.'

'Ja, zeg je alleen maar?'

'Ik ben dus zoals ik al zei geen helderziende, hè?'

'Oké, oké. Touché!'

'Maar ik geloof wel dat ze loog toen ze zei dat er geen sprake van ontrouw was in hun relatie.'

'Het was anders een van de vragen waarbij ze het meest overtuigend leek, vind ik.'

'Ze verroerde geen vin, en ze keek je veel uitdrukkelijker aan dan daarvoor.'

'O? Zei je eerder niet dat dat van die lichaamstaal opgeklopte onzin is?'

'Ja, maar ik sloot het ook weer niet helemaal uit, hè?'

'Maar stilzitten is nou net een teken dat je niet liegt! Mensen die liegen, kijken weg, hun ogen dwalen rond, en ze wippen op hun stoel heen en weer van nervositeit.'

'Mensen die liegen,' zei Katrine, 'gebruiken een groot deel van hun concentratievermogen om de reactie van de persoon tegen wie ze liegen te lezen. Ze kijken de ander dus vaak veel directer aan dan anders. Bovendien doen ze extra hun best om vast te houden aan het stuk fictie dat ze aan het creëren zijn, en dat betekent dat ze vaak nogal beperkt gebruikmaken van gebaren. Tenzij, natuurlijk,' voegde ze eraan toe, 'er sprake is van een persoon met een dissociale persoonlijkheidsstoornis.'

'Komt er ook een tolk mee bij je aanstelling?'

'Sorry. Psychopaten.'

'O.'

'Die vallen hier helemaal buiten. Het zal ze een worst zijn of ze liegen en welke consequenties het heeft als ze door de mand vallen. Ze verzinnen gewoon een nieuwe verklaring.'

'Maar ik heb zowel bankovervallers als moordenaars ondervraagd die logen alsof het gedrukt stond, en die nauwelijks op een stoel konden blijven zitten, omdat hun lichaam zo ongeveer ronddraaide!'

'Nervositeit kan het beeld vertroebelen. Of als er bijvoorbeeld andere zaken spelen die men niet onder de aandacht van de politie wil brengen. Een man die wordt beschuldigd van een overval die hij eigenlijk niet heeft gepleegd, maar hij heeft wel zijn flat vol drugs, bijvoorbeeld, hè? Daarom is het ook moeilijk om hiervoor de juiste methoden te ontwikkelen. Het is nou niet bepaald een exacte wetenschap,' zei Katrine.

Het grappige was, dacht ze, dat politiemensen in vergelijking tot de controlegroepen vaker vonden dat ze beter dan burgers waren in het doorzien of mensen logen. En ze waren over het algemeen ook veel achterdochtiger. Ook privé. Er was zelfs een term voor: GCS – Generalized Communicative Suspicion. Een soort beroepsdeformatie.

Jens keek twijfelend naar Katrine.

Hij was zeker van zijn zaak. Hij dacht zelf dat zijn antenne voor wanneer mensen logen, ver boven het gemiddelde lag. Maar dat was niet iets waar je over opschepte. Gewoon iets wat je voor jezelf wist.

Het gaf zelfvertrouwen tijdens de verhoren. En, privé, als je bijvoorbeeld weer eens het gevoel had dat je dertienjarige dochter je enorm zat voor te liegen.

'Het zou leuk zijn als iemand een betrouwbare leugendetector uit zou vinden, nietwaar?' zei Jens.

'Ze zullen er waarschijnlijk nooit een kunnen maken die bij psychopaten werkt,' zei ze. 'En die zijn zwaar oververtegenwoordigd aan de verkeerde kant van de wet.'

'Ja,' zei Jens. 'Ik kan er ook wel een paar bedenken die ik door de jaren heen ben tegengekomen. Wat zijn de getallen?'

'Ze zeggen 2 procent van de bevolking in de westerse wereld. Meer mannen dan vrouwen. In de gevangenissen maken ze duidelijk de grootste groep uit; ongeveer 20 procent van de gevangenen is psychopaat.'

'Goh! Maar wacht eens, waarom zeg je 2 procent in het Westen? Is dat niet iets wat overal gelijk is? Het heeft toch met genen te maken?'

'Niet alleen maar. De omgeving speelt ook een sterke rol. En daar tref je bij internationale studies de verschillen in aan. Er zijn aanwijzingen dat de westerse levensstijl bevorderlijk werkt voor het ontwikkelen van psychopathische trekken. In tegenstelling tot bijvoorbeeld de Aziatische cultuur, waarbinnen een aantal normen voorkomen die hier een onderdrukkende werking op hebben. Maar hier in het Westen wordt het individu in hoge mate gehuldigd en de flexibele en ambitieuze medewerker en baas. En dat zijn allemaal machtig mooie eigenschappen. Maar ze kunnen ook gemakkelijk als camouflage gebruikt worden. En in sommige bedrijfstakken zoeken ze nu juist naar dit soort karaktertrekken die psychopaten geweldig meester zijn. Vooral bij managers. Er is helaas ook een andere plaats waar ze sterk oververtegenwoordigd zijn en waar ze echt een groot aantal mensen schade kunnen berokkenen. In topposities. 10 procent van alle leiders, wordt wel gezegd.'

Jens floot.

'Dat zijn er toch wel een hoop!'

Ze waren ieder even in hun eigen gedachten verzonken. Die van Katrine gingen naar Vibeke Winther.

Er was iets aan de hele situatie wat haar plotseling opviel.

'Even iets totaal anders,' zei Katrine peinzend. 'Als jij onder de slaappillen in een onafgesloten woning had gelegen met kleine kinderen in huis en je echtgenoot was op brute wijze vermoord in de voortuin, zou je niet een beetje gechoqueerd zijn bij de gedachte aan wat er met jullie had kunnen gebeuren?'

'Ze heeft misschien helemaal geen tijd gehad om zo veel na te denken.'

Katrine keek hem aan zonder iets te zeggen, maar hij kon wel zien dat ze het niet helemaal met hem eens was.

'Bovendien,' zei ze zo vriendelijk en niet-belerend als ze kon. 'Is het het beste om maar een vraag per keer te stellen tijdens een verhoor. De zoektocht, die de ondervraagde in zijn geheugen maakt wordt anders minder precies en onscherp, doordat er meerdere processen gelijktijdig op gang worden gebracht.'

Jens gromde een antwoord, dat ze niet kon verstaan, en draaide de Blegdamsvej in.

Hij had blijkbaar een verzadigingspunt bereikt.

Na wat rondjes gereden te hebben en eindelijk een parkeerplaats gevonden te hebben, liepen ze het Juliane Marie Center in, waar de kraamafdeling was. Jens vond al snel de collega die de ondervraging van Mads Winthers collega's coördineerde.

'We zijn net begonnen en zijn te weten gekomen dat hij gisteren op zijn vrije dag is opgeroepen vanwege ziekte en drukte. Hij was hier de hele dag en is 's avonds weer naar huis gegaan, maar we weten nog niet precies hoe laat. We hebben ons vooral geconcentreerd op het verkrijgen van namen en adressen van degenen die samen met hem dienst hadden. We gaan net een paar leidinggevenden ondervragen.'

Een groepje mensen in witte jassen kwam hen tegemoet lopen.

'We nemen het van jullie over,' zei Jens tegen zijn collega, die opgelucht leek vanwege de onverwachte hulp. Jens richtte zich tot de artsen. 'We willen graag praten met Mads Winthers directe chef.'

'Dat ben ik,' zei een chique vrouw van in de vijftig en begroette hen. 'Inge Smith, hoofdarts gynaecologie. Laten we naar mijn kantoor gaan. Daar kunnen we ongestoord praten.'

Ze liepen met de vrouw mee een gang door en een kantoor in. Ze gingen aan een kleine vergadertafel zitten.

'Is het goed dat ik het gesprek opneem?' vroeg Katrine.

'Maar natuurlijk,' antwoordde Inge Smith.

Katrine zette haar recorder aan en plaatste hem op tafel.

'Het is een zeer groot verlies voor ons allemaal. Ook persoonlijk,' zei de vrouw en haar ogen liepen vol. 'Mads was een zeer geliefd persoon. En hij was een erg bekwame arts. Zowel zwangere vrouwen als hun echtgenoten voelden zich op hun gemak bij hem.'

'Het spijt ons voor u,' zei Jens.

'Het is zo zinloos.' Haar gezicht vertrok in lichte vertwijfeling.

'Heeft u een overzicht van zijn doen en laten hier gisteravond?' vroeg Jens.

'Wat ik op dit moment kan zeggen, is dat hij voor de hele dag is opgeroepen. Ja, hij had eigenlijk geen dienst, maar werd ingeroepen vanaf 8 uur 's ochtends, vanwege ziekte en drukte. Het laatste wat ik kan lezen uit de statussen met zijn initialen eronder, is,' Ze bladerde door wat papieren.

'Dat hij een acute sectio had, sorry, een keizersnede, om zes uur. Hij moet de kraamafdeling om negen uur weer hebben verlaten.'

'Dus hij is waarschijnlijk om negen uur naar huis gegaan?'

'Ja, dat zou ik denken.'

'Hm,' zei Katrine. 'Dat komt gewoon niet zo goed overeen met het feit dat zijn vrouw om tien uur naar bed ging en dat hij niet voor dat tijdstip thuis is gekomen...'

'Nee, daar zit een hiaat,' zei Jens. 'Dat moeten we nog uitzoeken. Het is erg belangrijk dat u contact met ons opneemt als u hoort dat iemand hem na negen uur nog heeft gezien.'

'Vanzelfsprekend,' zei Inge Smith.

'We willen graag meer horen over hoe hij als persoon was. Kunt u hem voor ons beschrijven, zoals u hem zag?' vroeg Katrine.

'Hij was iemand die altijd even naar persoonlijke dingen informeerde bij zijn collega's,' zei Inge Smith. 'Of het verjaardagsfeestje goed was verlopen, de vakantie leuk was geweest en hoe het met de kinderen ging. Hij had een twinkeling in zijn ogen. Ik weet dat sommigen hem waarschijnlijk flirterig zouden noemen,' zei ze met een glimlach.

'Maar het was niet op een... onaangename manier. Hij hield gewoon van zoete broodjes bakken, denk ik. En hij deed het met veel charme. Hij was erg populair onder de verloskundigen.'

'En zijn minder aantrekkelijke kanten?'

'Tja, ik weet het niet... ik geloof niet dat ik zo iets kan bedenken.'

'We hebben allemaal onze wat mindere kanten,' zei Katrine om te proberen haar een beetje op weg te helpen.

'Mag ik daar even over nadenken?'

'Natuurlijk,' zei Jens. 'Kunt u ons vertellen of er de afgelopen tijd iets ongebruikelijks is gebeurd? Gedroeg hij zich anders? Is er iets voorgevallen?'

Te veel vragen, Jens! dacht Katrine en merkte dat hij een snelle blik op haar wierp en schaapachtig glimlachte, omdat hij zich blijkbaar herinnerde wat ze net in de auto had gezegd.

Inge Smith hoefde niet lang na te denken.

'Er is een man die hem heeft opgezocht en, ik denk dat je wel zou kunnen zeggen, hem bedreigde. Maar Mads zag geen reden om er iets tegen te doen. Hij haalde zijn schouders erover op en was van mening dat de arme man "ongevaarlijk" was. Ik geloof dat dat het woord is dat hij gebruikte. Maar jullie moeten dit zeker uit gaan zoeken.'

'Kunt u ons vertellen wat er gebeurde?'

'Maar natuurlijk. Maar in feite is de verloskundige met wie hij bij de betreffende bevalling samenwerkte hier nu ook. Willen jullie ook niet met haar praten?'

'Ja, heel graag. Dat gaan we hierna doen.'

'Uitstekend. Het komt gelukkig uiterst zelden voor, maar een paar maanden geleden verloren we een vrouw in het kraambed. Bijna drie maanden geleden is het nu ongeveer. Het was een echtpaar dat hun eerste kindje verwachtte. De vrouw werd met eenenveertig jaar, op oudere leeftijd voor het eerst moeder, maar de zwangerschap was zonder complicaties verlopen.' Inge Smith beschreef routineus het verloop met vakjargon en autoriteit. 'Het waren Tsjetsjeense vluchtelingen die rond 2003 naar Denemarken zijn gekomen. Ze zaten samen gevangen en zijn – waren – overlevenden van martelingen. Ik ken hun geschiedenis niet in detail, maar ze leden beiden vermoedelijk aan PTSS, ja, posttraumatische stressstoornis. De bevalling verliep zonder complicaties en de verloskundige verliet de verloskamer een uur post partum, een uur na de geboorte dus, dat is de procedure bij een normaal verloop. Ze hield toezicht op de bloeding, zoals gebruikelijk, twee uur post partum, en toen ontdekte ze dat het helemaal mis was. De vrouw bloedde hevig, en de verloskundige riep onmiddellijk assistentie in. Mads Winther was achterwacht, en de verloskundige is ook een zeer bekwaam en ervaren iemand. Ze brachten haar naar de ok en brachten haar onder narcose, en ze probeerden de bloeding te stoppen.' Inge Smith schudde treurig haar hoofd. 'Dat lukte helaas niet. Iemand gaat niet dood aan een bloeding alleen, maar het bleek dat ze een acute zwangerschapsvergiftiging had.'

'En ze kreeg extra bloed?' vroeg Jens.

'In zeer grote hoeveelheden, en alles wat ze haar verder konden toedienen aan vloeistoffen.' Ze haalde diep adem. 'Ze hebben alles gedaan wat ze konden. Dat kan ik u garanderen. En naderhand werd er ongelooflijk veel moeite in gestoken om met de man te praten, Aslan Nukajev, heet hij. Ik heb zelf deelgenomen aan één zo'n gesprek. Mads had er meerdere met hem. Na korte tijd begon hij Mads hier op de afdeling op te zoeken. Hij bleef erop terugkomen dat hij niet begreep waarom Mads niet in staat was geweest het leven van zijn vrouw te redden.'

'En het lukte Mads niet om hem een verklaring te geven?'

'Mads betreurde het diep en deed alles wat in zijn macht lag om de man te laten begrijpen wat er gebeurd was, om hem te doen inzien dat het buiten zijn macht had gelegen om zijn vrouw te redden.'

'Is het tot een aanklacht gekomen?'

'Nee,' antwoordde Inge Smith. 'En er is geen sprake geweest van welke vorm van nalatigheid dan ook van de kant van het personeel. De hele gang van zaken is tot op de bodem uitgezocht.'

'Hoe zit het met het kind?' vroeg Katrine.

'Daar ging het gelukkig goed mee en het kwam op de kinderafdeling. Later werd hij naar een opvangtehuis voor zuigelingen overgebracht.'

'Nou, ik denk dat we even wachten met ons gesprek met de verloskundige of we laten een collega het overnemen en gaan direct op weg naar,' hij keek in zijn notities, 'Aslan? Kunnen we zijn volledige naam en adres ook krijgen?'

'Natuurlijk, ik zoek het op in het dossier.' Ze zocht in het administratiesysteem en las hardop voor. 'Aslan Nukajev.' Ze kregen een adres op in het noordwesten van Kopenhagen.

'Hartelijk dank.' Jens stond op en Katrine ging ook mee. 'Het kan zijn dat we nog een keer met u moeten praten.' Inge Smith liep met hen mee naar de liften.

'O ja, wat was de naam van de verloskundige die bij de geboorte aanwezig was?' vroeg Jens.

'Lise Barfoed,' zei Inge Smith.

Katrine verstijfde. Dat kon niet waar zijn...

'Daar zie ik haar trouwens net.' Katrine liep achter Inge Smith aan naar een vrouw die de kraamafdeling net wilde verlaten.

'Lise, ik geloof dat de politie je graag wil spreken over Aslan Nukajev. In verband met Mads.'

'Maar natuurlijk.'

Een behuilde, met rode ogen, versie van Katrines oude middelbare schoolvriendin kwam tevoorschijn.

Alles stond stil.

Katrine kon haar ogen niet geloven. Hoe groot was de kans dat dit kon gebeuren? Niet erg groot. Het was gewoon niet eerlijk. Katrine had vooral zin om de benen te nemen.

'Katrine?' Lise keek op zijn minst net zo verrast naar Katrine en veegde de tranen van haar wangen. 'Ben jij dat, Kat? Ja, maar...'

Jens keek naar Katrine, die ineens opvallend bleek zag onder haar indrukwekkende kleurtje en verwonderd keek naar deze uitzonderlijk mooie verloskundige met lang blond haar, die een strakke witte jas zeker niet misstond, constateerde hij.

'Jullie kennen elkaar?' Jens keek van de een naar de ander.

'Ja,' snifte Lise. 'Wij zijn vriendinnen van de middelbare school.'

Katrine wist gewoon niet wat te zeggen. Alles leek onwerkelijk en vreemd. Ze probeerde woorden tot zinnen te vormen in haar hoofd, maar ze vielen uit elkaar voordat ze haar mond bereikten.

'Maar het verwaterde toen Katrine naar Engeland verhuisde.' Lise Barfoed schudde haar hoofd alsof ze niet helemaal kon geloven wat ze zag. 'Wat vreemd om je ineens weer te zien. Het is gewoon...' De tranen rolden over haar wangen. 'Het is wel een beetje overweldigend, allemaal.'

'Ja, dat begrijp ik best,' zei Katrine en kon horen dat ze verschrikkelijk stijf en onpersoonlijk klonk.

Lise veegde de tranen van haar wangen en schudde niet-begrijpend haar hoofd. 'Maar ben je nu weer in Denemarken? Voorgoed?'

'Ja.'

'Maar wat...?' Ze keek naar Jens en dan weer naar Katrine. 'Werk je voor de politie?'

'Dat klopt helemaal,' zei Jens tegen Lise. 'En de politie moet weer verder, dus jullie tweeën moeten een andere keer maar bijpraten.' Hij keek naar Katrine, die knikte en hem inwendig innig bedankte. 'Ja, we moeten gaan.'

'Hij heeft mij ook bedreigd,' zei Lise snel. Ze stopten abrupt.

Inge Smith keek verbaasd naar de verloskundige.

'Daar heb ik niets over gehoord.'

'Ik heb onregelmatige diensten gehad en het is een tijdje geleden dat ik je gezien heb, Inge.'

Ze haalde haar schouders op. 'En net als Mads heb ik er eerlijk gezegd niet iets achter gezocht. Maar dat had misschien wel gemoeten.'

'Ik zal zo een collega sturen om met u te komen praten,' zei hij tegen Lise.

'Kan ik je nummer niet krijgen, Katrine?' Lise haalde een stuk papier en een pen uit haar jaszak en gaf ze aan Katrine. Het zou erg ongemakkelijk en raar zijn om hier in gezelschap van al die mensen te weigeren, hoewel haar nummer aan Lise geven het laatste was wat ze wilde. Ze wilde graag zelf het tempo bepalen, en dit ging veel te snel nu. In paniek overwoog ze heel even 'per ongeluk' het verkeerde nummer op te schrijven. Maar dat zou te laf zijn. Ze krabbelde het nummer snel neer en gaf het papiertje toen met een glimlach die mogelijk meer op een grimas leek aan Lise.

Ze zeiden gedag en haastten zich de deur uit. Jens was bezig Torsten Bistrup telefonisch op de hoogte te brengen en versterking in te roepen die ze zouden treffen bij het adres van de Tsjetsjeen.

'Als hij mentaal instabiel is, waar het wel op lijkt, moeten we een psychiatrisch arts mee hebben. Er zijn een paar nogal ongelukkige gevallen geweest in de afgelopen jaren,' zei hij tegen Katrine. 'Het klopt toch dat jij dat soort dingen niet doet?'

'Ja, dat ligt ver buiten mijn vakgebied,' zei ze, en het voelde alsof ze vanuit een duikklok sprak.

Ze hoorde hoe hij de benodigde telefoontjes pleegde.

Toen ze weer in de auto zaten en richting noordwest reden, leek het alsof het allemaal aan haar voorbijkwam als in een oude stomme film. Jon, het zomerhuisje, Lise...

'Gaat het wel?' vroeg Jens. 'Het leek zonet wel alsof je een spook zag?'

'Ik moet gewoon even bijkomen.'

'Nogal heftige tante, die jeugdvriendin?'

'Mja, het ligt een beetje ingewikkeld.'

Hij belde naar zijn collega in het Rijksziekenhuis en vroeg hem Lise Barfoed te ondervragen na een korte briefing over de ontwikkelingen in de zaak.

'Je belt me wel even als ze iets interessants zegt, hè?'

*

'Rotkind!'

Het gezicht komt heel dichtbij. Er zit maar een paar centimeter tussen hun voorhoofden.

'Je mag me niet slaan!'

De ijzeren vingers priemen zich in haar bovenarm. Hoe kunnen vingers zo hard worden? Soms zijn ze ook zacht en strelen haar wang. Maar dat gebeurt niet zo vaak. Nu, op dit moment zijn ze van ijzer. De mond is recht voor haar ogen. Hij gaat weer open en naar buiten stroomt het geluid dat haar gezicht treft en door haar oren snerpt.

'Jij rottige, kleine egoïst. Verdomd rotkind. Je denkt alleen maar aan jezelf. Je moest je schamen!'

Tegelijk met deze laatste woorden landt de andere hand hard op haar wang. Het schrijnt. Het schrijnt! Ze huilt. Tranen stromen uit haar ogen. Het doet pijn! Een gevoel van onrecht zwelt aan in haar borst. Het is zo groot dat het niet in haar lichaam past. Ze snakt naar adem. Onderdrukt de drang om te schreeuwen, want ze weet heel goed wat er dan gebeurt. Dan wordt alles nog zo veel erger. En ze weet niet eens wat ze verkeerd heeft gedaan.

Nu is de vrije hand op weg naar haar achterwerk. Er vallen drie harde klappen.

Ze verbijt de pijn. Op het laatst kan ze zich niet meer stilhouden.
'*Nee, mama, nee,' smeekt ze. 'Stop!*'
'*Hoe kom ik in vredesnaam aan zo'n egocentrisch rotkind? Nou?*'

Het geluid wordt haast met kracht door de tanden geperst, die zo hard op elkaar gedrukt zijn dat het wel door het hele hoofd moet knerpen. De woede zal zijn greep niet verliezen. Ze weet dat het lang duurt voordat hij afneemt.

'*Ik, die alles voor jou opoffer? Ik krijg stank voor dank! Schaam je!*'

De slagen hagelen nu neer op haar lichaam. Ze rolt zich op tot een kleine bal op de vloer, zo klein mogelijk. Ze verbergt haar gezicht in haar armen.

Dan kan ze haar daar niet slaan. Dat is het ergste. Wanneer ze haar in het gezicht slaat.

Ze ligt zo stil als ze kan. Tranen wellen op in haar borst. Ze fantaseert dat ze heel ergens anders is. Op een plek waar deze vrouw niet is, deze heksenmoeder.

Bij haar echte moeder.

Ze wilde dat haar echte moeder haar zou komen halen.

Ze gelooft niet dat deze mensen haar echte ouders zijn. Ze is verwisseld in het ziekenhuis. Het kan gebeuren dat baby's per ongeluk verwisseld worden in de kraamkliniek, waar ze in hun wiegjes liggen. Daar heeft ze volwassenen wel eens over horen praten. En ze is er zeker van dat dat ook met haar gebeurd is. Dit is niet haar moeder. Hoe zou ze dat ook kunnen zijn?

Haar echte moeder is lief en aardig en houdt van haar. Zij zou nooit schreeuwen en slaan. Maar hoe moet ze haar ooit vinden?

Haar wanhoop is groot. Haar eigen moeder heeft een verkeerd kind mee naar huis gekregen dat ze vreselijk verwent. Dus ze ontdekt het misschien wel nooit?

Nu wordt ze aan haar armen getrokken en haar kamer in gesleept. De deur wordt op slot gedaan. Ze weet dat het uren zal duren voor ze weer naar buiten mag komen.

Ze heeft zin om net zo hard als de heksenmoeder te schreeuwen. Recht in haar gezicht terugschreeuwen. Maar de schreeuw blijft binnenin haar. Ze heeft zo veel schreeuwen vanbinnen.

*

Jens parkeerde een paar portieken van de Tsjetsjeen vandaan.

'We wachten hier op assistentie.'

Katrine knikte afwezig.

Hij checkte snel zijn mobiele telefoon. Geen sms'jes van Simone. Wanneer was ze ook alweer vrij vandaag? Hij stuurde haar een berichtje om te vragen wat ze vanmiddag ging doen.

Hij wilde graag weten waar ze heen ging en met wie ze was. En nadat hij haar er een paar keer op had betrapt dat wat ze zei niet altijd klopte met wat ze vervolgens ging doen, was hij extra alert geworden op haar doen en laten.

Als hij haar controleerde, maakte ze geweldige scènes, die een Oscar waardig waren. Ze leek echt op haar moeder. Een drama queen.

Ze beschuldigde hem ervan achterdochtig te zijn en kon vragen hoe zij op hem moest vertrouwen als hij haar niet vertrouwde? Ze klonk veel te volwassen, vond hij.

Hij was vreselijk bang dat ze met de verkeerde types in aanraking kwam.

Ze vertoonde wat trekjes die zijn ergste angsten en voorstellingen opriepen.

Ze was zo ontroerend naïef en zich er tegelijk toch van bewust wat voor aantrekkelijke jongedame ze was.

Jens wierp een blik op zijn nieuwe metgezel. Zij was ook verdiept in haar eigen gedachten. Zeker over de onverwachte ontmoeting met haar vroegere vriendin.

Vreemd, zo heftig als Katrine had gereageerd bij het zien van haar. Hij wilde haar er net over gaan uithoren toen ze ineens zei: 'Het doet een beetje denken aan die zaak in Zwitserland. Als die

Tsjetsjeen het tenminste gedaan heeft. Je hebt er ongetwijfeld over gehoord.'

'Ja.' Jens knikte. Hij wist wel waar ze aan dacht.

'Die Deense luchtverkeersleider die voor zijn huis was neergestoken door een Russische man.'

'Ja, dat kan ik me goed herinneren. Het is alweer een paar jaar geleden, hè?'

'Ja, de Deen was verantwoordelijk voor de controletoren – en had overigens tegen alle regels in alléén dienst – toen twee vliegtuigen op de grond tegen elkaar botsten. De Rus had geprobeerd om een verontschuldiging van de luchtvaartmaatschappij te krijgen. Toen dat niet lukte, zocht hij de Deen op zijn huisadres op. Hij beweerde dat hij alleen maar een verontschuldiging wilde. Maar hij had wel een mes bij zich.'

'Dus je kunt zeggen dat het met voorbedachten rade was.'

'Dat ontkende hij. Maar hij verklaarde later dat waar hij vandaan kwam, een echte man wraak nam, oog om oog of iets in die trant. In zijn geboortestad werd voor zijn vrijlating gedemonstreerd en toen zijn gevangenisstraf erop zat werd hij bij zijn terugkeer als een held onthaald.'

'Moeilijk om je voor te stellen. Ik vraag me af of ze in Tsjetsjenië dezelfde visie hebben op het voor eigen rechter spelen?'

'Dat moeten we uitzoeken. Ik weet het eigenlijk niet. Maar hij leed zeker aan PTSS. En ik denk eigenlijk ook wel aan iets wat we tunnelvisie noemen.'

'Tunnelvisie? Dat komt vaak voor bij opsporingsonderzoek,' zei Jens.

'Ja, maar dit is een speciale toestand die zich kan voordoen na een traumatische gebeurtenis. In een vroeg stadium van de emotionele chaos waarin men zich bevindt, focust men zich volledig op een enkel ding dat verband houdt met deze traumatische gebeurtenis. En als het zich pathologisch ontwikkelt, ziekelijk', Jens knikte, 'dan kan men eigenlijk niet meer aan iets anders denken. En het kan om de gekste details gaan. Er was ook een geval in Jutland, waarbij een man er zeker van was dat een vrouw zijn echtgenote die in het ziekenhuis was opgenomen, had vergiftigd met een kopje koffie. Hij achtervolgde haar een tijdlang en het eindigde ermee dat hij haar midden op straat neerstak, waarna ze overleed.'

'Een kopje koffie?' Jens' wenkbrauwen schoten omhoog.

'Ja.'

'In Jutland? Dus je hebt daar het nieuws in Denemarken gevolgd?'

'Ja, dagelijks,' zei ze. 'Het is moeilijk om dat niet te doen. Dit is toch ook mijn land.'

'Ja, dat is zo. Maar, hoe ontdek je zoiets op tijd?'

'Goede vraag. Hij bijvoorbeeld,' ze keek in de richting van het portiek waar ze straks naar binnen zouden moeten, 'heeft intensieve hulp nodig, na alles wat we over zijn medische achtergrond hebben gehoord. En hij heeft die waarschijnlijk geweigerd, of niet vroeg genoeg ontvangen. Ik weet het niet. Iets is in ieder geval misgegaan.'

Twee politieauto's parkeerden vóór hen en ze stapten uit. Jens begroette de vier agenten, en Katrine stelde zich aan hen voor.

'Als dit onze man is,' zei Jens tegen het groepje, 'dan is het niet te zeggen in wat voor toestand hij zich bevindt. Het is een slachtoffer van marteling. Zijn vrouw is dood en zijn zoon zit in een opvangtehuis. En hij ziet het blijkbaar allemaal als de schuld van de arts en de verloskundige. Hij heeft hen de afgelopen weken achtervolgd, dus hij is sowieso een beetje onberekenbaar.' Hij keek ongeduldig de straat uit. 'We missen nog een psychiater.'

'Doen we dat niet altijd?' zei een jonge mannelijke agent. Iedereen lachte.

'We hebben toch een psycholoog?' zei een ander.

'Ik heb niet de juiste bevoegdheden,' zei Katrine op vriendelijke toon.

'Katrine is profileringsdeskundige,' verklaarde Jens pedagogisch.

'Cool,' zei een vrouwelijke agent. 'Net als Tony Hill!'

'Precies – dat ben ik,' zei Katrine en grijnsde. 'Een echte nerd! Ik probeer alleen ook om er een leven naast te hebben.'

'En lukt dat een beetje?' vroeg Jens nieuwsgierig.

'Met z'n ups en downs,' zei ze, en zuchtte.

'Nee, maar serieus, wat doe je precies voor werk?' vroeg de vrouw enthousiast verder.

'Het is mijn eerste dag, dus ik ben eigenlijk nog niet echt begonnen.'

'Ik zou het eerder een vliegende start noemen,' zei Jens met een knipoog naar haar. Humor, ruggengraat en de nodige bescheidenheid op het juiste moment. Die redt het vast wel, dacht hij.

Een artsenauto arriveerde en er stapte een oudere man uit die zich voorstelde als de psychiater van het Bispebjerg ziekenhuis. Jens bracht hem snel van de zaak op de hoogte.

'Ik haal je wel op zodra we binnen zijn,' zei hij tegen Katrine. Ze ging weer in de auto zitten en wachtte af.

Jens en de agenten liepen rustig de trap op. Ze stelden zich op aan weerskanten van de deur, die in het midden van de overloop lag.

Jens bonsde hard op de deur.

'Politie.'

Ze wachtten af. Er gebeurde niets.

Er ratelde iets bij het appartement ernaast. Een paar ogen verscheen in de brievenbusopening.

Hij klopte nogmaals.

'Politie – doe open!'

Tegen de persoon in de brievenbus zei hij:

'Heeft u hem vandaag nog gezien?' Het hoofd schudde heen en weer. De ogen verdwenen.

Er rammelde wat en de deur werd geopend. Een kleine Indiase vrouw in sari verscheen in de deuropening. 'Hij komt niet veel meer buiten sinds... alles wat er gebeurd is. Het was zo verdrietig van zijn vrouw. Tsk, tsk. Arme Aslan. Hij loopt 's nachts zijn nood aan God te klagen, zodat de rest van ons niet kan slapen. Maar afgelopen nacht was hij rustig.'

'Oké, bedankt. U kunt het beste maar naar binnen gaan en de deur op slot doen, maar we willen op een later tijdstip graag nog met u praten.'

Ze knikte en sloot de deur.

'Goed! We gaan naar binnen,' zei Jens tegen de rest van het team.

Ze maakten zich klaar om de deur in te rammen. De jonge inspecteur pakte de stormram vast en kreeg de deur met een stoot open.

'Politie. We komen nu naar binnen,' riep Jens. 'Houdt u zich rustig.'

Binnen een paar seconden waren ze alle kamers door geweest en vonden ze wat ze zochten in de woonkamer.

Jens belde naar Katrine, die onmiddellijk opnam.

'We hebben onze man!'

'Je klinkt heel zeker van je zaak.'

'Kom maar kijken. Dan begrijp je het wel.'

Katrine rende snel de trap op naar het appartement, dat op de derde verdieping lag.

Toen ze dichterbij kwam, kon ze ruiken wat haar te wachten stond. De deur stond open. Een bedompte en bedorven lucht verspreidde zich over de overloop.

De entree lag vol met reclamefolders die maandenlang door de brievenbus waren gedumpt zonder dat ze waren opgeraapt. Het was onvoorstelbaar hoe de keuken eruit zag. In de woonkamer, waar het lastig lopen was zonder op flessen, kleren, papieren, en fastfoodafval te trappen, lag een man op de bank. Hij lag ineengerold op zijn zij en staarde wezenloos in de ruimte. Op het eerste gezicht leek het alsof hij dood was.

'Hoe is zijn toestand?' vroeg ze aan de psychiater die de pols-slag van de man aan het opnemen was.

'Er valt geen contact met hem te krijgen. Hij moet in het zie-kenhuis worden opgenomen.'

Jens snoof aan de lucht boven Nukajevs lichaam.

'Oef, een flinke kegel.'

'Ja, hij heeft waarschijnlijk nog steeds een flink promillage in zijn bloed,' zei de arts, met een blik op de vele flessen sterke-drank op de salontafel.

Maar wat Jens ongetwijfeld zo zeker van zijn zaak had ge-maakt, waren Nukajevs handen.

Die waren besmeurd met geronnen bloed.

Op de vloer lag een zwarte winterjas. Het was niet mogelijk om dit met het blote oog vast te stellen, maar er zaten vlekken op die wellicht ook van bloed konden zijn. Bloed was moeilijk te zien op zwart. Maar ze wist van een andere zaak, dat de tech-nische recherche het met behulp van infraroodstralen zou kun-nen vaststellen.

Katrine keek de kamer rond. Als ze door het afval en de rom-mel heen keek, zag ze een appartement dat mooi was geweest. Eenvoudig en goedkoop ingericht, maar smaakvol. Het paar, dat zich waarschijnlijk het leven had gered door te vluchten van god mag weten wat voor verschrikkelijke ervaringen, had er-voor geknokt om hier een nieuw leven op te bouwen. Het leek gelukt te zijn. Totdat ze een kind zouden krijgen.

Toen viel haar oog erop. De enige plek in de woonkamer waar geen rommel lag.

Op een dressoir had Aslan Nukajev een altaartje opgericht voor zijn vrouw en kind. Foto's van de vrouw waren met punai-ses op de muur geprikt en een zwart-witte echo van het ongebo-ren kindje hing naast een afbeelding van een baby in een zieken-huisbedje. Op het dressoir stonden kaarsen en plastic bloemen. Katrine nam overal foto's van. Daarna nam ze een paar foto's van de man op de bank en van de rest van de kamer. Ze kon maar beter opschieten, voordat ze de technisch rechercheurs in de weg liep die vast onderweg waren.

'Wat een triest lot, hè?' Jens kwam naar haar toe.

'Verschrikkelijk triest.'

'Hij is in coma, dus hem nu ondervragen kunnen we wel vergeten.'

Hij keek naar de man op de bank.

'Hij zal in het ziekenhuis worden opgenomen. En dan moeten we maar zien wanneer er met hem te praten valt.'

'Waarschijnlijk de eerste tijd nog niet,' zei Katrine geïrriteerd.

'Nee, helaas. We zullen zien wat de technische recherche ervan zegt. Hij heeft niet bepaald geprobeerd om zijn sporen te verwijderen. Ik vraag me af of het Winthers bloed is?'

'Het zou een vreemd toeval zijn, als het bloed van iemand anders is, zou ik zeggen. Maar we kunnen waarschijnlijk vrij snel onderzoeken of er vannacht meldingen zijn geweest van andere overvallen?'

'Natuurlijk.'

'Hoe snel zijn ze hier met het DNA-resultaat?'

'Tenzij het om de koningin gaat die overleden is, duurt het een paar weken.'

'Een paar weken? In Engeland krijgen we binnen vierentwintig uur antwoord!'

'Zo snel gaat dat hier helaas niet.'

'Maar ze kunnen toch tenminste zien of het dezelfde bloedgroep is? Dat gaat sneller dan DNA.'

'Dat doen ze niet meer,' zei Jens op spijtige toon.

'Hm,' zei Katrine misnoegd.

Ze keek om zich heen.

'Zijn er ook sporen van het mes?'

'Niet direct. Maar als het niet hier is, sturen we mensen om de route van hier naar Frederiksberg uit te kammen; afvalbakken, tuinen, het riool...'

'Het kan overal liggen.'

'We vinden het wel. Ik denk niet dat hij heel inventief is geweest, te oordelen naar zijn toestand.'

'Nee,' zei Katrine, en keek naar de man op de bank. 'Waarschijnlijk niet.'

'Nou,' zei Jens. 'Ik heb zo langzamerhand ook wel genoeg om een rapport over te schrijven, dus gaan we maar weer naar het bureau. We moeten waarschijnlijk ook even iets te eten en drinken halen.'

'Ja,' zei ze, en ontdekte dat haar mond zo droog was als de Sinaïwoestijn en haar maag pijnlijk leeg.

Ze namen afscheid van de psychiater en de twee agenten die in het appartement achterbleven om op de ambulance te wachten die Aslan Nukajev naar het ziekenhuis zou vervoeren. De andere twee agenten waren bezig alle buren te ondervragen. Op weg naar beneden, belde Jens Torsten om hem over de aanhouding te informeren.

Jens en Katrine stapten in de auto en reden naar het hoofdbureau. Ze passeerden onderweg de Meren.

'We kunnen ook wel een deel van de autopsie gaan bekijken?' stelde Katrine voor.

'Ja, dat zouden we kunnen doen. Ze zijn waarschijnlijk nog steeds bezig. Dan gaan we Havmand een bezoekje brengen!'

'Havmand? Je bedoelt de lijkschouwer?'

'Jep. Hij begeleidt eigenhandig een groot deel van de autopsies die ze daar uitvoeren. Hij beweert dat er meer supervisors zijn, maar ik krijg het gevoel dat hij er altijd is. Hij is scherp! Je bent nog in de introductiefase, dus moet je natuurlijk overal even langs.'

Hij keek naar haar.

'Dus je zit er niet mee? Het is wel even wat anders, als ze eenmaal daar op de stalen onderzoekstafel liggen.'

'In het begin had ik het er niet zo op,' zei ze en dacht aan haar eerste autopsie. 'Ik was net gepromoveerd en zou beginnen als Caroline Stones assistent. Dat was dus eigenlijk het moment dat ik voor het eerst echt op pad ging bij zaken. Daarvoor vond mijn werk achter een bureau plaats. Nee, oké,' corrigeerde ze zichzelf. 'Ik was ook al in gevangenissen geweest om gevangenen te ondervragen. Maar Caroline was dus opgeroepen vanwege de verkrachting van en zeer brute moord op een veertienjarig meisje in Londen.'

Katrine zag het allemaal weer voor zich. Al bij de aanblik van een bleke voet die levenloos opzij viel, ging er een autonoom sein van haar hersenen naar haar hart via de nervus vagus; time out, vrienden! Over dat soort seintjes valt niet te discussiëren en haar bloeddruk daalde enorm, met als gevolg dat ze tegen de vlakte ging.

Ze bekeek Jens van opzij. Hij luisterde geïnteresseerd.

'Ik viel flauw, maar kwam snel weer bij, en een assistent-lijkschouwer zette mij met een meewarige blik op een stoel neer met mijn hoofd tussen mijn benen. Caroline kwam naar me toe en gaf me een glas water en zei: "En nu gaan we nog een keer goed naar haar kijken, Katrine!" Als Caroline dat zo zei, dan deed je dat. En deze keer keek ik naar het dode lichaam om eraan af te lezen wat ermee gebeurd was. Ik ging er volledig in op en zou er alles aan doen om degene die dit gedaan had te vinden.' Ze herinnerde zich duidelijk het gevoel, helemaal high van de adrenaline, klaar om non-stop door te gaan, net als in de film, totdat ze hem hadden, het verdomde zwijn dat dit had gedaan. Het idee dat hij ergens rondliep en het weer zou kunnen doen, maakte haar ziek. 'Na drie dagen zat ik weer tegen instorten aan. Maar deze keer was het ernstiger. Ik had niet geslapen. Ik had op junkfood geleefd. Ik zag er beroerd uit. Ik kon niet nadenken, maar bleef naar dezelfde foto's, kaarten en rapporten staren, zonder dat er ook maar een enkele constructieve gedachte in me opkwam. Caroline had blijkbaar de strategie dat ik alles eerst zelf moest voelen, de grenzen van mijn lichaam moest leren kennen. In alle valkuilen moest lopen. Toen stuurde ze me naar huis met de opdracht om alle stekkers eruit te trekken, ten minste twaalf uur te slapen, goed te eten, wat te gaan lopen – wat dan ook – en pas weer terug te komen als ik in staat was om een constructieve bijdrage aan het onderzoek te leveren!'

Ze moesten allebei lachen, en Katrine vertelde verder.

'Dus ik huppelde braaf naar huis en sliep veertien uur, at veel rauwkost en kwam weer wat tot mezelf.'

De dankbaarheid om weer van het team deel uit te maken had haar grenzen voor wat ze normaal gesproken niet zou pikken, aanzienlijk verlaagd. Ze had blindelings gehoorzaamd en tegen de grote goeroe opgekeken.

'Nou, dat was het verhaal van mijn eerste ervaring met opsporingsonderzoekswerk.'

'Ze klinkt als een harde, je vroegere baas!'

'O, echt wel! En uitzonderlijk getalenteerd.'

'En heb je nu dus geleerd om tijdens zaken alles van je af te kunnen zetten en te kunnen slapen, rauwkost te eten en genoeg beweging te nemen?' vroeg hij plagend.

'Totaal niet!'

Ze betraden de snijkamer van het Teilumgebouw in het Rijks, een lange ruimte die door middel van tussenmuren was verdeeld in acht vakken met elk hun eigen autopsietafel van staal. Ze trokken de groene wegwerpjassen aan en deden een masker voor dat hun neus en mond bedekte.

Er waren verschillende schouwingen aan de gang. Ze kregen Torsten Bistrups rug in het oog in de laatste ruimte en liepen naar hem toe. Ze passeerden de andere hokjes zonder ook maar even een blik opzij te werpen. Vijf mensen stonden rond het lichaam.

De ontmoeting tussen huid en staal. Huid, die een paar uur eerder nog warm en levend was geweest. Had geademd. Aangeraakt was. Reageerde op aanraking. Nu koud, en in Mads Winthers geval nog wat kouder dan gebruikelijk.

En de geluiden. Metaal op bot. De zaag, die de romp en de

schedel opent. De haren op haar armen gingen recht overeind staan. Ze deed geen moeite te doen alsof ze een taaie was. Het was heel bewust geweest dat ze haar flauwvalverhaal met Jens had gedeeld.

'Nogmaals hallo,' Anne Mi keek hen aan over de rand van het masker. 'Kunnen jullie soms niet zonder ons?'

'Natuurlijk niet,' zei Jens, die Katrine galant vooraan liet staan, zodat ze een goed zicht had.

Anne Mi introduceerde Katrine snel aan degenen die ze eerder op de dag nog niet had ontmoet, de forensisch technicus die lachend zijn hoofd schudde om Anne Mi toen zij opgewekt zei dat hij voor het 'knippen, naaien en zagen' stond. Van KTC was er Tom Jørgensen, die een beetje op zijn teentjes getrapt was omdat ze zijn foto's niet kon gebruiken, en dan was er natuurlijk – Torsten.

'Zoals iedereen hier waarschijnlijk wel gehoord heeft, hebben we ene Aslan Nukajev aangehouden, een familielid van een van de patiënten van het slachtoffer,' zei Jens en vertelde in het kort over het verloop van die ochtend. Katrine bekeek Mads Winther in de tussentijd.

De autopsie was al in een vergevorderd stadium en hij was in de klassieke Y-snede over de torso geopend. De schedel was ook open geweest. Des te meer werd ze erin bevestigd dat Mads Winther bij leven een zeer aantrekkelijke man was geweest. Het had vast veel verloskundigen, verpleegsters of artsen gespeten dat hij getrouwd was.

'...dus we hopen dat er niet al te veel tijd overheen gaat voordat hij kan worden verhoord,' zei Jens ter afronding.

'Nou, dat is geweldig,' zei Torsten met een grote glimlach tegen Katrine, hoewel zijn ogen niet meelachten. 'Dus je hebt op je eerste dag al geholpen bij het oplossen van een zaak? Gefeliciteerd.'

'Nou, ik heb er niet echt iets aan bijgedragen,' zei Katrine ontwijkend. 'Ik ben eigenlijk gewoon mee wezen kijken.'

'Maar je hebt wel dat met PTSS en tunnelvisie uitgevogeld,' zei Jens bijna plaatsvervangend trots. Ze keek verbaasd naar hem, maar hij had het druk met het werpen van felle blikken naar Torsten. Katrine hield haar hart vast.

Een haantjesgevecht?

'Ja maar, kunnen jullie iets vertellen over jullie bevindingen?' vroeg ze snel aan Anne Mi om de aandacht af te leiden.

'Dat kunnen we zeker!' Anne Mi keek haar meelevend aan, droogde haar behandschoende handen af met een papieren doekje en ging van start. 'De dood is binnen een tijdsbestek van zes tot tien uur voordat we met ons onderzoek begonnen ingetreden. Hij had een lichaamstemperatuur van 25 graden Celsius toen we er om acht uur bij kwamen. Dus in de hevige kou, op de grond liggend, een gedeelte van de tijd met sneeuw bedekt, ligt het daaromtrent. Er was sprake van rigor mortis, maar nog niet volledig ingezet, wat klopt met het feit dat hij op dat moment ongeveer acht tot negen uur dood was. Bovendien konden we constateren dat het laagje sneeuw dat nog op zijn broek zat, en dus niet was weggeveegd door Vibeke Winther, overeenkwam met de laag die in de nacht is gevallen. En het begon volgens het meteorologisch instituut om 1.30 uur in Groot-Kopenhagen te sneeuwen. De conclusie is dus,' ze keek naar haar supervisor, die haar van over de rand van zijn bril aankeek, 'dat de dood hoogstwaarschijnlijk ergens tussen elf uur gisteravond en middernacht is ingetreden.' Havmand knikte.

'En de steekwonden?' vroeg Katrine.

'Ja, die heb ik net, zowel van binnenuit als van buitenaf gezien, beschreven. We hebben hem door de CT-scan gehaald en het bleek dat de messteken die waarschijnlijk de dood tot gevolg hebben gehad, hier naar binnen zijn gekomen.' Ze wees naar een verwonding net onder een rib. 'Deze is zeer diep gegaan en heeft de aorta geperforeerd. Hij is hoogstens een paar minuten na de eerste laesie overleden. Er bevond zich een grote hoeveelheid bloed in zijn buikholte. Hij had zes andere steekwonden naast de afweerwonden die ontstaan zijn omdat hij natuurlijk geprobeerd heeft zichzelf te beschermen. Hij heeft een enkele steekwond in de rug. Dat is mogelijk de eerste geweest.'

'Wat overeenkomt met het feit dat er verder geen bloed in de sneeuw in de tuin ligt,' zei Tom Jørgensen. 'Alleen zeer lokaal rond de plaats delict.'

'Hebben jullie ook schoenafdrukken gevonden?' vroeg Jens.

Tom schudde zijn hoofd. 'Niet iets dat kan worden gebruikt. Alles was platgetrapt door het ambulancepersoneel.'

'Hoe is de steekrichting?' vroeg Katrine. Anne Mi en Havmand keken haar verrast aan.

Anne Mi hield haar hoofd schuin alsof ze de richting van het mes voor zich moest zien.

'Die is schuin.' Ze wees ernaar en demonstreerde de richting met haar hand.

'Van boven naar onderen? Consequent?'

'Ja, heel consequent, eigenlijk. Hoezo?'

'Er zijn studies die uitwijzen dat vrouwen op die manier met een mes steken, van boven naar onderen, terwijl mannen van onderen naar boven steken.'

Torsten gooide zijn hoofd in zijn nek en lachte hard.

'Da's een goeie! Vrouwen steken van bovenaf? Ha, ha!' Katrine keek hem sprakeloos aan.

'Daar heb ik ook wel eens iets over gelezen,' zei Anne Mi. Havmand knikte instemmend.

Jens keek van de een naar de ander.

'Maar waarom... Waarom is er niemand die ons zoiets vertelt? Als er daadwerkelijk studies zijn die dit zeggen?'

Ze keken hem alle drie aan.

'Dat is waarschijnlijk het soort dingen waar Katrine zich mee bezig gaat houden, naar ik aanneem,' zei Anne Mi en keek vragend naar Katrine.

'Nee, nu moeten jullie echt ophouden,' zei Torsten. 'Dat menen jullie toch niet serieus, he?'

Katrine ging voor hem staan.

'Test het zelf. Als je mij neer zou steken met een mes, hoe zou je dat dan doen?'

Hij hield zijn arm iets van zijn lichaam af, met een denkbeeldig mes in de hand, dat hij wendde en keerde, terwijl hij eruit zag alsof hij het een genoegen zou vinden om dit te kunnen doen.

'Dan zou ik waarschijnlijk dit doen', zei hij en bewoog zijn arm demonstratief schuin van onderen naar boven tegen haar buik. Hij keek even naar het 'mes' en vervolgens naar Katrine. 'Of zo.' Hij liet zijn hand horizontaal langs haar nek gaan. 'Er zijn veel toepassingsmogelijkheden voor een mes. Ik denk dat het heel gevaarlijk is om je blind te staren op één bepaalde. Was dat niet "tunnelvisie", zei je?'

'Jens?' zei ze en richtte zich tot Jens.

Hij vouwde zijn hand om het mes en aarzelde niet.

'Zo.' Hij stak meteen van onderen naar boven tegen haar buik. 'Anne Mi?'

Anne Mi richtte zich tot Hans Henrik Havmand.

'Neem me niet kwalijk, Hans Henrik', zei ze. Havmand gaf haar een vergevingsgezind knikje. 'Zo.' Ze tilde haar gebogen rechterarm verticaal omhoog en bracht hem naar beneden tegen zijn borstkas. 'Ik twijfel er niet aan.'

Katrine knikte en herhaalde dezelfde beweging als Anne Mi.

'Vrouwen zullen sterk geneigd zijn om op deze manier te steken, omdat we, ongeacht of we getraind zijn of niet, weten dat we onze maximale kracht nodig hebben om van een man te winnen.'

Ze zag uit haar ooghoeken, hoe Torsten haar bij het woord 'getraind' van boven tot onderen opnam. Het deed haar walgen.

Het was een ogenblik stil.

'Ik volg je', zei Jens. 'Maar het klopt alleen heel slecht met onze vermoedelijke dader.' Hij klonk sceptisch. 'Maar aan de andere kant', Jens keek naar Katrine, 'de Tsjetsjeen is geen grote man. En hij leek erg te zijn verzwakt in de maanden na het overlijden van zijn vrouw. Kan dat een verklaring zijn?'

'Mogelijkerwijs,' antwoordde ze.

'Jezus!' Torsten rolde met zijn ogen.

'Interessante gedachte,' zei Anne Mi. 'Heel interessant.'

'En hij heeft ook een steekwond in de rug?' vroeg Katrine.

'Ja,' antwoordde Anne Mi. 'We denken dat dit de eerste is. Vervolgens heeft hij zich omgedraaid en geprobeerd zich met zijn handen te verweren.'

'Dus de moordenaar heeft Winther van achteren aangevallen, misschien terwijl hij wegliep,' merkte Katrine op. Ze zag de tuin voor zich en wist dat ze er weer heen moest om er rond te kijken. 'Misschien, terwijl hij terug naar het huis liep? Dat klopt helemaal met de manier waarop hij lag.'

Jens knikte langzaam en bedachtzaam.

'Een andere bevinding die van belang kan zijn, is dat hij met grote zekerheid geslachtsgemeenschap heeft gehad. Met een vrouw,' voegde Anne Mi er snel aan toe.

'Ja, je weet het tegenwoordig maar nooit,' zei Torsten. Niemand reageerde.

'Er zitten duidelijke sporen van een afscheiding op de penis, waarvan we bijna zeker kunnen bepalen dat het vaginale afscheiding is. Ja, we moeten het natuurlijk nog even bevestigd zien door verder onderzoek, maar een snelle chemische screening die we de laboranten daarnet lieten uitvoeren, wees een hoog glycogeengehalte uit, vergelijkbaar met die in vaginale afscheiding.'

'Dus jullie zijn er zeker van dat het dat is?' vroeg Torsten.

'Eh,' zei Anne Mi en keek naar Torsten. 'Ik durf mij niet uit te spreken over waar je je verder mee zou kunnen insmeren dat glycogeenhoudend zou zijn...'

'Aha?' zei Jens. 'Het klinkt anders alsof hij zijn vrouw gisteravond niet meer heeft gezien. En daar,' hij knikte in de richting van het Juliane Marie Center, 'zeggen ze dat hij de kraamafdeling om negen uur heeft verlaten. Dus de vraag is, waar ging hij heen op weg naar huis?' zei Jens en keek naar Katrine.

'Hij heeft buiten de pot gepist. Dat is toch niet zo moeilijk om na te gaan, Høgh!' zei Torsten en wierp een indiscrete blik op de onderste regionen van de dode man. 'Hm, geschoren ballen,' hij snoof.

Katrine probeerde uit alle macht om de interne dialoog die zijn commentaar op gang bracht tegen te houden. Ik wil er niets over weten, ik wil niet weten...

'Is het zo zeker dat we terug kunnen gaan en Vibeke Winther vragen of zij het was?' vroeg Jens en hij negeerde Torsten.

Anne Mi en Havmand keken elkaar aan.

'Ja, dat is het wel,' zei Havmand bevestigend.

'Aha!' Jens leek niet langer enthousiast. Hij keek naar Katrine. 'Dan gaan we weer terug naar Frederiksberg.' Katrine knikte.

'Jullie kunnen wel een DNA-profiel maken uit de schraapsels van de genitaliën, hè?' vroeg Katrine.

'Ja, dat lukt ons waarschijnlijk wel,' bevestigde Anne Mi.

'En de andere DNA-resultaten?' vroeg Katrine. 'De match tussen het bloed van Winther en dat van Nukajev?'

'We nemen de gebruikelijke proeven en schraapsels, en jullie krijgen het resultaat over een paar weken. O ja, dat herinnert me aan het feit dat wij jouw DNA nog even moeten hebben, Katrine. Zodat wij, degenen die op de plaatsen delict rondbanjeren, kunnen worden uitgesloten van de analyses,' zei Anne Mi.

'Ja, natuurlijk. Moet dat nu?'

'Kun je een dezer dagen even langskomen?'

'Ja, ik bel wel even om een afspraak te maken.'

'Jep, dan is dat ook weer geregeld,' zei Jens. 'Zullen we verdergaan, Katrine?'

'Ja, laten we gaan,' zei ze. Ze zeiden gedag en liepen weg om de wegwerpjassen uit te trekken.

Katrine hoorde dat Tom en Torsten ook hun deel van de autopsie afrondden.

Katrine en Jens verlieten de zaal en liepen naar de uitgang.

'Eh, niet om het een of ander, maar mensen zullen je misschien een beetje vreemd vinden, als je op het bureau aankomt met dat ding op.' Hij keek naar haar en kwam bijna niet meer bij van het lachen. Ze voelde met haar hand op haar hoofd en ontdekte dat ze nog steeds de groene operatiemuts op had.

Ze deed hem af en sloeg ermee naar hem. 'Dat had je daarbinnen ook wel even kunnen zeggen!'

'Ik wilde alleen even zien hoe ver je zou komen.'

'Ach.' Ze draaide zich om en liep snel terug naar de snijzaal. Ze deed de deur open en zag Torsten en Tom achter de scheidingswand staan waarachter je je kon omkleden.

'Vrouwen steken van boven naar onderen,' parodieerde Torsten Katrine. 'Ja, Katrine.' Nu deed hij Jens na. 'Ik volg je helemaal!' Tom Jørgensen grinnikte en Torsten ging door. 'Ach, het is toch echt vreselijk om naar die twee te moeten luisteren. "Ik volg je helemaal, Katrine." Ja verdomme, hij volgt haar helemaal tot in haar slipje!'

Katrine stond doodstil. De twee mannen kwamen naar buiten en waren zichtbaar verrast haar te zien.

'Wat je daarnet zei,' zei ze op gedempte toon tegen Torsten. 'Dat kan écht niet,' en ze draaide zich op haar hielen om.

Ze kookte van woede toen ze weer bij Jens aankwam.

'Wat is er? Je ziet eruit alsof je iemand kunt vermoorden.'

'Dat heb je goed gezien! Van boven naar onderen!'

'Toch niet om die muts, hè?' vroeg hij een beetje bezorgd.

'Nee, natuurlijk niet.' Ze deed Torstens parodie na. Maar ze liet het laatste deel weg.

'Hij gaat verdomme echt te ver.'

'Ja, daar kunnen we nog van gaan genieten,' zei ze pissig. 'Nou ja, het kan me niet schelen! Nu moeten we echt even iets gaan eten. Anders eet ik je penning nog op!'

'O, jee!'

*

'Au, au, het doet pijn!' Ze huilt en houdt haar hand voor haar oog, dat prikt en steekt.

'Stilzitten!' zegt haar vader streng. 'En doe die hand weg. Ik kan niets zien!'

Ze verstijft en zit muisstil.

Ze haalt met tegenzin haar hand van haar oog, zodat haar vader ernaar kan kijken. Ze had een tak in haar oog gekregen toen ze in de appelboom in de tuin klom, en is plotseling het onderwerp van zijn onverdeelde aandacht, wat hoogst ongebruikelijk is.

Maar hij is oogarts, dus hij is zeker de juiste persoon om te zien hoe erg het met haar oog gesteld is. Hij kijkt er lang naar in stilte. Bestudeert het nauwkeurig door een vergrootglas. Af en toe bromt hij wat. Ze snikt een beetje, maar doet vreselijk haar best om stil te zitten.

'Er zitten een aantal deeltjes in die ik weg zal moeten spoelen,' luidt het oordeel dan. 'Anders bestaat er het risico van een latere hoornvliesloslating.'

Dat klinkt gevaarlijk. Wat als ze blind wordt? Ze moet huilen.

'Ja, het is eigenlijk wel goed dat je huilt. Tranen zuiveren het oog. We rijden even naar de kliniek, daar heb ik er beter zicht op.'

In de auto zit ze op de achterbank naar haar vader te kijken. Het is zaterdagmiddag, en ze heeft hem plotseling helemaal voor zichzelf, zonder haar moeder.

Zijn welbekende rug. Zijn blik in de achteruitkijkspiegel, die geheel tegen de gewoonte in, bezorgd naar haar uitgaat.

Haar oog doet plotseling helemaal niet meer zo'n pijn als eerst.

*

'Ik denk niet dat ik eerder zo'n situatie heb meegemaakt,' zei Jens, toen ze weer voor de villa in Frederiksberg stopten.

Ze waren onderweg langs een shoarmatentje geweest en hadden ieder een grote dürümrol gegeten. Jens had met open mond toegekeken hoe Katrine met gulle hand chili over die van haar gooide. 'Je kunt er maar net zo goed alles uit halen,' zei ze.

'Zullen we maar zorgen dat we het achter de rug hebben?'

Katrine knikte. Ze stapten de auto uit en liepen naar het huis. Katrine huiverde bij het weerzien. Er zijn huizen die vol leven zijn, dacht ze. En dan zijn er huizen die... haast verlaten, doods lijken. Dit huis viel absoluut onder de laatste. Ze passeerden de onderzoekstent, die nog steeds in de tuin stond.

Vibeke Winther deed zelf open en keek hen verbaasd aan.

'We hebben nog een paar vragen,' zei Jens. 'Mogen we binnenkomen?'

'Ja, natuurlijk.' Ze volgden haar naar de woonkamer en gingen op dezelfde plek zitten als eerder op de dag.

'We hebben de Tsjetsjeense man die Mads heeft benaderd gearresteerd,' zei Jens. 'Er is veel wat er op wijst dat hij de dader is. Hij komt binnen vierentwintig uur voor de rechter.'

Vibeke knikte langzaam.

'Weet u zeker dat hij het is?'

'Er waren veel sporen in zijn appartement, die daarop wezen. Maar hij is niet in staat om te worden ondervraagd. En het is erg onduidelijk wanneer hij dat wel zal zijn. En aangezien er nog enkele vragen zijn gerezen in verband met de autopsie, komen we u nog enkele vragen stellen.'

'Ja, als ik verder nog kan helpen...?'

Jens nam een kleine aanloop, kon Katrine zien.

'Er is veel wat erop wijst dat Mads gisteravond seksuele gemeenschap met een vrouw heeft gehad.'

Vibeke Winther werd niet zomaar bleek. Ze trok krijtwit weg. Maar afgezien daarvan vertoonde ze eigenlijk geen emotie.

'Dus daarom moeten we vragen...'

'Zeiden jullie niet dat jullie de Tsjetsjeen hadden gearresteerd?'

'Ja, maar...'

'Dan kan ik werkelijk niet zien wat ons privéleven met de zaak te maken heeft.'

'Dat begrijp ik in principe best,' zei Jens. 'Maar totdat we daadwerkelijk weten of het de Tsjetsjeen was die uw man heeft vermoord, moeten we ook andere mogelijkheden in overweging nemen. Wat als blijkt dat hij het niet is en we geen andere theorieën uitgetest hebben? Dan lopen we ineens vreselijk achter en heeft de dader een flinke voorsprong.'

Vibeke keek Jens zwijgend aan en het was duidelijk dat ze zijn woorden afwoog tegen haar onwil om de meest intieme zones van haar leven met de wetsdienaren te delen. Maar ze zag er ook uit als een vrouw die zin had om haar man heel langzaam in de hel te laten roosteren.

Als hij dus niet al dood was geweest.

Misschien heeft ze toch niet geweten dat hij er iemand anders op na hield, dacht Katrine. Of ze wist het wel en dacht dat het voorbij was.

'Uitstekend. Jullie weten al dat we elkaar de hele dag niet zagen en ook 's avonds niet, aangezien ik lag te slapen toen hij thuiskwam. Ik neem aan dat jullie de rest zelf wel kunnen bedenken,' zei ze constaterend.

'Het spijt me,' zei Jens. 'Ik vind het vervelend dat we het moeten...'

'Was er verder nog iets?' Haar kin trilde, merkte Katrine.

'Ja, het is alleen zo dat hij volgens zijn baas, Inge Smith, de kraamafdeling om negen uur verliet.' Jens bestudeerde Vibekes gezicht.

'Dus wij verbazen ons er een beetje over dat hij niet thuis is gekomen voordat u naar bed ging.'

'En dat hangt niet wonderwel samen met dat andere, wat jullie mij nu vertellen?'

'Daarom willen we erg graag horen of u weet waar hij kan zijn geweest?'

'Ik zou het niet weten!'

'Heeft u enig idee wie het zou kunnen zijn? En hebt u ook iets vermoed?'

'Ik weet niets,' zei ze en hield haar handen afwerend voor haar lichaam. 'En op dit moment zou ik er eerlijk gezegd liever niets meer over horen. Ik moet u vragen om nu weg te gaan. Ik kan niet meer... Ik moet echt naar boven en even gaan liggen.'

'We kunnen ons goed voorstellen dat u geschokt bent. Maar het is erg belangrijk dat u ons belt als u nog iets te binnen schiet,' zei Jens.

'Natuurlijk.'

'We komen er zelf wel uit.'

Ze liepen naar de auto.

'Oef!' zei Jens en hij voelde zich zichtbaar ongemakkelijk. 'En de vraag is inderdaad waar we die informatie eigenlijk voor nodig hebben.'

'Zoals je zelf al zei, we moeten wel met andere theorieën rekening houden totdat er technisch bewijsmateriaal is en Nukajev verhoord is. Mads Winther was zijn vrouw ontrouw, en ze heeft het hoogstwaarschijnlijk niet geweten. Of ze dacht dat het voorbij was.'

'Of hij is thuisgekomen, ze rook lont en is door het lint gegaan?'

'Dat is ook een mogelijkheid. Maar bij een ontrouwdrama zijn ook andere mensen betrokken; de minnares? Een jaloerse man?'

'Dus waarom zou ze er in hemelsnaam niet mee voor de draad willen komen? Je zou denken dat ze wel een beetje de drang zou voelen om deze persoon te pakken te krijgen.'

'Ik denk dat ze het vernederend vindt,' zei Katrine. 'Ze lijkt me een uitzonderlijk gesloten persoon, en het is vernederend voor haar dat we in haar privéleven wroeten. Het overschaduwt alles voor haar, op dit moment. Wacht even,' zei Katrine, en stopte midden op het tuinpad en legde een hand op de arm van Jens. 'Moeten we er niet even gebruik van maken dat we de tuin voor onszelf hebben?'

'Om?'

'Om wat schot in de hele zaak te krijgen. Vóór ons te zien hoe het gebeurd is.'

'Dat hebben we toch vanochtend al gedaan...'

'Ja, maar als we het gewoon allemaal nog eens doornemen – zo nauwkeurig als we kunnen met wat we weten van de autopsie.'

Jens wierp een blik op het huis.

'Ze zou toch naar boven gaan om wat te gaan slapen, hè?'

'Ja, en de slaapkamer kijkt uit op de achtertuin.'

'Oké.'

'Goed, jij bent Mads Winther,' regisseerde ze. 'En je komt uit het huis.'

Jens liep naar de voordeur toe. 'Ik ben de dader en kom vanaf de weg.' Katrine liep naar het tuinhek, draaide zich om en liep terug langs het tuinpad.

'Ik klop op de deur. Jij komt eraan en doet open. Wij staan hier voor de deur. Waarom loop je überhaupt met mij de tuin in?'

'Je maakt misschien lawaai? Ik ben bang dat je Vibeke wakker maakt. Of ben jij hiernaartoe gegaan terwijl je wacht tot ik opendoe?'

'Ja, laten we daarvan uitgaan. We lopen hiernaartoe', Katrine liep de tuin in en ging naast de tent staan. 'We praten? Maken ruzie? Raken in gevecht?' Ze stonden tegenover elkaar in het midden van de tuin. 'We moeten horen of het ondervragen van de buren nog iets heeft opgeleverd. Jij draait je om en loopt terug naar het huis.' Jens draaide zich om.

'Ik steek je in je rug. Eerst van achteren.' Katrine plantte een vuist tussen zijn schouderbladen. 'Je keert je om. En ik haal onmiddellijk uit naar je middenrif.' Ze stak met haar hand van boven naar onderen, richting de onderkant van zijn ribben. 'Jij verweert je met je handen, maar houdt ook instinctief een hand op de wond.' Jens deed gehoorzaam wat Katrine zei. 'Ik blijf uithalen, ik ben woedend op je, je zakt in elkaar.' Ze keek naar Jens, die nu op de koude grond lag.

'Steek ik je nogmaals terwijl je daar ligt?'

'Dat weten we niet, hè?'

Ze hurkte om dit uit te testen naast Jens neer en haalde uit naar zijn bovenlichaam.

'Jawel, dat kan ik best hebben gedaan.' Ze keek peinzend naar haar hand met daarin het 'mes'. 'Zeven steekwonden in totaal. Dat is een extreem hoog agressieniveau,' zei ze. 'Wat heeft hij gedaan, dat iemand hem zo erg haatte?'

'Ik sta maar weer op, hè?'

Ze knikte afwezig. Ze gingen beiden staan.

'Het is toch waarschijnlijk Nukajev,' zei Jens. 'Laten we nu niet vergeten hoe we hem hebben aangetroffen, nietwaar?'

'Maar waarom ben je bang dat ik Vibeke wakker maak,' zei Katrine zich afvragend. 'Als ik Aslan Nukajev ben en ik bedreig je met de dood? Wil je dan niet dat iemand je kan horen en hoort dat je hulp nodig hebt?'

Ze keken elkaar aan.

'Omdat ik niet verwacht dat je me iets aan wilt doen. En ik wil Vibekes nachtrust niet verstoren. Ik denk dat ik je snel weer kwijt kan raken, net als de andere keren. En wanneer je me plotseling neersteekt... is er ofwel gewoon niemand die het heeft gehoord, of ik ben niet meer in staat om te reageren en om hulp te roepen.'

'Oké,' zei Katrine. 'Laten we een andere theorie uittesten. Wat als we beiden uit het huis komen?'

'Wat bedoel je?'

'Als ik, de dader, Vibeke Winther ben. Je bent thuisgekomen. Ik weet, of kom erachter, wat je gedaan hebt...'

'Waarom zijn we dan naar buiten gegaan?'

'Misschien heb ik je met iemand anders horen praten. We kunnen niet uitsluiten dat er hier iemand anders is geweest, dat ik, Vibeke Winther dus, het hoor en naar buiten kom. De ander, laten we aannemen dat het een vrouw is, verdwijnt. Ik steek je neer uit woede over je ontrouw.'

'Ben je in dat geval niet een heel goede actrice?'

'Ja,' zei Katrine met tegenzin. 'Haar reacties leken overtuigend. Daar moet ik je gelijk in geven.' Katrine dacht even na. 'En de derde mogelijkheid is natuurlijk dat ik, de dader, de minnares ben.'

Ze keek van het tuinhek naar het huis. 'Dat is waarschijnlijk hetzelfde bewegingspatroon als bij Nukajev? Ik kom de tuin in vanaf de weg, ik loop naar het huis toe...'

'Maar eh, waar hebben we eigenlijk seks gehad?' vroeg Jens met een klein glimlachje.

Katrine keek hem aan en herhaalde de vraag langzaam en heel ernstig. 'Ja, waar hebben we eigenlijk seks gehad...? Hij moet toch ergens geweest zijn, op weg naar huis.'

'Maar waar? Bij zijn minnares?'

'Of een prostituee?'

'Dat is een goede mogelijkheid.'

'Wacht even, hij kwam toch net uit het ziekenhuis... Van het Rijks?'

'Dat klopt helemaal als het met een collega was. Hij had zijn eigen kantoor, toch?'

'Ik geloof het wel.' Verdorie! Waarom had ze daar niet aan gedacht, toen ze daar waren?

'Moeten we erheen gaan en een kijkje nemen?'

'Dat hoeven we in principe niet te doen,' zei Jens. 'Er zijn al mensen geweest. Ook technisch rechercheurs, neem ik aan.'

'Ja,' constateerde ze. 'Er zijn al wel mensen geweest. Maar wíj zijn er niet geweest.'

Hij zuchtte zachtjes.

'Oké.' Hij keek op zijn horloge. 'We redden het waarschijnlijk nog net voor de gezamenlijke briefing. Maar, er is een wezenlijk probleem met alle theorieën die we hier lanceren...'

'Ja,' zei Katrine. 'Ik weet het. Als het Nukajev niet is, waar komt het bloed aan zijn handen dan vandaan?'

Ze liepen dezelfde gang door waar ze eerder op de dag met Inge Smith hadden gesproken en vonden een deur met een naamplaatje met MADS WINTHER erop. Hij was op slot.

'Ik had vanochtend moeten vragen of ik het mocht zien,' zei Katrine, meer tegen zichzelf.

'We zijn er ook als een haas vandoor gegaan vanwege Nukajev,' zei Jens. 'En de technische recherche is hier geweest.'

'Ja, maar toch.' Ze schudde haar hoofd en schold op zichzelf.

Waarom had ze daar niet aan gedacht? Een werkruimte kan net zo veel over iemand zeggen als een huis. Caroline zou daar wel aan hebben gedacht!

Een vrouw kwam een kantoor aan het einde van de gang uit. Ze had een grote stapel documenten in haar armen. Ze liepen beiden haar tegemoet. Ze keek hen vragend aan.

'Kan ik u ergens mee helpen?'

'Zou u ons binnen kunnen laten in het kantoor van Mads Winther?' vroeg Jens en toonde zijn politiepenning.

'Maar natuurlijk,' zei ze. 'Ik moet alleen even mijn sleutelbos ophalen. Momentje.' Ze was al snel terug en deed de deur open.

Katrine bestudeerde haar. Overspel materiaal? Die kans was niet bijster groot, werd ze het eens met zichzelf. De hoofdsecretaresse was een grijze dame van achter in de vijftig.

Ze gingen het kantoor binnen. Het was behoorlijk steriel en onpersoonlijk.

Katrine bekeek het prikbord, dat boven het bureau hing. Daar hingen dezelfde foto's van de tweeling als die ze in het huis hadden gezien.

'Ja, het is niet het kantoor van een vrouw, hè?' zei de secretaresse. 'Wij slepen alle mogelijke frutsels mee om het een beetje gezellig en persoonlijk te maken. Dat doen mannen niet echt,' zei ze en probeerde Katrine een vrouwen-onder-elkaarblik te geven, zonder daar echt in te slagen.

Katrine keek geconcentreerd rond in het kantoor.

'Nou, jullie gooien de deur maar achter je in het slot ,' zei de secretaresse een beetje ongeduldig vanuit de deuropening. 'Ik was eigenlijk op weg naar huis.'

'Zijn u ook ongebruikelijke activiteiten opgevallen in het kantoor?' vroeg Katrine.

De secretaresse keek haar niet-begrijpend aan.

'Wat bedoelt u?'

'We hebben reden om te geloven dat Mads Winther een affaire had – eventueel met een collega,' verklaarde Katrine.

De secretaresse keek verontwaardigd van de een naar de ander en schudde haar hoofd.

'Absoluut niet,' zei ze. 'Dat kan ik niet geloven over Mads. Hij hield van zijn vrouw en jongens. Bent u zich er wel van bewust hoeveel die mensen hebben doorgemaakt? En nog door moesten maken met hun zoontje?'

Katrine knikte begripvol.

'Dat weten we. Maar desalniettemin hebben we zoals gezegd reden om dat aan te nemen. We weten dat Winther de kraamafdeling om negen uur verliet. Hij kan hier heengegaan zijn, zonder dat iemand hem heeft gezien.'

'Dat kan in theorie goed, maar ik geloof zoals ik al zei, werkelijk niet dat...'

'En het kantoor later weer ongemerkt hebben verlaten?'

'Ja, er zijn hier niet zo veel mensen 's avonds laat.'

'Kunt u ons vertellen wie er vaak in deze kamer kwamen? Wie kwamen hier, afgezien van Mads Winther?'

De secretaresse probeerde weer wat te kalmeren.

'Ja, dat... afgezien van mij, waren dat alle collega-artsen, maar ook allerlei andere collega's, hoofdverpleegkundigen, verloskundigen...' Ze haalde haar schouders gelaten op.

'Bedankt voor de hulp,' zei Katrine en glimlachte. 'We gooien de deur achter ons dicht.'

De secretaresse draaide zich op haar hielen om en liep weg.

'Denk je dat de technici monsters hebben genomen van de vloer en meubels, haren en dat soort dingen?'

'Ik zou echt niet weten hoeveel zin dat heeft bij een openbaar kantoor waar mensen in- en uitgelopen zijn. Je kon toch horen hoeveel...'

'Ja,' zei Katrine en liep dichter naar een lichtgrijze bank, die onder het venster stond. Ze bekeek hem van heel dichtbij. Er was niets op te zien, geen haren of vlekken. Ze ging op de rand zitten. Een plotselinge ingeving. Wat als... Ze stond weer op en tilde de bank iets op. Die gaf gewillig mee. In een ruimte eronder lag beddengoed. Ze vouwde het bed volledig uit. Een leuke lits-jumeaux slaapbank. Ze keek op. Je kon hier vanaf de flat ertegenover naar binnen kijken, ook al lag die ver weg, maar er waren lamellen die neergelaten konden worden.

'Nou, het is waarschijnlijk niet helemaal verkeerd om te denken dat het iemand van hier zou kunnen zijn,' zei Katrine. 'Hoewel hij het waarschijnlijk ook gebruikte wanneer hij 24-uursdiensten had.'

'We kunnen maar beter weer naar het bureau rijden,' zei Jens.

Katrine keek zwijgend naar hem zonder te antwoorden.

'Eh?' zei Jens vragend en wees naar de deur. 'Zullen we...?'

'Hij gebruikte niets!'

'Wat gebruikte hij niet?'

'Anticonceptie, geen condoom.'

'Nee, daar heb je waarschijnlijk gelijk in...' Jens fronste nadenkend zijn wenkbrauwen. 'Maar zij kan toch wel iets gebruikt hebben?'

'Maar toch? Geslachtsziekten...? En met zijn kennis? Ofwel was er sprake van een spontane onenightstand, waarbij geen van beiden iets bij de hand had, of het was wat vaster, gebaseerd op... vertrouwen?'

'Ja, daar kom je niet achter.'

'Ja, maar het zou juist goed zijn om er wel achter te komen.'

'Het is maar een manier van zeggen.'

'En die computer?' Katrine wees op een pc, die onder het bureau stond. 'Wordt die onderzocht?'

'Ik denk het niet – de technische recherche heeft hem niet meegenomen, en hij kan niet al teruggezet zijn.'

'Hm,' zei ze geïrriteerd. 'Moeten we hem niet gewoon meenemen?'

'Laten we nu eerst teruggaan en horen hoe de zaak verloopt en wat de anderen hebben gevonden. Dan horen we wel waar we ons op moeten richten. Het is mogelijk dat Kragh wil wachten totdat Nukajev kan worden verhoord.'

Katrine keek naar de computer. Het leek alsof ze zin had om hem zelf onder haar arm mee te nemen, dacht Jens en kon een glimlach niet onderdrukken.

'De keuken is hier.' Jens wees naar een deur aan het einde van de gang. Ze waren terug op het bureau. Buiten was het allang weer donker geworden.

'Er is thee en koffie. Geen schijfjes citroen.' Ze lachten onnozel. Jens checkte zijn telefoon. Simone had geschreven dat ze bij Fatima, uit haar klas, was en daar graag wilde blijven eten. Dat kwam hem prima uit. Ze waren nog lang niet klaar voor vandaag. Hij had zin om Katrine over haar te vertellen.

'Tieners!' verzuchtte hij.

'Heb je er meerdere, dan?' vroeg ze nieuwsgierig.

'Nee. Mijn hemel.' Hij sperde zijn ogen open in afgrijzen. 'Een op een leven lijkt me genoeg!'

'Hoe oud is ze?'

'Dertien. Ze heet Simone,' zei hij en merkte hoe hij zich trots voelde vanbinnen. Het was nog een nieuw gevoel. Net als wanneer hij 'mijn dochter' zei.

'Mooie naam.'

'Ze heeft er een hekel aan. Of liever, dat had ze althans eerder.'

'Hoe bedoel je "eerder"?'

Moest hij haar het hele verhaal meteen vertellen? Hij begon wat aarzelend.

'Haar moeder is een Française. En Simone heeft alleen de af-gelopen drie jaar maar bij mij gewoond. In Frankrijk is die naam helemaal uit de mode, en bijna niemand heet nog zo. Maar haar moeder is gek van een of andere Franse filosofe.'

'Simone de Beauvoir? Het existentialisme?'

'Dat klopt! En daarom gaf ze haar dus die naam.'

'En jij had niets in te brengen?'

'Ik eh...' Hij keek naar beneden, en keek haar vervolgens recht in de ogen. Dit was altijd het kritische punt in het verhaal. Het moment dat hij door de mand viel. Dat hij was gezakt voor het grote gezinsvormingsexamen.

'Ik wist niet van haar bestaan af. Tot drie jaar geleden.'

Katrines mond viel open.

'Wat?'

'Veertien jaar geleden was ik in Parijs met een maat. Het was een vakantieflirt.'

'Dat meen je niet! En toen? Toen stond ze ineens op een dag voor de deur?'

'Nee, toen belde ze, haar moeder dus, Veronique, op een avond...'

'Jens, jij ondeugd. In welk decennium ga jij die zaak afronden waar we het laatst over hadden?' Een kleine, mollige vrouw van rond de zestig, met donkere permanentkrullen, die kunstig op-gestoken waren met een heleboel kleine haarspeldjes, kwam naar hen toe en zette demonstratief haar handen in haar zij.

Katrine stierf bijna van nieuwsgierigheid naar de rest van het verhaal, maar dat moest irritant genoeg wachten. Ondeugd. Grappig woord, eigenlijk, dacht ze. Ze was al zo lang geleden in het Engels begonnen te denken en proefde de Deense woor-den alsof het kleine exotische gerechten waren, naarmate ze vanuit een verre uithoek in haar semantisch geheugen opdo-ken.

'Katrine, dit is Hanne, een van onze totaal onmisbare admini-stratief medewerkers. Hanne weet álles wat er te weten valt over ons administratiesysteem, dossiers, archieven – alles! You name it!'

'Ja, ja, het is goed.' Hanne keek met een blik van verstandhouding naar Katrine. 'Hij zit gewoon te slijmen omdat hij een chaoot is die zijn zaken niet op orde houdt en even later om hulp moet vragen.'

'Nu ben je wel hard, Hanne. Meedogenloos en hard!'

Ze rolde goedmoedig met haar ogen en keek nieuwsgierig naar Katrine.

'Zo, wat een kleurtje! Waar ben je geweest?'

'Egypte.'

'Nee, wat leuk!' Ze keek discreet naar Katrines haar, maar zei niets. 'En je bent dus psycholoog?'

'Ja, dat ben ik dus.'

'Wat énig! Zo iemand hebben we hier nog niet eerder op de afdeling gehad.'

'Nee, dat begrijp ik,' antwoordde Katrine.

'Ik moet even...' zei Jens, en glipte weg zonder verdere toelichting.

'Maar het is natuurlijk uiterst relevant, als je het mij vraagt!' ging Hanne door.

'Ja, het is...'

'Ja, ik bedoel, het zit 'm uiteindelijk toch allemaal in het bolletje.' Ze wees naar haar hoofd. 'Of de psyche, beter gezegd, waar je handelingen worden bepaald. Dus dan is het duidelijk dat de psychologen van belang zijn voor het begrijpen van criminelen!'

'Zo kun je het best...'

'Maar je hebt geen therapie gegeven en dat soort dingen?'

'Nee, dat was niet het deel van de psychologie dat mij trok.'

'Meer de criminelen?'

'Ja, precies.'

'O ja?' Ze glimlachte en schudde tegelijk haar hoofd, alsof het best een rare neiging was van Katrine. 'Ja, zelf heb ik héél veel aan therapie gehad!' zei Hanne, en leunde vertrouwelijk naar Katrine toe.

O, jé, nu komt het, dacht Katrine en woog haar vluchtmogelijkheden af. Er waren ruwweg twee soorten reacties wanneer mensen hoorden dat ze psycholoog was die ze echt moe was. De ene was die waar Jens die ochtend vage tekenen van had vertoond, maar vrij snel overheen was gekomen; intimidatie, angst dat ze dingen kon 'zien' die je misschien normaal gesproken voor anderen verborgen kon houden. En die zij dus doorhad, omdat zij een psycholoog was!

In zijn meest extreme vorm, waren het direct vijandige reacties à la die van Torsten.

En de andere, waar ze nu mee werd geconfronteerd, was dus: TMI – Too Much Information! Sommige mensen dachten dat ze haar, zonder haar überhaupt te kennen, uitgebreid over hun meest persoonlijke problemen konden vertellen, op alle gebieden, variërend van zelfmoordgedachten tot aan eetstoornissen of seks.

Omdat zij psycholoog was! Nu moest ze maken dat ze wegkwam voordat het uit de hand zou lopen.

'Het was vanwege mijn scheiding dat ik ermee begonnen ben. En ik moet zeggen, het was het geld zó waard. Ja, de kwaliteit van leven die je erdoor krijgt, kan niet worden omgerekend in geld, nietwaar?'

'Nee...'

'Ja, ik probeerde om mijn ex-man mee in partnertherapie te krijgen, voordat het te laat was, maar hij was helemaal niet in voor dat soort dingen,' zei ze, met haar handen zwaaiend. 'En eigenlijk denk ik dat het het beste was voor ons beiden. Ik zal je vertellen, ik ben zó veel gegroeid als mens. En ik denk niet dat dat gebeurd zou zijn samen met hem, maar dat is ook...'

'Ik moet even een proces-verbaal schrijven. Wil je ook zien hoe we dat doen?' Jens stak zijn hoofd om de hoek van de keuken.

'Ja! Heel graag!' Katrine stoof achter hem aan. 'We spreken elkaar nog, Hanne!'

Katrine pakte er een stoel bij en ging naast hem zitten.

'Hè?' zei hij verbaasd. 'Het was alleen een smoesje om je te redden, hoor.'

'Dat had ik wel door. Maar ik zou het eigenlijk wel willen zien.'

'Serieus?'

'Serieus! Ik moet toch weten wat de procedures zijn. Dus alles over hoe jullie hier verslagen van een verhoor schrijven, informatie ontvangen van KTC... Alles!'

'Nou, maar dan moet je met Hanne praten,' zei hij, naar de keuken wijzend, terwijl hij probeerde zijn gezicht in de plooi te houden. Ze lagen samen dubbel van het lachen.

'De inhoud, jij slome duikelaar! Wat – je – in – je – processenverbaal – schrijft,' zei ze, en typte in hetzelfde tempo met haar wijsvinger in de lucht.

'O... dat was laag!' zei hij.

'Je vroeg erom!'

'Oké, maar dan moet je het zelf ook maar weten... Het is extréém saai!' zei hij en deed alsof hij met zijn hoofd tegen het toetsenbord sloeg. Dit was duidelijk niet Jens Høghs favoriete onderdeel van het werk.

'Maar vertel eens hoe het afliep met Simone?'

'Ja.' Hij leunde achterover in zijn stoel, blij met haar belangstelling. 'Ik had een vrij normaal leven tot drie jaar geleden. Vond ik zelf. Mijn baan, mijn voetbalteam en een lieve vriendin, Louise, ook bij de politie overigens, met wie ik was gaan samenwonen in een appartement aan de Godsbanegade in de wijk Vesterbro. We hadden het over kinderen gehad, maar hadden niet zo'n haast. En toen, op een heel gewone woensdagavond in oktober, toen we een film aan het kijken waren, kreeg ik een telefoontje.

'*Bon soir,*' hij deed een Franse vrouw na. '*C'est Veronique. Paris.* Kun je je me nog herinneren?' En even later begon het me te dagen. Ze was danseres, niet zoiets pikants, maar van dat moderne-balletgedoe. Ze ging er in ieder geval erg in op dat ze een kunstenaar was. *Artiste!*'

Katrine luisterde geboeid naar zijn verhaal. Wat werd je soms toch verrast door wat voor verhalen mensen verborgen.

'Nou, ze had net een plaats aangeboden gekregen bij een gezelschap voor moderne dans, vertelde ze in gebroken Engels. Het gezelschap zou de hele wereld rondtoeren, en het was haar laatste kans als danseres in dit leven, zoals ze het zo melodramatisch uitdrukte.' Hij legde een hand koket op zijn voorhoofd om haar houding te illustreren. Katrine glimlachte.

'Dat was dan geweldig voor haar, zei ik, enigszins verbaasd over het feit dat ze me belde om dit te vertellen. En hoe ze me überhaupt had gevonden. Ik had haar sindsdien niet meer gesproken. Ondertussen keek Louise me met groeiende verbazing aan vanaf het andere einde van de bank, naarmate het gesprek vorderde en ze me mijn best hoorde doen in een merkwaardige mengeling van Engels en middelbareschool-Frans.'

Het was een compleet absurde situatie geweest, herinnerde hij zich. De film, die ze aan het kijken waren, was op pauze gezet en het beeld flikkerde een beetje op het scherm. Dat was een moment dat op zijn netvlies stond gebrand.

Er was een voor en een na.

Het was een toestand, waarin hij zich in de daaropvolgende periode min of meer permanent zou gaan bevinden. Dat zijn leven tijdelijk op pauze was gezet en het scherm flikkerde.

'Maar ik kreeg een verklaring. Er was namelijk alleen een probleem, zei deze Franse furie, dat in de weg stond voor haar om deze unieke kans te realiseren. En ze had het zwaar gehad in haar carrière als danseres, moest ik weten. Ze had veel offers gebracht. En nu had ze een zeer moeilijke beslissing moeten nemen. Ze kon haar dochter niet mee op tournee nemen. "*Onze* dochter", zei ze toen.'

Jens haalde diep adem.

'Mijn dochter.'

Katrine sperde haar ogen wijd open en bedekte haar mond. Wat een manier om dat te horen te krijgen.

'Ik rekende terug in mijn hoofd. Het was elf jaar geleden. Dus ik had ineens een dochter gekregen, die tien jaar was. Een tienjarig meisje dat was opgegroeid bij haar moeder in de overtuiging dat haar vader... Ja, welke uitleg had ze eigenlijk gekregen?' Hij strekte zijn armen in de lucht. 'Toen kwam er een vaag verhaal van de andere kant. Nou, ik moest begrijpen dat zij er niet op had gerekend mij weer terug te zien. En ze had een andere partner gehad. Maar ze waren blijkbaar niet meer samen. En nu deze situatie zich had voorgedaan, had ze Simone verteld dat haar echte vader in Denemarken woonde. Simone had zelf voorgesteld dat ze bij mij kon komen wonen. Ze was heel blij om te horen dat ik bestond.' Hij keek met een veelbetekenende blik naar Katrine.

'Dus ik zat daar daarna met Louise en staarde naar de telefoon. Was ik gek geworden? Had dat gesprek werkelijk plaatsgevonden? Maar dat had het. En veertien dagen later arriveerden Simone en Veronique in Kopenhagen. Veronique bleef een week, en we leerden elkaar een beetje beter kennen. Ik kende die vrouw toch helemaal niet. En toen vertrok ze.'

'En toen stond je daar met een tienjarig meisje, dat geen woord Deens sprak?'

'Ik heb ouderschapsverlof aangevraagd en kreeg drie maanden vanwege deze ietwat speciale omstandigheden. En toen hebben we een hoop domme dingen gedaan!' Jens ging met zijn handen naar zijn hoofd en zou zich waarschijnlijk aan de haren hebben getrokken, als die er zouden zijn.

'We haastten ons een klein rijtjeshuis in Herlev te kopen. Mijn dochter moest toch niet in Vesterbro opgroeien, hoewel de wijk door de jaren heen wel was verbeterd.' Hij schudde zijn hoofd. 'We gingen overal heen in plaats van gewoon met z'n drieën bij elkaar te zijn en elkaar beter te leren kennen. En het was duidelijk niet echt gemakkelijk voor Louise. Dat was nou niet precies iets waar ze rekening mee had gehouden.'

'Geen van beiden, toch.'

'Nee.'

'Dus, wat gebeurde er toen?' vroeg Katrine voorzichtig.

'Tja. Een maand nadat we naar Herlev waren verhuisd, ging onze relatie met een knal aan diggelen en Louise verhuisde.'

Wanneer Jens nu terugdacht aan die periode, zag hij twee mensen die in recordtijd van elkaar verwijderd raakten. Het meisje had meteen haar intrede gedaan in zijn gevoelswereld, haar eigen revolutie vanbinnen veroorzaakt en ongekende emoties teweeggebracht. Hoe onhandig en vreemd het allemaal ook was, hij was gek op haar. Zijn dochter. Hij zou ervoor vechten. Maar Louise kon het niet bijbenen.

'Na twee maanden was ik behoorlijk wanhopig en zat ik thuis in Herlev en voelde de muren steeds meer op me af komen.'

'Wat deed je toen?'

'Ik ging naar een psycholoog,' zei hij met een scheve grijns. 'Vooral omdat ik bang was dat Simone eronder zou lijden. Ik dacht dat ik alles verkeerd deed.'

'Was dat zo?'

'Nja,' zei hij aarzelend. 'Ik legde haar uit dat we een eenoudergezin in crisis waren. Hoe dan ook,' hij schudde zijn hoofd. 'Nee, om eerlijk te zijn. Het was een ramp. Ze was nog zo jong, de psychologe dan, en...' Jens begon tot Katrines verbazing te lachen. 'Ik probeerde haar het probleem met de muren in Herlev uit te leggen.' Hij maakte een beweging met zijn armen, die moest illustreren hoe ze op hem af kwamen.

De manier waarop hij het zei, maakte Katrine ook aan het lachen.

'Nee, sorry,' zei ze. 'Nee, het spijt me echt, het was niet omdat...'

Hij moest nog harder lachen.

'Het is in orde. Ik vond het zelf ook behoorlijk komisch. En dan zei ze constant "okaay?" op zo'n manier dat ik het gevoel had dat ze zich over alles wat ik zei verbaasde. Maar dat moet zo'n techniek zijn, die jullie leren om ervoor te zorgen dat mensen zich ontspannen?'

'Ik moet die dag zeker gemist hebben.'

'Nou, maar het werkt ook niet zo goed,' zei Jens. Ze grijnsden opnieuw. 'Ik had niet het hart om het haar te vertellen,' ging hij verder, terwijl ze de tranen van het lachen wegveegden. 'Ze deed echt vreselijk haar best. Ze wilde heel graag slim overkomen. Maar ik kreeg een beetje medelijden met haar.'

'Dus je hebt een geweldig beeld van psychologen?' zei Katrine en stak haar duim omhoog.

'Als ze maar niet steeds "okaay?" zeggen.'

'Ik kan niets beloven,' zei Katrine, en keek hem aan. 'Jemig, wat een verhaal.'

'Ja, dat was dus iets over mij... En jouw leven? Ook zo gewoontjes?'

'Heb je een paar uur?' zei ze en rolde met haar ogen.

'Ja,' zei hij, en sloeg plotseling een andere toon aan. 'Dat heb ik wel. Maar dat wordt een andere keer.'

'Laten we aan de slag gaan,' zei ze, opgelucht om niet over zichzelf te hoeven praten.

Jens opende het bestand en begon te typen.

Na een uur van gezamenlijk, geconcentreerd intoetsen, onderbroken door een paar lachaanvallen, had Katrine een beetje een overzicht over de procedures en het schrijven van processen verbaal. Ze waren in een vreemde stemming, plotseling dichter tot elkaar gekomen en licht euforisch over het feit dat de moord, ondanks dat gedoe met Winthers minnares, waarschijnlijk al opgelost was.

Toch had Katrine er een vreemd en onbestemd gevoel over. Ze dacht bij zichzelf dat het misschien kwam doordat Nukajev nog niet ondervraagd was.

'Er is straks een gezamenlijke briefing. Zullen we onderweg een kopje koffie halen?'

'Okaay!'

Hij haalde uit naar haar arm. Ze liepen weer langs de keuken. Jens schonk voor zichzelf een kop koffie in en Katrine nam een kopje thee.

Ze liepen de ruimte in die als kantine en als vergaderzaal diende. Er klonk een levendig geroezemoes van stemmen. Katrine verheugde zich erop de sfeer te ervaren, de andere rechercheurs, ja, alles. Het voelde alsof ze hier al dagen was. Maar ze had nog nauwelijks met iemand kennisgemaakt.

'Hallo Katrine,' Per Kragh kwam op haar en Jens af. 'Toe maar, een arrestatie van de vermoedelijke dader op je eerste dag! Niet slecht!'

'Het was een enerverende dag,' zei ze tegen hem, met een grote glimlach. 'Echt leuk om meteen vanaf het begin in actie te komen.'

'Goed om te horen. En jullie zijn ook bij de forensisch pathologen langs geweest?'

'Ja, dat klopt.'

'Goed idee. Daar moet ik later meer over horen. Maar we gaan beginnen.'

Ze gingen zitten. Katrine ging een paar stoelen bij Jens vandaan zitten. Hij nam haar stiekem een beetje op. Ze had haar haar in een weerbarstig knotje in haar nek.

Een enkele lok was zijn eigen leven gaan leiden en was op haar jukbeen terecht gekomen. Ze waren hoog en geprononceerd, haar jukbeenderen. Haar huid, donker en veerkrachtig, lag er zo'n beetje overheen gespannen...

Zijn gedachten werden gelukkig onderbroken door de stem van Kragh.

'Allereerst wil ik Katrine Wraa graag hartelijk welkom heten, die we zoals jullie weten van de Engelse politie afgetroggeld hebben.'

Hij was duidelijk blij met die formulering, dacht Katrine. Zou hij daar een beetje een kick van krijgen? Er klonk gelach in de groep.

'Je werd direct in het diepe gegooid vandaag, met Jens, en dat heeft veel opgeleverd.' Hij keek hen beiden waarderend aan.

'Goed. Torsten, wil je ons even verslag doen?'

Torsten Bistrup stond op en keek uit over de groep van ongeveer twintig rechercheurs die er vandaag allemaal bij betrokken waren geweest. Bij een moord werden de eerste dagen altijd veel mensen ingezet.

Torsten besprak in het kort hoe het verband met Nukajev werd gelegd, zonder te vermelden dat Jens en Katrine voor dat deel van het opsporingsonderzoek verantwoordelijk waren geweest.

'Dus nu wachten we erop dat hij kan worden verhoord,' zei Torsten.

Andere rechercheurs en verhoorleiders hadden zich gericht op getuigenverklaringen, van-deur-tot-deurondervragingen in de villawijk en het ondervragen van familie, vrienden en collega's in het Rijksziekenhuis.

'De buurman die 112 belde, is ondervraagd. Hij werd wakker omdat hij Vibeke Winther hoorde schreeuwen, en hij had eerder op de avond geen andere personen gezien of gehoord. Van-deur-tot-deurondervragingen in de buurt en de omringende wegen hebben niets opgeleverd. Belangrijke tijdstippen. We hebben bevestigd gekregen dat hij de kraamafdeling om negen uur verliet. Maar we weten niet hoe laat hij het ziekenhuis verliet, waar hij eventueel op weg naartoe was en hoe laat hij thuis was. Dat moeten we te weten zien te komen! En nog wat over de familiesituatie,' ging Torsten verder. 'Mads Winthers vader overleed enkele jaren geleden. Zijn moeder is gepensioneerd en woont in een appartement in Østerbro. Ze heeft het gezin vrijdag voor het laatst gezien toen ze de kinderen van de crèche ophaalde en de middag in Frederiksberg doorbracht. Hij had geen broers of zussen. Van het moordwapen ontbreekt elk spoor, maar alle messen uit het huis, waaronder een dolk uit Winthers visgerei, liggen voor onderzoek bij KTC. Er is een plan opgesteld voor het onderzoek, zoals het de komende dagen verder zal gaan. En dan heeft onze nieuwe psychologe nog een interessante theorie over de steekwonden,' zei Torsten en keek plotseling naar Katrine, tegelijk met alle andere aanwezigen in de ruimte. 'Dat het een vróuw moet zijn geweest, die het mes hanteerde. Interessante theorie.' Torsten maakte een grote en overdreven beweging met zijn arm. 'Aangezien de richting van het mes van boven naar onderen was. En dat is blijkbaar hoe vrouwen een mes hanteren,' zei hij belerend en keek de menigte rond. 'Interessant,' constateerde hij. 'Maar de praktijk wees helaas iets anders uit in dit geval. Wil je ons niet even uitleggen hoe dat kan, Katrine? Het klinkt toch wel een beetje vreemd nu we een man hebben aangehouden?' Er klonk gemompel in de zaal.

'Met alle plezier, Torsten,' zei Katrine rustig en ging staan. 'Er zijn studies die aantonen dat er een verschil is in hoe vrouwen en hoe mannen het mes als wapen hanteren. Bovendien ben ik ook op een artikel gestuit dat is geschreven door een eerstehulpverpleegkundige in Los Angeles die er een studie van heeft gemaakt. Zij hebben helaas ook flink wat praktijkervaring. Het is eigenlijk heel simpel,' zei ze, en herhaalde in het kort de uitleg die ze eerder had gegeven over de fysieke verschillen in kracht en postuur. 'Maar, zoals met alle dingen in het leven: Er zijn geen regels zonder uitzonderingen,' zei ze en ging zitten.

'Ja, het is bijna jammer dat het geen vrouw was,' zei Torsten.

'En nog een detail dat uit de autopsie naar voren kwam,' vervolgde hij en keek naar Jens, 'was dat de goede dokter geslachtsgemeenschap had gehad voor zijn dood. En Jens, daar heb je de weduwe van het slachtoffer naar gevraagd, hè?'

'Ja, Katrine en ik zijn teruggegaan naar Frederiksberg om er naar te informeren. Het bleek dat Vibeke Winther gisteren geen seksueel contact had gehad met haar man. Dus we hebben er

ook nog een overspelverhaal bij. Hebben we de gespreksover-
zichten van hun telefoons?'

'Ja, en die zijn geanalyseerd,' zei Torsten. 'Er is niet veel uit op
te maken. Als we daar een geheime minnares uit op moeten
sporen.' Torsten las op van een velletje papier.

'Het is correct dat Vibeke Winther, zoals ze verklaarde, om
05:03 uur van haar mobiele telefoon naar zijn mobiele telefoon
belde. Hij heeft zelf naar zijn werk, zijn vrouw en zijn vriend
Thomas Kring gebeld. Vervolgens heeft hij naar een loodgieter
gebeld, naar de belasting – leuker kunnen we het niet maken,'
zei Torsten en glimlachte om zijn grap, terwijl er om hem heen
gegniffeld werd. 'En ten slotte, heeft hij... zijn moeder gebeld.
Evenmin zijn er interessante inkomende gesprekken geweest.'

'Hij kan een extra prepaid telefoon hebben gehad,' zei Katrine.

'Dat is waar,' zei Torsten. 'Maar waar is die dan? Hij ligt niet
bij hen thuis. Dat kan ik je garanderen. En hij ligt ook niet op
zijn kantoor in het Rijks.'

'Hoe zit het met zijn pc daar?' vroeg Katrine. 'Het kan zijn dat
hij vanaf daar via Hotmail of iets dergelijks contact met haar
heeft gehad?'

Torstens onderkaak schoof een halve centimeter naar voren.
Niet veel, maar genoeg voor Katrine om de geïrriteerde gezichtsuitdrukking te kunnen waarnemen.

'Die is niet door NEC gekopieerd, dat klopt, en dat komt omdat het op dat moment niet relevant leek. Maar dat is het nu mogelijk wel, ook al is die kans heel klein. Hij zal morgen worden
opgehaald.'

'Dank je.' Per Kragh nam weer het woord. 'Het is uiteraard
van cruciaal belang dat we Nukajev nu kunnen ondervragen en
dat we het moordwapen vinden. We moeten ervan uitgaan dat
we de juiste man hebben,' zei hij, de groep rond kijkend. 'Er zijn
geen andere overvallen of moorden gemeld, die samenvallen
met het tijdstip waarop we Nukajev aantroffen. En dus geen an-

dere bekende oorzaak van de toestand waarin hij werd aangetroffen. Het is zeker mijn verwachting dat we een voorlopige hechtenis krijgen als hij morgen voor de rechter komt.

Qua manschappen krimpen we wat in, zodat alleen Jens en Katrine op de zaak blijven, samen met Kim, die de zoektocht naar het moordwapen coördineert. Allen rapporteren aan Torsten. Jens en Katrine, jullie gaan morgen verder met de verhoren. We richten ons niet direct op het overspelverhaal, maar informeer er natuurlijk naar wanneer het relevant is. We komen natuurlijk graag met die vrouw in contact. Misschien heeft ze iets gezien of gehoord. Maar verder – iedereen erg bedankt voor een geweldige inzet vandaag. En dan denk ik dat we misschien een beetje te snel aan jouw introductie voorbij zijn gegaan, Katrine. Kun je niet even een paar dingen over jezelf vertellen?'

Katrine ging weer staan en keerde zich naar het publiek. Alle ogen waren weer op haar gericht.

Jens vond dat ze net een vreemd, exotisch dier van een of ander ver continent was dat midden tussen de dieren op een boerderij was neergezet. Hij probeerde zich sterk te concentreren op wat ze zei, in plaats van op de dierenboel.

'Ja, natuurlijk. Zoals jullie al weten heet ik Katrine Wraa en ik heb psychologie gestudeerd in Engeland, waar ik de afgelopen jaren heb gewoond. Ik begon me vrij vroeg te interesseren voor criminal profiling, en ik had het geluk te kunnen werken met een van de grote namen op dit gebied, Caroline Stone. Na mijn promoveren heb ik samen met Caroline gewerkt aan zaken binnen de Engelse politie en de FBI. Maar toen het aanbod van de Deense politie kwam, twijfelde ik geen moment.' Ze keek de groep rond. 'Ik denk dat het een enorme en zeer boeiende uitdaging is om sommige methoden uit mijn vakgebied te kunnen toepassen bij de Deense politie.' Ze hield een kleine pauze. 'Profiling is een vak dat erg omstreden is, en met name wijzelf, degenen die binnen het vakgebied werken, zijn erg goed in het ter discussie stellen ervan. Ik had er altijd een hekel aan dat mensen vaak aan hun kennis en hun positie vasthouden, in plaats van samen te werken en bruikbare onderzoeken te doen die resultaten geven in de praktijk. Dus ja, daarom ben ik hier.'

Ze stond op het punt om weer te gaan zitten, toen Per Kragh zei: 'Nou, ik geloof dat iemand je een vraag wil stellen.' Katrine keek naar Torsten die zijn hand opgestoken had.

'Ja, ik ben gewoon nieuwsgierig om een beetje meer te horen over wat het precies voor methoden zijn, waar je het over hebt?' vroeg Torsten.

'Ja, ik zal proberen het kort te houden,' zei ze. Het moest de ultrakorte weergave worden, anders kon ze uren blijven praten. 'Laat ik eerst benadrukken dat de te kiezen methode nauwkeurig zal worden afgestemd in verhouding tot de strategie van de Task Force. Maar ik kan bijvoorbeeld methoden introduceren die naar mijn mening een paar van de beste zijn die het vak te bieden heeft; dader/slachtofferprofilering, psychologische autopsie, cognitieve interviewtechnieken en geografische profilering. Veel mensen denken dat we ons alleen concentreren op de befaamde daderprofilering. En dat is ook een belangrijk instrument. Een strafbaar feit zal altijd iets zeggen over de persoon die dit heeft begaan. Maar ik begin ergens anders. Ik begin met het maken van een grondig profiel van het slachtoffer, voordat ik me op een profiel van een mogelijke dader werp; we moeten weten wie degene die vermoord is was. Wat voor persoonlijkheid, gedrag en levensstijl heeft deze persoon in de extreme situatie gebracht dat iemand anders hem van het leven heeft beroofd? Dit profiel vereist een systematische en grondige manier van werken. De psychologische autopsie, die ik ook heb genoemd, is een ander soort analyse. Hierbij probeer je, op dezelfde wijze als de forensisch pathologen het doen en laten van het slachtoffer en de oorzaak van het overlijden trachten bloot te leggen, de mentale toestand van het slachtoffer in aanloop tot de moord bloot te leggen. Hierbij ben je uiteraard sterk afhankelijk van de hulp van familieleden en de omgeving, maar ook mobiele telefoons, brieven, e-mails, Facebook et cetera en het huis van de persoon kunnen nuttige bronnen zijn. Het is ook heel gebruikelijk om de locaties te noteren waar het slachtoffer de laatste dagen van zijn leven is geweest, en dezelfde route te lopen of te rijden.'

'En, geografische profilering, zeg je?' zei Torsten sceptisch. 'Is dat niet zoiets als dat je cirkels tekent op een kaart, en dan de hogere machten vraagt of de dader daar woont?' Torsten en een paar mensen om hem heen lachten. Katrine lachte ook, iets wat Torsten leek te irriteren.

'Dat is volkomen juist. Tenminste als je het degenen vraagt die geen voorstander van deze methode zijn,' zei ze en dacht aan Caroline, die een fervent tegenstander was van geografische profilering, omdat een van haar grootste concurrenten in Engeland, Robert Baxter, veel succes had met de verkoop van door hemzelf ontwikkelde software, CrimeWare genaamd, aan de Engelse politie. Het was een van de oorzaken van hun conflicten geweest, omdat Katrine openstond voor wat deze methode zou kunnen bijdragen en er graag in wilde worden opgeleid om het te gebruiken. Caroline had er tegen Katrine over doorgezeurd, dat ze Carolines positie binnen het vakgebied ondermijnde.

Katrines glimlach verdween.

'Desalniettemin geeft deze methode een statistische zekerheid van wel 80 procent, hetgeen behoorlijk hoog is. Het is echter belangrijk om te benadrukken dat het zeker geen methode is die bij alle vormen van criminaliteit kan worden toegepast. Het is een goede aanvulling bij seriemisdaden, en het werkt zowel bij diefstal, moord, verkrachting als brandstichting. Maar het kon niet worden toegepast bij de huidige moordzaak, omdat we op de plaats delict al aanwijzingen konden zien van het feit dat slachtoffer en dader elkaar kenden.' Ze maakte oogcontact met Jens, die aanmoedigend naar haar glimlachte.

'Geografische profilering kan dus niet worden gebruikt in gevallen waarbij slachtoffer en dader elkaar kennen.' Ze keek de groep rond. 'Iemand een idee waarom?'

'De afstand was niet relevant voor Nukajev,' zei Jens. 'Hij zou zo ver gereisd hebben als nodig was om Mads Winther om te brengen.'

Katrine knikte.

'Dus voor seriemoordenaars is het wel geschikt?' Torsten was duidelijk op dreef nu, en ze kon wel bedenken waar hij heen wilde met zijn vraag.

'In grote landen zoals de vs, Engeland en ga zo maar door, waar je met zeer grote...' Ze stopte even, *populations*, ze kon zich het Deense woord niet herinneren. Verdomme, wat was het? 'Eh, hoe heet dat?' Ze zag Torsten lachen. Asshole! Toen kwam het. 'Bevolkingsgroepen!' Dat was het! 'Dus als je met zeer grote bevolkingsgroepen te maken hebt – ja – dan is het uiterst bruikbaar. Geografische profilering is heel geschikt om te bepalen in welk gedeelte van een wijk je de inwoners moet ondervragen. En je kunt het met enige zekerheid gebruiken om een gebied aan te wijzen waar de dader mogelijk woont. Er zijn onderzoeken die nauwkeurig de afstand aangeven tussen het adres van de dader en de plaats delict van elk type misdrijf dat ik net heb genoemd. En er bestaat software die dit in concrete gevallen kan berekenen.'

'Bedankt Katrine,' zei Kragh. 'En in deze kleine besloten groep kan ik wel verklappen dat men zich elders binnen de organisatie momenteel over de aankoop van dit soort software die je hier noemt, buigt. Het heet geloof ik CrimeWare, of iets dergelijks.' Er verspreidde zich een enthousiast geroezemoes in de zaal. Kragh glimlachte tevreden naar Katrine, die met een kleine rilling besefte dat het zeker haar breuk met Professor Stone zou bestendigen, als de Deense politie nu net CrimeWare ging kopen, kort nadat Katrine er was begonnen. Caroline Stone, die iedere gelegenheid aangreep om geografische profilering naar beneden te halen en te ontzenuwen.

Torsten zat met zijn armen over elkaar. Hij zond schampere blikken naar Kraghs rug.

Zielig, klein, bitter mannetje, dacht Katrine.

Het vuur knetterde in de kachel en het begon een beetje warmer te worden in het zomerhuisje. De elektrische radiatoren verwarmden nog steeds onvoldoende, en Katrine was natuurlijk helemaal vergeten om in de loop van de dag het verhuurbureau of een elektricien te bellen.

Ze had de push-ups en sit-ups gedaan, waar ze die ochtend niet aan toegekomen was, om warm te worden. Daarna had ze snel een pastagerecht met groenten, chili en Parmezaanse kaas in elkaar geflanst en zat nu met dikke sokken en een wollen trui aan in de rieten stoel voor de kachel te eten en een glas rode wijn te drinken.

Het stormde enorm buiten. Een paar takken tikten tegen de muur van de woonkamer. Toen ze gegeten had, kleedde ze zich aan, ging naar buiten en bond ze op met een touw. Het geluid was te irritant. Leidde haar gedachten af.

Griezelig, zouden sommigen het misschien vinden. Maar ze was niet bang om alleen te zijn.

Ze installeerde zich weer voor de kachel. Ongelooflijk dat ze Lise weer was tegengekomen. Op haar eerste dag. Het was zo onwaarschijnlijk dat dat zou kunnen gebeuren.

En ze was verloskundige geworden! Niet direct wat Katrine gedacht zou hebben. Maar aan de andere kant – wat had ze eigenlijk gedacht dat Lise zou gaan studeren? Dat was toen onmogelijk om te zeggen. Ze had wat dan ook kunnen worden.

Ze hoopte werkelijk niet dat Lise zou proberen om contact met haar op te nemen. Daar voelde ze zich helemaal nog niet klaar voor.

Ze bracht haar gedachten naar de moordzaak.

Aslan Nukajev.

Ze zag de man op de bank voor zich. Was híj hun moordenaar?

De bij de moord vertoonde woede stond in contrast met zijn apathische toestand. Maar daar waren natuurlijk andere verklaringen voor: het kon door de alcohol komen – een pathologische intoxicatie. Het zou een reactie achteraf kunnen zijn, een shocktoestand. Dat was wel vaker voorgekomen.

Het was van cruciaal belang dat hij morgen tot zichzelf kwam, zodat ze zijn verklaring konden horen.

En als hij bekende... dan zou ze waarschijnlijk niet op iets anders worden gezet. Dan zou het uit zijn met de poging om Mads Winther te leren kennen. Ze hoopte maar dat dat niet zou gebeuren. Ze was nieuwsgierig geraakt naar het artsenechtpaar.

Vibeke en Mads Winther.

Hoe waren ze als stel geweest? Wat voor persoon was hij geweest?

De mensen met wie ze vandaag hadden gesproken, hadden hem beschreven als met een warmte en openheid die in contrast stond met de koele vrouw met wie hij getrouwd was. Ze had op weg naar huis in de auto het verhoor van Vibeke Winther beluisterd en het had haar mening over haar bevestigd. Ze was er vreselijk goed in hen tien stappen van zich verwijderd te houden.

Ze printte foto's van de dode Mads Winther, spreidde ze over de vloer voor de kachel uit en stond er lang naar te kijken.

Er was nog iets met betrekking tot Mads Winther, wat haar belangstelling wekte; er waren opvallend weinig negatieve uitspraken over hem gedaan. De meeste mensen konden doorgaans wel een eigenschap of twee van de overledene aangeven die niet zo positief waren. Hoewel veel mensen instinctief moeite hadden om iets negatiefs te zeggen over de doden. De perfecte man? Nou ja, als we voorbij gaan aan het detail dat hij moeite had met de huwelijkse trouw. Zou het een langdurige verhouding zijn geweest? Of een onenightstand? Ze realiseerde zich opeens dat er nu ergens een vrouw was die met niemand kon delen dat haar minnaar op brute wijze was vermoord. Als ze het tenminste niet zelf had gedaan. En als het geen prostituee was geweest.

Ze schonk nog een glas wijn in en keek in de vlammen.

De vrouwensteektheorie.

Ze glimlachte. Torstens pesterijen hadden er natuurlijk voor gezorgd dat ze gelijk wilde hebben. Maar los van dit ietwat kinderachtige gevoel, was ze nog steeds niet bereid om de theorie helemaal af te schrijven. Hij klopte gewoon.

Per Kragh was niet de enige met een geheime agenda, dacht ze en besloot dat ze bij haar theorie over een vrouwelijke moordenaar zou blijven zo lang als ze kon, ook al zou ze nog dommer lijken dan ze nu al deed. De overwinning zou des te zoeter smaken als ze gelijk had.

Dat was een klassieke Caroline-repliek besefte ze en ze dacht eraan dat ze normaal gesproken nu met Caroline in de dichtstbijzijnde kroeg zou hebben gezeten. Ze zouden de zaak bespreken en de zaken die er aan deden denken. Caroline zou hebben onderwezen uit haar enorme kennis. 'Vertrouw nooit een onderzoeker die geen enorme bibliotheek bezit én niet elke bladzijde eruit kent,' kon ze zeggen. En nog meer van dat soort clichés. Maar er zat wel wat in, dus de meesten accepteerden het nadat ze aan haar cholerische persoonlijkheid gewend waren.

Afhankelijk van de sfeer tussen hen en het rechercheteam zouden ze alleen zijn, of met een heel stel dat op weg naar huis even een pintje pakte. Ze was van de kroegcultuur in Engeland gaan houden.

Er was echter een delicate balans, die tussen het drinken plus de vertrouwelijke informele gesprekken met rechercheurs en 'one of the guys' zijn en nog steeds worden gerespecteerd als jonge, vrouwelijke psycholoog en expert. Echt een evenwichtsoefening.

Jens had haar ook gevraagd of ze nog even een biertje wilde drinken toen ze klaar waren. Hij had teleurgesteld geleken toen ze zei dat ze te moe was en nog te ver moest rijden. In ruil daarvoor hadden ze afgesproken om morgen na het werk samen te gaan hardlopen.

Ze reikte naar haar laptop. Ian had haar een e-mail gestuurd waar ze een wonderlijk gevoel van in haar buik kreeg, van gemis. Ze had het de hele dag zo druk gehad dat ze nauwelijks tijd had gehad om aan hem te denken. Ze schreef een snel antwoord en beloofde dat ze de volgende dag zou bellen.

De vermoeidheid sloeg toe. Ze spoelde haar bord af, poetste haar tanden en haastte zich naar bed.

Jens nam een douche voordat hij naar bed ging. Simone sliep al.

Hij slaakte een diepe zucht.

Hij maakte zich zo'n zorgen om haar, en de laatste tijd kon hij haar helemaal niet meer bereiken. Ze sloot zich volgens heel onvoorspelbare patronen voor hem af. De ene dag was ze net een klein meisje dat graag met een dekentje over op de bank een film wilde kijken, en voelde hij zich zo met haar verbonden, dat hij vergat dat ze elkaar niet altijd al hadden gekend.

Het volgende moment was ze dwars en gesloten en vond ze dat hij nog verder in de tijd terugging dan het veenlijk in Jutland, De Man van Grauballe.

Dit was heel normaal voor tieners. Zo veel wist hij wel. Losmaken en identiteit en dat soort dingen. En natuurlijk werd het allemaal erg ingewikkeld door het enorme 'verraad' van haar moeder.

Maar dat was niet het enige dat hem dwarszat.

Hij was bang dat ze plotseling weer zou verdwijnen.

Uit zijn leven zou verdwijnen.

Dat ze geen voldoende sterke band hadden kunnen vormen in de tijd die ze samen hadden gehad. Misschien zou ze de wijde wereld intrekken, net als haar moeder?

Teruggaan naar Frankrijk? Hè verdorie. Het meisje had zich vastgeklemd in zijn hersenen, hart en de rest van zijn innerlijk en hield hem in haar greep.

Het warme water liep met zachte masserende stralen langs zijn lichaam.

Hij merkte de prettige sensatie in zijn lichaam. Ontspande. Probeerde de zorgen van zich af te spoelen, maar die zaten helaas niet aan de buitenkant. Hij moest ermee zien te leren leven. Zijn goede vriend, collega Lars Sønderstrøm, zei dat het helemaal volgens het boekje was, de dingen die hij beschreef. Hij kon het weten. Hij had drie tieners in verschillende leeftijden.

Jens zeepte zich in.

Een zekere psycholoog kwam koket bij hem onder de douche staan. Hij had haar op afstand proberen te houden sinds hij thuiskwam. Maar ze was buitengewoon volhardend. Het was onmogelijk om te weerstaan, en hij gaf zich aan haar over in plaats van er tegenin te gaan.

Hij zag hoe het oranje haar nat werd onder de stralen.

De krullen vielen over haar schouders. Zijn handen streelden haar buik. Haar borsten. Haar schoot. Ze draaide haar rug naar hem toe. Hij liet zijn handen over de gespierde rug glijden. Ze maakte kleine tevreden geluidjes. Haar veerkrachtige billen. Er was net ruimte voor een in elk van zijn handen, net zoals hij zich had voorgesteld, toen hij ze in de bijzonder flatterende jeans zag eerder op de dag. Hij ging op zijn knieën zitten en draaide haar om. Ze ontving zijn mond. Hij stond op, pakte haar ene been beet, tilde het op en drong diep in haar.

Alles explodeerde.

Hij leunde slap en ontladen tegen de muur aan. Wanneer had hij zich voor het laatst zo gevoeld?

Face it, Jens Høgh, je seksleven is ongeveer net zo spannend als het onderzoeken van financieel-economische criminaliteit. Dat is toch triest, dacht hij, en zette het water uit.

Jens trok de gordijnen in zijn slaapkamer opzij en keek de donkere winterochtend in. De winter duurde al een eeuwigheid, dacht hij. Hij verlangde naar licht en warmte. Misschien moest hij op reis met Simone.

Een weekje vakantie nemen en samen leuke dingen doen? Een wild beeld kwam spontaan bij hem op. Hij, Simone en Katrine op een strand. Snorkelend in Egypte? Je bent gestoord, Jens Høgh, dacht hij. Je weet niet eens of er iemand in haar leven is. En toch droom je van een familievakantie met haar? Goed zo, jongen. Bovendien kon hij het zich ook niet eens veroorloven, dacht hij neerslachtig.

Hij ging Simone wakker maken. Wekkers werkten niet bij haar. Ze sliep zo diep als tieners konden doen. Een periode om te groeien.

Na drie wekpogingen kwam ze in de benen en sjokte half verdoofd naar de badkamer. Hij zette water op voor de koffie en zette de dingen voor het ontbijt klaar. Hij maakte een boterham voor haar klaar, hoewel hij zijn twijfels had in hoeverre ze die eigenlijk opat of niet.

Na een paar maanden in Herlev had hij zich gerealiseerd dat het een grote fout was geweest om te verhuizen. Niet alleen omdat hij zich het rijtjeshuis niet alleen kon veroorloven. Hij paste ook niet in het rijtje van gezinnen met kleine kinderen met hun enorme wagenpark van buggy's en kinderwagens. Het was alsof hij te veel stappen had overgeslagen. De andere gezinnen waren lid van een club waar hij geen toegang tot had.

Hij had geld erop verloren, maar was al blij dat ze het appartement niet hadden verkocht. Het was gewoon onderverhuurd.

Ze ontbeten aan het kleine klaptafeltje in de keuken. Hij had kaarsen aangestoken in een poging de duisternis wat vriendelijker te maken.

'Heb je nog afspraken, vanmiddag?' vroeg hij.

Ze schudde nors haar hoofd. Bladerde in de krant, en ging snel naar de tv-programma's.

Toen keek ze naar hem op, en haar mooie gezichtje onderging een spontane verandering. De kleine Simone kwam tevoorschijn, en de ogen werden groot en rond. Oké, wat ben je nu weer van plan? dacht hij, en hield zijn glimlach in.

'Ja, ehm. Fatima en ik hebben het erover gehad om naar Fields te gaan en een beetje te winkelen, en ik heb daar echt de meest coole winterlaarzen gezien. Mag ik die niet hebben? Please? Ik denk zelfs dat ze in de uitverkoop zijn.'

'Je hebt toch al een paar winterlaarzen, Simone?'

'Maar deze zijn gewoon zó cool.'

'En wat kost zoiets?'

'Ja, ze zijn wel een beetje duur, maar ik denk dat ik ze volgend jaar ook nog wel aan kan.'

'Volgend jaar heb je twee maten groter nodig als je hetzelfde tempo aanhoudt.'

'Ja, oké! Maar ik eindig toch niet met maat 45!' zei ze en liet het wit van haar ogen zien.

'Wat is "een beetje duur", dan?'

'Nou,' zei ze en glimlachte allerliefst. '1800 kronen.'

'Simone! Echt waar!' Nu was hij eigenlijk wel teleurgesteld. 'Dat kan ik me toch verdorie niet veroorloven!'

'Nou, maar als ik nou elke dag afwas en stofzuig,' probeerde ze smekend.

'Dat moet je eigenlijk al voor je zakgeld. Maar luister eens: Over een jaar of twee kun je een baantje nemen na schooltijd, en dan kun je voor dit soort dure dingen gaan sparen.'

'Je kunt nu toch geen werk krijgen, toch? Er bestaat zoiets als jeugdwerkloosheid. Financiële crisis en zo,' zei ze pruilerig en rolde met haar ogen.

'Bij de Netto kunnen ze altijd wel flessenmeisjes gebruiken.' De amandelvormige ogen draaiden nog een keer naar boven. 'En Fatima dan, krijgt zij zulke dure dingen van haar ouders?'

'Ja, haar broer heeft een heel duur jasje voor haar gekocht. En hij is géén crimineel geworden sinds de laatste keer dat je het vroeg,' zei ze diep beledigd, stond op, en ging naar haar kamer.

Hij zuchtte.

Hij had haar uitgehoord over Fatima's familie, en hij had er op gestaan haar daar verschillende keren op te halen. Hij nam tot Simones grote ergernis de kop thee aan, die hij telkens van Fatima's vader kreeg aangeboden. Simone had hem ervan beschuldigd overdreven wantrouwend te zijn, alleen maar omdat ze uit Somalië kwamen. Ze was tekeer gegaan dat Denen racisten waren, die niet begrepen hadden wat een multiculturele samenleving is.

Hij had geduldig geluisterd en zijn woedende dochter vervolgens uitgelegd dat hij zeker niet racistisch was, maar dat hij graag de ouders van haar vrienden wilde leren kennen. Hij had ook rode wijn gedronken met Emma's ouders op een avond dat ze daar zou logeren en ze hem een glas aanboden toen hij haar slaapzak kwam brengen. En hij verwonderde zich gewoon over het hoge bestedingsniveau van de broers van Fatima. Wat voor banen hadden zij dat ze al die kleren en bling bling konden kopen waarmee ze rondliepen? Hij zou hetzelfde hebben gevraagd bij Emma's broers.

Jens zuchtte, ruimde de tafel af en poetste zijn tanden. Hij spoorde haar aan zodat ze niet te laat op school zou komen. Ze stoof de deur uit.

'Tot vanavond, Simon,' zei hij en hoopte haar wat milder te stemmen met de bijnaam waarmee hij haar nog steeds ongeveer negen van de tien keer aan het glimlachen kreeg, omdat ze het gek vond dat hij haar bij een jongensnaam noemde.

Maar dit was dus de ene keer van de tien. Hij praatte tegen haar rug en die antwoordde niet.

'Ik heb net met de psychiater gesproken die Nukajev gisteren in het ziekenhuis heeft laten opnemen.' Jens schudde geërgerd zijn hoofd. 'We krijgen vandaag geen contact meer met hem. Zijn toestand is te slecht.'

Katrine en Jens stonden samen met Torsten bij Per Kragh in het kantoor.

'Verdomme!' zei Kragh.

'Hè, jakkes!' zei Katrine geërgerd.

Ze nam Jens even op. Hij leek een beetje gereserveerd, vandaag. Vermeed oogcontact. Ze wuifde het weg. Het kon iets persoonlijks zijn, wat haar niet aanging.

'Oké, ik wil graag dat jullie verdergaan met alle dingen die gisteren in werking zijn gezet, telefoonafschriften, de zoektocht naar het mes, getuigen et cetera.'

'Ik praat wel met Tom,' zei Torsten.

'Heeft de technische recherche monsters genomen van het bed op zijn kantoor in het Rijks?' vroeg Katrine.

'Dat weet ik eigenlijk niet,' zei Torsten. 'Maar we gingen die overspeltheorie niet volgen, zoals Per gisteren zei...'

'Nee, maar het is een gouden kans om na te gaan of hij daar zondagavond na negen uur ook was. Als er een match is tussen het bed en wat er bij de autopsie gevonden is...' Katrine keek naar Per Kragh.

'Dat is helemaal waar,' gaf Kragh toe. 'Torsten, als ze dat niet gedaan hebben, zorg er dan voor dat ze dat alsnog doen.'

'En ik zou graag zijn pc bekijken, zodra dat mogelijk is,' zei Katrine.

'Goed, en Katrine, kun je ook een beetje onderzoek doen naar Nukajevs achtergrond? Wanneer ze hier gekomen zijn, de achtergrond uit Tsjetsjenië enzovoort. Hebben we ook familieleden gesproken?'

'Ze hebben hier geen familie,' zei Torsten.

'Oké, kijk maar wat je kunt vinden, Katrine,' zei Per. 'Een psychologisch onderzoek komt pas op het moment dat hij in staat van beschuldiging wordt gesteld.'

'Oké.' Ze knikte.

'En we moeten de verloskundige ondervragen.'

'Ze komt hier om halftien,' zei Jens.

'Goed. Ze moet ons het hele verhaal doen, van de bevalling tot aan nu. We hebben tijdstippen nodig, de modus operandi, álles over de bedreigingen aan haar adres. We doen alles wat we kunnen om de zaak vorm te geven, terwijl we wachten tot hij ondervraagd kan worden.'

'Ik kan helaas niet bij het verhoor van Lise Barfoed zijn,' zei Katrine.

'Mag ik nog even horen wat jullie relatie was?'

'We waren vriendinnen op de middelbare school.'

Kragh keek Katrine peinzend aan en vroeg toen: 'Is het niet vreemd dat ze haar chef niet heeft verteld dat ze bedreigd werd?'

'Inge Smith is niet haar chef. Verloskundigen hebben een hoofdverloskundige.'

'Ze kan het best aan collega's hebben verteld,' zei Jens. 'Dat weten we eigenlijk niet. En als ze Inge Smith in de tussentijd niet heeft gezien en Nukajev verder gewoon een onschuldige zielenpoot vond...'

Jens haalde zijn schouders op. 'Maar dat zal ik haar allemaal vragen – zo meteen.'

Katrine zou graag een vlieg op de muur zijn tijdens dat verhoor. Maar dat ging niet.

'Ik heb met de Forensisch Psychiatrische Kliniek gesproken,' zei Katrine over de tafel heen tegen Jens, die in zijn scherm verdiept was.

'Ja?'

'Ik kan de psychiater te spreken krijgen die het echtpaar Nukajev heeft onderzocht toen ze het land in kwamen. Dus ik dacht dat ik daar wel even heen kon rijden terwijl jij Lise Barfoed ondervraagt.'

'Goed idee. Dan treffen we elkaar hier gewoon later weer.' Hij keek snel van het scherm naar haar op. Ze glimlachten een beetje onhandig naar elkaar.

Hm, wat is er gisteren toch gebeurd? dacht ze verwonderd toen ze de deur uitliep.

Katrine liep naar haar auto, hield haar jas stevig bijeen voor haar lichaam en trok de gevoerde muts goed over haar oren. Vandaag hadden ze weer temperaturen onder nul. De gesmolten sneeuw die was blijven liggen van gisteren – veel, verderop in het noorden en bijna niets hier in de stad – was in de loop van de nacht omgetoverd tot een glimmende en spiegelgladde laag ijs. Je moest goed uitkijken dat je niet uitgleed. Ze ging vlug de auto in. Het had haar vanmorgen ten minste tien minuten gekost om de autoruiten te krabben. De kou herinnerde haar aan de problemen met de elektrische radiatoren in het huisje. Ze had het nummer van het verhuurbedrijf in haar telefoon opgeslagen, vond het terug en belde hen op.

'Deens Vakantiehuisverhuur, goedemiddag.'

Ze introduceerde zichzelf en legde het probleem uit. Nee, dat hadden de laatste mensen die het huis in de herfst hadden gehuurd niet gemeld. Maar hij kon haar het nummer geven van de elektricien, die zij altijd inschakelden, dan kon ze die bellen? Nou dat wilde ze wel graag. Ze kreeg het nummer en wilde het gesprek al afsluiten. 'Trouwens,' zei hij, nu hij haar toch aan de telefoon had. Had ze al besloten wat ze met het huis wilde gaan doen, op termijn? Want ja, het was waanzinnig populair vanwege de ligging, en er was vooral één familie die er jarenlang bijna elke zomer was gekomen. Ze boekten meestal ruim van tevoren en hadden gebeld om er naar te informeren, omdat ze niet langer online konden reserveren. Hij had het uit het reserveringssysteem gehaald, zoals ze hadden afgesproken.

Nee, helaas niet, want ze was er nog niet helemaal uit. Dus ze kon er niets over zeggen. Nou, dat zou hij aan de familie doorgeven. Zij zouden waarschijnlijk tamelijk teleurgesteld zijn. Ja, dat was jammer, zei ze. Vervolgens belde ze de elektricien en sprak met hem af dat hij de volgende ochtend om halfzeven naar de radiatoren zou komen kijken voordat ze naar haar werk moest.

Ze bedacht dat ze eraan moest denken om alle foto's van het lijk op de plaats delict te verwijderen, die ze gisteren op de vloer had neergelegd, zodat de elektricien niet zou schrikken. Als er in de tussentijd een inbreker zou komen, zou dat erger voor hemzelf zijn. Het was een running gag onder psychologen in haar vakgebied, dat alleen een blik op de boeken en filmcollectie die ze thuis hadden, zelfs een door de wol geverfde inbreker op de vlucht zou jagen.

Ze startte de auto en reed in de richting van de Blegdamsvej. De Forensisch Psychiatrische Kliniek lag tegenover het Rijks.

Jens keek Katrine na, toen ze de deur uit ging. Hij kreeg het warm bij de gedachte aan zijn douche van gisteravond. Hij had zelfs vanochtend nog aan haar gedacht. Maar hij had het vlug uit zijn hoofd proberen te zetten. Wat zou zo'n meid die in Engeland had gewoond en een internationale carrière had gehad en alles, ook in hem zien? Een gewone agent die bovendien een zeer saai leven leidde als alleenstaande vader.

'Mooie partner heb je gekregen,' klonk een bekende zware stem vanuit de deuropening achter hem in het aangrenzende kantoor. 'En mooie kleur heb je!' zei hij met een vette grijns.

'Ja, ze is mooier dan de vorige!' Jens grijnsde terug naar zijn voormalige partner, Lars Sønderstrøm, die het grootste deel van de deuropening innam, zo fors als hij was. Lars Sønderstrøm, die altijd gewoon Sønderstrøm heette, had de grootste handen die Jens ooit had gezien. Een arts die ervan was beschuldigd zijn vrouw naar de andere wereld te hebben geholpen, had enkele jaren geleden midden in een verhoor aandachtig naar Sønderstrøms handen zitten kijken. Toen Sønderstrøm geïrriteerd had gevraagd waarom hij zijn handen zo intensief bekeek, had de man gevraagd of hij de afgelopen jaren ook steeds grotere schoenen had moeten kopen? Toen had Jens zich serieus afgevraagd of de arts niet te diep in het medicijnkastje had gekeken. Maar Sønderstrøm had tot Jens' grote verrassing enthousiast ja geantwoord op die vraag en de arts gevraagd hoe hij dat in vredesnaam wist.

Het bleek dat Sønderstrøm aan een zeldzame ziekte leed waarbij niet alleen handen en voeten, maar ook neus en oren bleven groeien. Sønderstrøm kreeg medicijnen om dit fenomeen tegen te gaan en was uiteindelijk geëindigd met een schoenmaat 53 en het grootste paar kolenschoppen van handen, dat je je kon voorstellen bij een volwassen man.

Ze waren jaren partners geweest. Totdat Sønderstrøm een baan werd aangeboden als interim-manager bij het Nationale Recherche-ondersteuningscentrum van de Rijkspolitie.

'Die zaak van die arts is snel rond, neem ik aan?'

'Ja, dat zou je wel zeggen. Het lijkt een soort wraakmoord. Maar nu moeten we alleen nog de eindjes aan elkaar knopen en toestemming krijgen om die Tsjetsjeen te ondervragen.'

'En de "steekdames"?'

Jens keek vragend naar Sønderstrøm, die moest lachen.

'Ik kwam Torsten tegen op de gang. Hij voelt zich vast een beetje – hoe zeg je dat netjes, "uitgedaagd" door de psychologe!'

'Hij zou onder toezicht geplaatst moeten worden,' zei Jens, en probeerde ernstig te kijken.

Ze bulderden beiden van het lachen om het beeld van Torstens ongemak bij díe situatie.

'He, he,' lachte Sønderstrøm, zodat zijn buik wat schudde.

Jens fronste zijn wenkbrauwen.

'Hé, ben je niet een beetje aangekomen nadat je in de chefstoel terecht bent gekomen?'

'Nja,' Sønderstrøm trok zijn buik iets in, deed zijn borst vooruit en klopte zich op de buik met een van zijn berenklauwen.

'Je moet mee gaan lopen! Tien kilometer met de psycholoog vanmiddag!'

'Psychotherapie en rennen in één? Wil je me vermoorden?'

'O nee! Ik probeer juist je leven te redden, mijn vriend!'

'Ik weet het,' zuchtte hij. 'Maar voordat we ons daarop storten, kan ik je vertellen dat we niets van belang hebben gevonden op de pc van de dokter. Dat was eigenlijk wat ik je kwam vertellen, maar jullie krijgen natuurlijk ook nog een verslag. Er was een externe harde schijf en een gloednieuwe laptop. Op de harde schijf staat een zeer grote hoeveelheid artikelen en vakliteratuur. Wat privédocumenten betreft is er een aantal familiefoto's, veel van de kinderen – twee jongens. En dan nog wat persoonlijke financiën, begrotingen en ga zo maar door. Verder niets. De nieuwe laptop was nog niet in gebruik genomen. En er is geen oude pc op het adres gevonden. Het lijkt erop dat hij had besloten om met een schone lei te beginnen met zijn e-mails. Of hij maakte gebruik van een online-oplossing, Hotmail of iets dergelijks. Maar hij heeft zoals gezegd de nieuwe nog niet in gebruik genomen.'

'Dus hij heeft ook geen contacten, e-mails en dergelijke gekopieerd?'

'Nee. Dus dat zou wel eens kunnen wijzen op een online-oplossing.'

'Maar zijn vrouw moet zijn e-mailadres toch wel weten?'

'Dat zullen jullie haar moeten vragen.'

'Hm. En zijn pc op het Rijks – is daar een kopie van gemaakt?'

'Nee, dat is een *thin client.*'

'Oké,' zei Jens. 'Dat klinkt een beetje pikant. Nee wacht, eigenlijk ook weer niet...'

'Dat is ook niet zo. Het is een pc waarbij je geen eigen harde schijf hebt. Alles staat op een server bij IT. Mensen hebben daar ook geen privézaken op staan, dus is er niets om een back-up van te maken.'

'Oké. En dat kom je in hoogst eigen persoon vertellen?'

'O ja, ik wilde ook gewoon even horen hoe het hier ging, en zo.'

Jens keek hem argwanend aan. Er zat iets achter. Hij was namelijk wel heel vaak 'even langsgekomen', sinds hij van de afdeling vertrokken was. Hij mist ons! dacht Jens tevreden.

'Nou, daar was dus niet veel vanaf te halen. Maar mijn psycholoog zal hem toch ook zeker nog wel graag willen bekijken. Dat kan wel, hè?'

'Daar is vast niets op tegen. Er staat een kopie op deze harde schijf.' Hij legde hem op tafel en krabde een beetje aan het sikje, dat hij op zijn kin had laten groeien en zei terloops: 'Hoe gaat het verder met Simone?'

'Ze wordt waarschijnlijk de oorzaak van mijn vroegtijdige dood.' Hij vertelde over de laarzen en haar houding van die ochtend.

'Ze kunnen problemen hebben met begrijpen dat geld niet aan de bomen groeit. Maar het helpt wanneer ze zelf wat kunnen gaan verdienen. Hou vol!' zei Sønderstrøm en sjokte even later weer weg. Jens keek hem na.

Hij werd uit zijn gedachten gehaald doordat de conciërge belde.

'Er staat hier een Lise Barfoed voor je.'

'Ik kom nu naar beneden om haar op te halen.'

Lise Barfoed stond bij de ingang te trappelen van de kou, ondanks het feit dat ze goed ingepakt was in een grote lammy. Vandaag hadden ze temperaturen onder het vriespunt maar de zon scheen voor het eerst in een paar weken tijd. Ze had een grote zwarte zonnebril op.

'Loop maar mee deze kant op.' Ze staken de grote ronde binnenplaats over en liepen de trap op naar zijn kantoor. Hij wees naar de stoel aan de andere kant van het bureau waar ze kon gaan zitten. Ze hing haar jas aan de hanger die hij haar aangaf, liet zich in de stoel zakken en deed met tegenzin de zonnebril af. Ondanks de rode, gezwollen ogen die ze ook vandaag weer had, zag ze er geweldig uit. Ze was een buitengewoon mooie vrouw.

Lise Barfoed wierp een blik op de lege stoel tegenover Jens.

'Zit Katrine daar?'

Hij knikte.

'Ja, maar zij heeft wat andere dingen te doen op dit moment.'

'Wat was het vreemd om haar daar gisteren te zien', Lise schudde haar hoofd. 'Volledig surrealistisch.'

'Gingen jullie samen naar de middelbare school?'

'Ja. Ik weet het niet... Wat heeft ze verteld?'

'Wat valt er te vertellen?'

Ze haalde haar schouders op. 'Nou, we deden alles samen, toen. En opeens was het over. Nadat we ons diploma hadden gehaald.'

'Wat is er gebeurd?'

'Ze vertrok naar Engeland.'

'Maar dan hoef je het contact toch niet te verliezen?'

'Nee.' Ze keek aarzelend naar hem. 'Nee, ik weet het niet... Het is misschien beter dat ze het zelf vertelt.'

'Ja, dat zou ze ook nog doen.'

'Want het heeft toch niets met deze zaak te maken...'

'Daar ben ik me van bewust...' Hij keek haar onderzoekend aan. Nu wilde hij ongelooflijk graag weten wat er gebeurd was. Het klonk steeds mysterieuzer.

Lise zag er plotseling uit alsof ze het toch kwijt wilde. Ze flapte het er tenminste wel uit. 'Oké. Ze vertelt het je zelf toch wel, zeg je. Haar vriendje pleegde zelfmoord.'

'Zelfmoord?' Hij schoot verrast naar voren in zijn stoel. Hij had een verhaal verwacht over een vriendinnenruzie, een vriendje, jaloezie of iets anders. Maar zelfmoord?

'Ja.'

'Waarom?'

'Omdat ze het had uitgemaakt.'

'En dat was de reden dat jullie het contact verloren?' vroeg hij verwonderd.

'Ja.'

'Maar in een dergelijke situatie heb je toch juist behoefte aan vrienden.'

'Ja! Maar ze had mij duidelijk niet nodig! Ze sloot zich volledig voor me af.' Er lag een wereld aan teleurstelling en boosheid in die woorden. 'Ze bedacht niet dat het ook moeilijk voor mij was. En dat ík misschien graag met haar wilde praten over wat er gebeurd was. Jon was ook míjn vriend.' Ze hield een hand voor haar borst. 'En ik was er helemaal kapot van. Ik ben nog lang bij een psycholoog geweest.' De tranen biggelden over haar wangen.

Jens gaf haar de tijd. Ze pakte een zakdoekje uit haar tas, droogde haar ogen en snoot haar neus.

'Maar ze had het zeker nodig om afstand te nemen van alles wat met Jon te maken had, van mij, school, haar vrienden, die zomer – alles! Dat was de beste verklaring die ik tot nu toe kon vinden.'

'Dat klinkt aannemelijk.' Jens wachtte even om te zien of ze nog meer zou vertellen, maar dat bleek niet het geval te zijn. Hij besloot er niet verder op door te gaan. 'Oké.' Hij schraapte zijn keel. 'We kunnen het beter over de zaak gaan hebben. Eerst wat persoonlijke gegevens. Bent u getrouwd?'

'Ja, ik ben getrouwd met Jakob Strand, en we hebben twee dochters, Tilde en Marie van acht en anderhalf jaar.'

'Goed. Laten we het eens over Mads Winther hebben.'

Ze glimlachte terwijl de tranen weer in haar ogen opwelden. 'Ja. Mads.' Ze keek naar haar handen. Toen naar Jens. 'Hij was een ongelooflijk goede arts. Bekwaam, competent en vertrouwenwekkend. Het is zo zinloos.'

'Hoe lang hebben jullie samengewerkt?'

'Dat zal gauw zo'n drie jaar zijn.'

'Vertel eens over het echtpaar Nukajev en de bevalling.'

'Ja,' ze haalde diep adem. 'Ze waren bij mij in de praktijk, dus ik kende ze al een beetje. Dat is altijd leuk. Dan hoef je niet helemaal vanaf nul te beginnen om ze te leren kennen. Ik weet niet wat jullie al te weten zijn gekomen, dus ik vertel gewoon wat ik weet.'

Jens knikte.

'Het was vooral een voordeel bij Taisa Nukajev dat ik haar al een beetje kende, omdat zij buitengewoon introvert was. Ze sprak heel weinig en kwam eigenlijk zeer getraumatiseerd op me over. Ik had wel een idee wat ze doorstaan konden hebben voordat ze uit Tsjetsjenië gevlucht waren. Maar ze heeft me nooit iets verteld. Ik heb tegen haar gezegd dat ik me realiseerde dat ze best vreselijke dingen hadden moeten doorstaan, en dat ze het tegen me moest zeggen als er iets was wat ik kon doen. Of als iets van wat ik deed een probleem voor haar was. Maar ik had steeds het idee dat het beste wat ik kon doen haar met rust laten was. Ze was zeker niet het type dat zich beter voelde door te praten over wat ze had meegemaakt.'

Jens knikte en spoorde haar aan om verder te gaan.

'De nacht waarop het gebeurde, kwam ik binnen en zag op het bord dat zij moest bevallen en zei natuurlijk dat ik haar graag wilde begeleiden. Het leek een heel normale bevalling te worden. Ik bedoel, ik had Mads er ook even bij om mee te kijken naar de strook.' Ze wees verklarend naar haar buik. 'De hartslag. Die daalde tijdens de weeën en deed er buitensporig lang over om te herstellen. Dus hij keek mee. Maar hij herstelde zich weer en de rest verliep volgens het boekje, dus we haalden er een gezonde en welgevormde baby uit. Een kleine jongen. Ze hoefde niet gehecht te worden, dus we waren de kamer weer snel uit, de verpleegster en ik, zodat ze wat rust kregen. Ik had het gevoel dat ze liever alleen wilden zijn. Het was emotioneel gezien heel moeilijk voor hen.' Ze keek Jens indringend aan.

'Toen ik een halfuur later terugkwam in de kamer om naar hen beiden te kijken.' Ze schudde haar hoofd en staarde voor zich uit.

'Ik begrijp niet dat ze geen hulp ingeroepen heeft. Ze moet vreselijk veel pijn hebben gehad. En toen ik haar buik checkte... Daar kwam echt heel veel bloed uit. Het stroomde eruit. En we konden het niet stoppen.' Ook niet toen ze onder narcose werd gebracht en Mads haar probeerde te hechten en het iets verderop probeerde te stelpen, waar het vandaan kwam – een diepe snee. Hij verwijderde de baarmoeder, maar het bleek dat er ook andere complicaties bij gekomen waren.'

Lise Barfoed zweeg lang.

'Dus we zijn haar kwijtgeraakt.'

'Het moet een verschrikkelijke ervaring zijn geweest.'

'Afschuwelijk gewoon. Het was zo tragisch voor hen, maar natuurlijk ook voor ons, degenen die er bij waren.'

'Maar u had een aantal gesprekken met hem gehad?'

'Ja, eerst bleef hij een tijdje op de afdeling. Er werd met hem gepraat en er werd een psycholoog voor hem erbij gehaald. Het kind ging naar de kinderafdeling. Ze waren ook bij elkaar voor zover hij dat aankon. Maar dat kon hij eigenlijk niet.'

'En daarna?'

'Hij bleef overnachten, en de volgende dag wilde hij naar huis, en hij wilde het kind mee hebben.' Ze schudde haar hoofd gelaten. 'Maar hij was in geen geval in staat om voor een baby te zorgen. Het was verschrikkelijk. Het was immers net alsof hem weer iemand werd afgenomen. Maar het was gewoon niet verantwoord. Daar twijfel ik nog steeds niet over.'

'Dus hij ging naar huis, zonder vrouw en kind, naar een leeg appartement?'

'Ja. Hij kreeg een aantal gesprekken aangeboden met degenen die erbij betrokken waren geweest, maar vooral met Mads en mij.'

'En daar ging hij op in?'

'Ja, maar vanaf het begin was het alsof hij niet begreep wat we zeiden. Alsof hij... Hij kon gewoon niet accepteren dat ze dood was. En hij begreep niet dat Mads haar het leven niet had gered. Ik had echt het gevoel dat Nukajev hem ervan beschuldigde zijn werk niet goed gedaan te hebben. Ik weet het niet... misschien is het iets cultureels?'

'Maar toen begon hij Mads op te zoeken?'

'Ja. Het begon ermee dat hij gewoon onaangekondigd op de afdeling kwam opduiken. Maar we konden hem daar natuurlijk niet zomaar de hele tijd in en uit hebben lopen. Dus Mads vertelde hem dat hij moest bellen om met hem af te spreken als hij wilde praten. En hij spoorde hem aan om weer met de psycholoog te gaan praten. Daar was hij namelijk mee gestopt. Maar toen begon hij bij Mads thuis op te duiken. Hij stond hem vaak op het trottoir op te wachten.'

'En wat zei hij dan?'

'Volgens Mads was hij ofwel heel erg overstuur en huilde, of hij was agressief en intimiderend en bedreigde Mads met allerlei ongelukken en ander kwaads.'

'Dreigde hij er ook mee hem te doden?'

'Hij zei wel: "Je verdient het om net zo te sterven als zij" en zo.'

'En op het laatst was dat vooral bij hem thuis?'

'Ja.'

'En op elk tijdstip van de dag?'

'Ik denk het wel.'

'Weet je ook hoe vaak?'

'Nee.'

'Heeft hij niet overwogen om hem aan te geven bij de politie?'

'Ik denk het niet. Hij dacht dat het vanzelf over zou gaan. En hij leek vreemd genoeg ook... bijna ongevaarlijk, tegelijkertijd. Een beetje zielig. Dus Mads probeerde er gewoon zo min mogelijk aandacht aan te geven. Maar wij hebben het er samen natuurlijk wat meer over gehad, omdat we allebei bij de zaak betrokken waren.'

'Wat zei Nukajev tegen u toen hij u opzocht?'

'Ja, maar dat was vorige week pas. Ik begreep het niet. Zo lang erna... Hij was erg dronken.'

'Wat zei hij?'

'Hij zei dat hij mij ook verantwoordelijk hield voor haar dood. En hetzelfde als wat hij tegen Mads zei, dat we haar leven hadden moeten redden. Dat hij door ons zijn vrouw en zijn zoon kwijt was. Ik zei hem dat hij zijn zoon toch niet kwijt was. Dat hij moest volhouden en voor hem moest vechten. En dat hij hem op termijn weer thuis zou kunnen krijgen, maar dat dan tenminste een vereiste was dat hij zou stoppen met ons te achtervolgen.'

'En wat zei hij toen?'

'Hij antwoordde geloof ik niet echt. Het was net als bij de gesprekken – hij hoorde niet echt wat we zeiden.'

'U was vast bang toen hij u opzocht? Was het bij u ook voor uw huis?' Hij keek in zijn papieren. Een adres in Birkerød, ten noorden van Kopenhagen.

'Ja, hij stond ineens op de stoep, op een middag in het midden van de afgelopen week.' Ze dacht even na. 'Het moet woensdag zijn geweest. Het is vreemd,' zei ze bedachtzaam. 'Ik was eigenlijk niet bang toen het gebeurde, maar na dit... Als ik denk aan wat er had kúnnen gebeuren... Mijn meisjes waren net naar binnen.' Lise Barfoed schudde haar hoofd, zichtbaar geschokt bij het idee. 'Ja maar, hij leek, ja, het klinkt absurd in deze samenhang, en het feit dat hij later een moord gepleegd heeft, maar hij leek gewoon zo hulpeloos.' Ze zwaaide met haar handen opzij. 'Dus je dacht: Arme man. Niet zoiets als: Help, wie weet wat hij mij aan kan doen. Begrijpt u wat ik bedoel?'

Jens knikte.

'Maar ongevaarlijk, dat was hij dus toch niet,' zei ze peinzend.

'Nee, dat kun je inderdaad niet zeggen.'

'Dus jullie zijn... jullie zijn er dus zeker van dat hij het is?'

'Er is wel veel wat daar op wijst. Maar we weten het natuurlijk nog niet met zekerheid.'

'Nou, dan kan ik alleen maar blij zijn dat hij nu vastzit, anders zou ik me toch wel behoorlijk onveilig voelen.'

'U kunt gerust zijn. Hij zit in verzekerde bewaring.' Jens keek naar Lise Barfoed. Hij had een beetje medelijden met haar, maar hij moest het toch vragen.

'Dit is puur routine, het spijt me maar ik moet het u vragen. Wat deed u zondagavond?'

Ze knikte.

'Dat is in orde, natuurlijk moet u dat. Jakob, mijn man is op reis, een zakenreis naar de vs, en omdat ik die week veel dienst had, hebben we afgesproken dat het rustiger was voor de meisjes als ze de hele week bij mijn schoonouders waren. Dus ik heb ze daar zondagavond heengebracht. We hebben samen gegeten en een beetje tv gekeken en daarna gingen we meteen naar bed.'

'U hebt daar dus overnacht?'

'Ja, ze hebben een groot huis met meerdere logeerkamers voor ons en voor Jakobs broer, die met zijn gezin in Jutland woont. Ze vinden het erg leuk als we op bezoek komen.'

'En waar woont uw schoonfamilie?'

'In Espergærde.'

'En toen bent u opgestaan en naar uw werk gegaan?'

'Ja, en mijn schoonmoeder heeft de kinderen gisteren thuisgehouden van school en van de crèche. Tilde mocht een dagje spijbelen van school,' zei Lise, en glimlachte.

'Zo.' Hij wachtte even voor zijn radicale verandering van onderwerp. 'En nu naar iets heel anders, zoals ze wel eens zeggen. Er is veel wat er op wijst dat Winther een verhouding had.'

'Nee!' riep Lise Barfoed vol ongeloof uit. 'Mads? Nee, ik geloof dat jullie het nu toch echt bij het verkeerde eind hebben. Weet u wel hoeveel zijn gezin voor hem betekende?'

'Nee, kunt u me daar niet wat meer over vertellen?'

'Ze hadden moeite met het krijgen van kinderen. Een langdurige vruchtbaarheidsbehandeling en zo. En toen het dan eindelijk lukte...' Ze glimlachte en schudde haar hoofd. 'Hij was gewoon zo blij dat hij eindelijk vader zou worden. Stel het je eens voor,' zei ze en gebaarde met haar handen om haar woorden kracht bij te zetten. 'Je brengt duizenden kinderen ter wereld en ziet al die gelukkige ouders – en je kunt het zelf niet ervaren!' Ze gebaarde hevig met haar handen en armen, terwijl ze sprak. 'Ik sprak hem een keer. Het was zeker een rustige avonddienst, dat we voor een keertje de tijd hadden om een beetje met elkaar te kunnen praten. Het leek alsof hij zijn hart moest luchten, en wij hebben altijd goed kunnen praten samen. En ik moet zeggen dat ik me toen wel wat zorgen over zijn vrouw maakte, vanwege wat hij me vertelde. Ze had in de periode van de vrucht-baarheidsbehandeling een ernstige anorexia ontwikkeld.' Lise keek Jens heel direct aan. 'En helaas klonk het alsof ze het ook heel moeilijk had gehad na de geboorte. Een postnatale depressie. In feite zou ik zeggen dat het klonk alsof ze een tijdje suïcidaal was.'

*

Ze laat haar hand langzaam door het water in het aquarium op haar kamer gaan.

Haar vingers graaien naar de glimmende, kleine, zwarte lijfjes. Nu draait ze haar hand om en maakt hem tot een klein kommetje en wacht tot een van de vissen weer dichterbij komt. Ze zijn zo fijn om aan te raken.

Ze heeft er een. Ze sluit haar hand er omheen. Hij zit erin. Hij spartelt en worstelt om vrij te komen. Ze haalt haar hand uit het water. Hij spartelt nog meer.

Vreemd dat hij niet uit het water kan zijn, terwijl zij er niet tegen kan om onder water te zijn.

Ze moet haar hand dichtdoen, zodat hij niet op de grond valt. Na enige tijd stopt het visje met spartelen. Ze kijkt ernaar. Onderzoekt het. Hij ligt volledig stil in haar hand. Ze zet hem weer terug in het water.

Hij zwemt niet meer.

Ze wist best dat hij dat niet meer zou doen. Ze haalt er nog een uit en herhaalt het geheel.

Ze doet alsof ze niet heeft gemerkt dat ze dood zijn. Maar de straf komt natuurlijk toch wel.

*

'Ook een goedemiddag,' zei Torsten en kwam het kantoor van Bent Melby inlopen.

'Hé hallo, Torsten.' Bent keek op van een stapel papieren. Als leider van de nieuwe Task Force zou hij zich niet gaan vervelen de komende paar jaar van zijn leven. 'Jullie hebben een arrestatie verricht in die artsenmoordzaak, hoor ik?'

'Ja, hoor, het lag erg voor de hand. Pure wraakactie.' Hij knikte naar de stapels papier. 'En jij hebt algauw je troepen bij elkaar?'

'De teams zijn bijna op hun plaats. We missen alleen nog een paar puzzelstukjes, en dan zullen de laatste personen die er deel van gaan uitmaken bericht krijgen.'

'Het gaat wel interessant worden met die psycholoog erbij in het team.'

'Tja...' Bent aarzelde net lang genoeg. 'O ja.'

Torsten genoot.

'Ja, het lijkt alsof zij en Høgh het goed kunnen vinden,' zei hij heel serieus. 'Een goed team als je het mij vraagt.'

'O ja? Nou, dat is mooi om te horen, want ik heb er een beetje over zitten piekeren met wie ik haar samen moest zetten. Niet omdat ze zo veel het veld in moet, maar ze moet toch nog wat meer verankering hebben in het opsporingsonderzoek, om het zinvol te maken, dit hier.'

'Het is een perfecte match, als je het mij vraagt,' zei Torsten en zwaaide met zijn armen.

'Bedankt voor de suggestie,' zei Bent.

'Tot ziens, Bent,' Torsten hief een hand op ter afscheid.

Bye, bye, Høgh, dacht Torsten. Doe de groeten aan de Hells Angels.

'Heb je iets aan je bezoek aan het Forensisch Psychiatrisch gehad?' Ze zaten in de kantine te eten.

Katrine had drie verschillende soorten broodjes haring gekocht, die ze met veel smaak opat. Jens kauwde op zijn zelf meegebrachte boterhammen en keek heel afgunstig naar haar smørrebrød.

'Mm,' knikte ze en gebaarde dat ze even haar mond leeg moest eten.

Hij glimlachte bij het zien van haar openlijke vreugde over het weerzien met de Deense specialiteit.

'Ja, toen we duidelijk hadden dat ik eigenlijk in dienst ben van de politie, en dat ze bij mij dus niet aan de geheimhoudingsplicht gehouden zijn, ging het prima. Maar het is wel geruststellend voor de burger dat ze erg op de rechtszekerheid staan.'

'Zeer geruststellend.'

'Het is een akelig verhaal over martelingen, we kunnen de details voor later bewaren, maar er was sprake van zowel zeer ernstige folteringen als seksuele martelingen.'

'Tegen hen beiden?'

Ze knikte. 'Ja, tegen hen beiden. En zij waren er beiden extreem op gebrand dat de ander er niets van te weten zou komen. Er is een zeer scherpe scheidslijn tussen wat tussen de seksen wordt gedeeld in hun cultuur. Op seksueel geweld ligt een enorm taboe. Ik kan me voorstellen dat het nagenoeg niet verenigbaar is met een huwelijksleven naderhand als het uitkomt, maar dat is hoe ik erover denk. Ze zullen zeker niet in staat zijn om erover te praten. Vrouwen praten met vrouwen over vrouwenzaken en vice versa. En er zijn veel verhalen over verstoting uit de familie, zelfmoord en ga zo maar door. Dus je kunt wel stellen dat het effectieve marteling is; ongelooflijk verwoestend en destructief. Niet alleen voor het individu, maar voor de hele familiestructuur.'

'Arme mensen, ze hebben als twee onbewoonde eilanden in dezelfde zee geleefd,' zei Jens.

'Dat is waarschijnlijk een heel goed kloppend beeld,' zei ze, een beetje verrast door zijn metafoor. Ze draaide haar glas water tussen haar vingers.

'Dus, wat doen we nu?'

'We hebben een paar ondervragingen vanmiddag, onder andere van de au pair van de Winthers.'

'Klinkt goed,' zei ze en nam een grote hap zure haring met rode ui en kappertjes. Geweldige adem krijg je hiervan, dacht Katrine en vroeg zich af of ze kauwgom bij zich had. De au pair. Dat was perfect, zij zou het wel weten als Mads Winther een vrouw mee naar huis had genomen.

'En dan is het te hopen dat Nukajev snel kan worden verhoord.'

'Dat zou mooi zijn.'

'Ik heb Lise Barfoed toch ondervraagd?' zei Jens.

'Ja? Vertel.'

Jens vatte het verhoor kort voor haar samen.

'Vertelde ze meer over Nukajevs bedreigingen jegens haar?'

'Nee, ze herhaalde haar verklaring dat hij haar vorige week opzocht en bedreigde.'

'Hm, een escalatie van zijn obsessie.'

'Daar moeten we van uitgaan. Ik vroeg haar uiteraard ook of ze iets wist over Winthers overspel. Of het een collega zou kunnen zijn en dergelijke. Het klonk alsof ze wel vertrouwelijk waren, zij en Winther. Maar je krijgt vast ook wel een beetje een bijzondere band, wanneer je iets dergelijks hebt meegemaakt.'

'O, ja?'

Jens schudde zijn hoofd.

'Ze vond het moeilijk te geloven van hem. Ze zei dat hij voor zijn gezin leefde – hij was een echt familiemens. En dat hij overigens ook zeer bezorgd was over zijn vrouw. Zij kreeg anorexia in verband met de vruchtbaarheidsbehandeling, en na de geboorte had ze een postnatale depressie.'

'Hm.' Ze kauwde op de laatste hap. 'Vibeke omschreef hem niet als een uitgesproken "familiemens". Ze liet het klinken alsof ze beiden erg carrièregericht waren.'

'Tja. Maar de vraag is wel of het überhaupt relevant voor ons is om er onze hoofden over te breken,' zei Jens, die duidelijk zijn interesse voor het onderwerp had verloren.

'Mm. Nou, maar het klinkt dus niet alsof ze een idee had of het een van de collega's zou kunnen zijn?'

'Überhaupt niet.'

'Je zei dat het leek alsof ze vertrouwelijk waren. Gewoon een gedachte, hoor – maar zou zij het geweest kunnen zijn? Degene die een affaire met hem had, dus?'

'Ik heb moeite om dat te geloven,' zei Jens. 'Ze lijkt redelijk geschokt door het hele Nukajev-verhaal. En verder lijkt ze helemaal gewoon zo... Ja, ze heeft wel mensenkennis en zo, toch? Wat ook wel bij een verloskundige past, stel ik me zo voor.'

'Dat sluit niet uit dat ze best een affaire met hem kan hebben gehad.'

'Nee, nee, dat klopt. Maar ik geloof het gewoon niet.'

'Nou, dat kan het DNA waarschijnlijk wel uitwijzen.'

'Ja, als daar reden voor is. Laten we dat niet vergeten. Als Nukajev bekent, zullen we geen reden hebben om in Winthers privéleven te gaan wroeten...'

'Nee, natuurlijk,' zei Katrine snel. 'Natuurlijk niet.'

Ze zwegen even.

'Gaan jullie het contact weer oppakken, jij en Lise, nu je weer terug bent in Denemarken?' vroeg Jens.

'Ik weet het niet. We moeten in ieder geval eerst deze zaak rond hebben.'

'Nou, ik weet het niet hoor, maar er is waarschijnlijk niet zo veel onderzoekswerk meer over dat haar betreft.'

'Nee,' zei ze met een ondoorgrondelijke uitdrukking.

Jens dacht dat het leek alsof ze het prima vond om een excuus te hebben om het contact niet te hervatten. Hij had echt zin om door te vragen over wat Lise Barfoed had verteld. Over wat er toentertijd tussen hen gebeurd was en over haar vriend, die zelfmoord pleegde.

'Zullen we maar beginnen?' zei ze en stond op.

Op een geschikter moment dan maar, dacht hij.

'Ja.' Ze liepen met hun spullen naar het afruimkarretje.

'Maar ik heb het verhoor trouwens ook opgenomen,' zei hij een beetje terloops. 'Ja, ik heb zo'n oude dictafoon gevonden met cassettebandjes en al.'

'O, ja?' Haar stem ging ongewild een paar toonhoogtes naar boven.

'Dus je kunt het naluisteren, als je denkt dat het relevant is.'

Ze knikte zwijgend.

'Høgh en Darling', Torstens glimlach was ronduit provocerend, en Katrine beet op haar wang van irritatie over het feit dat hij erin geslaagd was achter haar gehate middelste naam te komen. Het opsporingsteam was op Kraghs kantoor bijeen voor een briefing.

'Darling?' Jens leek een groot vraagteken. 'Is dat een nieuwe aanpak van je, Torsten, wat liefdevoller zijn?'

Katrine zweeg. Hier moest Torsten Bistrup zich zelf maar uit redden.

'Dat is Katrines prachtige middelste naam, heb ik toevallig ge-zien.'

'Is dat waar?' vroeg Jens met een grote glimlach.

Ze haalde diep adem.

Ze had die naam moeten laten schrappen.

Waarom had ze dat niet gedaan? Uit respect voor haar vader. Het was zijn achternaam. Een oude Engelse naam. Dat speelde gewoon niet zo in Denemarken.

'Dat klopt, ja. Maar ik gebruik hem niet – zelf,' zei ze resoluut. 'En ik heb liever dat anderen dat ook niet doen.'

Torsten ging onverstoord verder.

'Laten we horen wat jullie hebben gedaan sinds we voor het laatst bij elkaar waren.' Jens verwees naar de ondervraging van Lise Barfoed.

'En juffrouw Darling?' zei Torsten.

'Ik heb de martelgeschiedenis van het echtpaar Nukajev on-derzocht,' zei Katrine.

'En dat zijn heftige dingen. Ze werden beiden in 2000 gearresteerd door Russische soldaten en een halfjaar gevangen gezet. Beiden werden blootgesteld aan bijzonder grove martelingen; verkrachting – in Taisa's geval groepsverkrachtingen, elektrische schokken, zuurstofberoving met gasmasker – de toevoer van zuurstof wordt afgesloten door middel van een ventiel.

Ze vluchtten na hun vrijlating in 2001 naar Denemarken en verbleven tot 2003, toen ze een verblijfsvergunning kregen, in het Sandholmcentrum.

Ze zijn, en waren, beiden hevig getroffen door posttraumatische stress en zijn bij tijd en wijle in therapie geweest bij het Revalidatie- en Researchcentrum voor slachtoffers van martelingen. Taisa werkte bij de overheid in Grozny, ik weet niet precies wat voor baan ze had. Aslan was leraar en heeft blijkbaar een uitstekend taalgevoel, daarom spreekt hij heel goed Deens, ook al is het heel moeilijk om überhaupt iets nieuws te leren als je zo getraumatiseerd bent als zij zijn – en waren,' voegde ze eraan toe. 'Vooral Aslan zat sterk onder de medicijnen en over het geheel genomen krijg ik een beeld van een heel erg zieke en psychisch onevenwichtige man. Dat verklaart ook zijn bijna comateuze toestand bij zijn aanhouding in zijn woning. Het kan worden gezien als een reactie op het tot uitvoer brengen van een plan dat hij geruime tijd heeft gehad. In Tsjetsjenië is er, naar ik zo begrepen heb na wat vluchtig onderzoek, een islamitische wet, genaamd "adat"- wat "alles" betekent, en dat is een soort wet of code voor gedrag, vergeving en straf. Kort gezegd, behoor je tot een clan – iedereen behoort tot een clan – en als een persoon uit een bepaalde clan iemand uit een andere clan vermoordt, moet dat worden gewroken – of vergeven.

En dat kan heel goed meerdere generaties teruggaan. Als er iets moet worden vergeven tussen twee personen uit verschillende clans, gaat men naar een groot marktplein of iets dergelijks, waar iedereen van beide clans bij elkaar komt, zelfs al zijn het wel duizend mensen. Midden op het plein zet men een stoel neer. De broer, vader of moeder van het slachtoffer gaat de dader scheren...'

'Wat primitief,' snoof Torsten minachtend.

'...als teken van vergeving. Iedereen – en dan ook íedereen,' zei ze met nadruk, 'schudt elkaar de hand. En dan is er vrede tussen de twee clans. Omgekeerd kan een moord dus ook zelfs vele jaren nadat deze is begaan, gewroken worden. Dat kan zelfs meerdere generaties teruggaan. Deze gewoonte hangt heel goed samen met het feit dat er sprake is van een wraakmoord,' zei ze concluderend. 'Maar ik wil er graag nog iets meer over lezen.'

'Dit lijkt me wel genoeg,' zei Torsten. 'We kunnen duidelijk horen dat dit een zeer primitieve vorm is van oog om oog, tand om tand-vergelding, die op geen enkele wijze thuishoort in een Deense rechtsstaat, dus gebruik je tijd maar voor iets anders.'

'Zeer goed,' zei Kragh. 'We borduren voort op andere dadertheorieën totdat we Nukajev kunnen ondervragen. Ondanks al het overtuigend bewijs moeten we de kanttekening maken dat Nukajev er in theorie ook best na de dader kan zijn gekomen. Dat moeten we niet vergeten. Dat kunnen we niet weten. En we werken ook vanuit het gegeven dat we het niet weten!'

*

Malene wil meestal niet spelen, maar Maja, haar beste vriendin, kan vandaag niet.

Ze weet dat het dus bij gebrek aan beter is, dat Malene wel wil spelen. Het gevoel een buitenstaander te zijn, zoals ze doorgaans altijd heeft, verdwijnt tot haar teleurstelling niet, ook al heeft ze Malene nu voor zichzelf.

Ze is gewoon goedkope vervanging. Dus ze moet proberen om het zo leuk te maken, dat Malene wel vaker met haar wil spelen. En haar een volgende keer zelfs boven Maja zou verkiezen. Wat zou het mooi zijn als Malene mee zou doen om Maja buiten te

sluiten. Maja is zo sneu! Schept altijd op over haar debiele vader,
die directeur is.

'Zullen we in de grindgroeve spelen?' vraagt ze. Ze weet dat een
paar van de jongens uit de buurt er die middag zeker zullen zijn.
Ze zitten op een andere school, en Malene kent hen niet. Ze zijn
leuk om mee te spelen. Maar ze vertelt anderen niet wat ze doen.

Ze hoopt dat Malene het ook leuk zal vinden om daar te spelen.
Zelf vindt ze het geweldig.

Ze is er elke dag uren. Daar krijg je tenminste rust.

Niet alle kinderen mogen er spelen. De grindgroeve kan best ge-
vaarlijk zijn. Maar zij mag het wel, als ze maar weg blijft van de
randen, waaronder diep gegraven wordt. Van bovenaf lijkt het
alsof je tot aan de rand kunt gaan. Maar de graafmachines heb-
ben al het grind net onder het oppervlak verwijderd. Je kunt er
dwars doorheen vallen en worden bedolven onder het grind, heb-
ben de volwassenen gezegd. Het is verboden om daarlangs te
gaan, ook als je naar de leuke plekken om te spelen wilt, ook al is
het de kortste weg.

Malene wil gelukkig best bij de grindgroeve spelen.

Ze gaan erheen. De jongens zijn er ook. Niemand anders kent
het spel dat ze in de kuil achter de bomen spelen. Het kriebelt een
beetje in haar buik van opwinding.

Zij spreken een spel af met de jongens. Malene en zijzelf zijn
twee zussen, die zijn gevlucht van een boze man die ze in gevan-
genschap hield. De twee jongens moeten eerst de slechte man en
zijn helper zijn. Zij moeten de meisjes volgen en hen proberen te
vangen en mee terug te nemen naar het griezelige huis van de
man. Dan worden ze hun bevrijders, die hen moeten redden en
meenemen naar het mooie, grote huis, waar ze wonen. Daar zul-
len ze de gezusters het hof maken en dan houden ze een grote dub-
bele bruiloft.

De twee meisjes beginnen hun ontsnapping aan de boze man
die hen gevangen hield en dingen met ze deed die ze niet leuk vin-
den. De jongens zijn wild en rennen hard achter hen aan. De

meisjes gillen en vluchten samen over de helling.

De jongens schreeuwen en zitten vlak achter hen. Malene pakt haar hand, en haar hele lichaam trilt van spanning.

'Wij verbergen ons hier.' Ze leidt haar achter een klein heuveltje, dat wordt omringd door bomen en struiken. Dit is een goede plek om je te verstoppen als je verstoppertje speelt. En een goede plek om gevangengenomen te worden.

Ze zijn net achter de heuvel wanneer de jongens hen te pakken krijgen. Zij houden ieder een van hen vast.

Ze hebben hen stevig bij de armen beet en staan achter hen.

'Jullie moeten niet denken dat je weg kunt komen van mij,' brult de ene jongen en zet een zware stem op.

De meisjes gillen en doen of ze bang zijn. Ze kijken elkaar aan en lachen. Malene lijkt het een leuk spel te vinden. Daarom wil ze het nog leuker en spannender maken. Ze probeert zich los te rukken.

'Laat ons gaan!' schreeuwt ze. 'We willen niet met jullie trouwen.'

'Dat is dan jammer, want wij willen wel met jullie trouwen.'

Ze vecht verder, en haar gijzelnemer krijgt haar op de grond gegooid. Hij gaat schrijlings op haar zitten en houdt haar armen opzij. Malene kijkt met grote ogen toe, kan ze zien. Ze probeert zich los te rukken om haar zuster te helpen.

'Hou vol zuster, ik kom je helpen.'

'Help me zuster, je moet me helpen om los te komen. Zij zullen slechte dingen met mij doen.'

'Laat haar gaan,' probeert ze hun bewakers over te halen. Maar het haalt niets uit.

Haar eigen bewaker krijgt haar op de grond en gaat op dezelfde manier op haar zitten als zijn partner.

'Zo! Nu hebben we ze,' zeggen ze tegen elkaar. 'Nu laten we jullie nooit meer gaan. Jullie zijn van ons.' Ze merkt hoe het kriebelt van spanning. Wat zouden ze nu gaan doen? Ze weet best wat er zou gebeuren als ze alleen was. Zij hebben dit spelletje al heel

vaak gedaan. Ze houdt ervan als ze op dit punt belanden waar ze haar vasthouden. Dan beginnen ze dingen met haar te doen en zij doet dan net alsof ze moeten stoppen.

De ene doet zijn riem af en bindt haar handen samen. Dan maakt hij de riem vast aan de boom. Ze kan gemakkelijk losko-men als ze wil. Maar dat wil ze niet. De drie weten dat het deel uitmaakt van het spel.

Ze doen hetzelfde met Malene. Maar haar binden ze vast met de riem van de andere jongen, een legerriem van stof. Nu is ze echt goed vastgebonden. De meisjes spartelen met hun benen en spelen hun rol met verve.

'Laat ons vrij, slechterik,' krijst Malene en schudt haar hoofd heen en weer.

'We zullen jullie een lesje moeten leren,' zegt de slechterik. 'Zo-dat jullie niet meer weglopen.'

'Spaar ons, heer,' zeggen ze elkaar na.

'We beginnen met deze hier,' zeggen ze, en de ene gaat op haar buik zitten. De andere trekt haar broek uit. Ze kronkelt onder het gewicht.

Haar hart bonst. Haar lichaam zindert.

Ze gaan van haar af wanneer ze haar een lesje hebben geleerd en ze heeft gedaan alsof ze moesten stoppen, maar in werkelijk-heid wilde ze graag dat ze doorgingen. Ze laten haar vastgebon-den aan de boom zitten.

'Dus nu is het jouw beurt,' zegt de ene en gaat op Malene zitten.

'Nee,' zegt Malene, en haar stem klinkt ineens heel anders.

'Nee, ik wil niet meer.'

'Je moet een lesje krijgen, net als je zuster,' zegt hij en de ander trekt haar broek uit.

'Nee, dat wil ik niet!' Malenes stem is nu schril. 'Kun je ze zeg-gen dat ze nu op moeten houden?' De ogen kijken haar smekend aan. 'Ik wil niet dat ze dat met mij doen. Ik vind dat niet leuk.'

De schaamte bijt in haar wangen, die vuurrood worden. Ze dacht dat Malene het leuk zou vinden. Dat ze het net zo fijn zou vinden als zij. Wat zou Malene nu van haar denken als ze het een naar spelletje vindt? Ze voelt zich opeens vies en walgelijk.

Ze zitten aan Malene. De een houdt haar benen vast. De ander raakt haar aan. Zijn vinger verdwijnt in haar. De ander wil dat ook.

Malene kronkelt van links naar rechts en doet alles wat ze kan om los te komen.

'Ik zeg het tegen mijn moeder,' huilt Malene. 'Ik ga het zeggen! Dan zien jullie nog wel, wat zij ervan zegt.'

Ze kijkt sprakeloos toe naar wat de jongens doen. Is als verlamd. Dit was niet hoe het zou moeten gaan. Ze hadden daar samen moeten liggen als twee gevangengenomen zusters. Malene zou het een spannend, geheim spelletje van hen samen moeten vinden. En ze zouden vaak met zijn vieren gaan spelen. Ze is kwaad op Malene. Ze heeft alles verpest!

De jongens gaan er vandoor.

Ze staat naar Malene te kijken die huilt.

'Maak me los,' zegt ze smekend.

'Ga je klikken?'

'Ik zeg het tegen mijn moeder.'

'Dat mag je niet doen!' De koude rillingen gaan door haar lichaam. Als Malene het tegen haar moeder zegt, zal die háár moeder bellen. Dat mag niet gebeuren. Dat zou het ergste zijn wat kon gebeuren.

Malene kijkt haar smekend aan. Ze denkt even na.

'Oké, als je me losmaakt, beloof ik dat ik niets zal zeggen.'

'Beloof je dat?'

'Ja.'

Ze gelooft het niet. Ze gelooft er echt niets van. Het is gewoon iets wat Malene zegt om te los te komen. Daarna rent ze meteen naar huis om het te vertellen.

Dan gaat ze zeggen wat de jongens met hen deden en dat zij ze liet begaan. Dat ze probeerde los te komen – maar dat zíj niet geprobeerd heeft haar te helpen. Ze was een goedkope meid. Vies en goedkoop.

'Oké, maar op een voorwaarde,' zei ze.

'Welke dan?'

'Dat we samen teruglopen.'

'Ik wil niet met jou mee. Ik wil gewoon naar huis. Alleen,' huilt Malene. 'Ik wil niet meer met jou spelen.'

'Dan maak ik je niet los.'

'Oké,' ze snikt. 'Dan gaan we samen.'

Ze maakte aarzelend de riem los. Wat moet ze doen als Malene wegrent?

Nu gaat ze staan. Ze kijken elkaar zwijgend aan.

Achteraf kan ze zich niet herinneren hoe ze op het idee kwam. Alles ging gewoon vanzelf. De ene ingeving volgde de andere.

Ze had gewoon voorgesteld dat ze een kortere weg zouden nemen om snel thuis te komen. Het was alsof ze vergeten was dat je daar niet langs mocht lopen.

Ze haastten zich op weg.

Malene liep voorop.

Had ze echt geduwd? Ze kan het zich nauwelijks meer herinneren.

Hoe meer ze erover nadenkt, des te zekerder ze ervan is dat ze dat niet gedaan heeft.

En dan nog...

Ze heeft toestemming gekregen om een paar dagen thuis te blijven van school om tot zichzelf te komen.

Ze verveelt zich in het grote galmende huis. Haar moeder is thuis. Zij vraagt wantrouwig of ze Malene gewaarschuwd heeft om niet naar de rand te gaan?

Natuurlijk had ze dat gedaan, antwoordt ze en vertelt hoe het is gegaan.

Of hoe het ongeveer ging.

Hoe vaker ze het hele verhaal vertelt, hoe meer ze twijfelt aan wat er werkelijk gebeurd is. Ja, het ging als volgt: ze waren leuk aan het spelen. Alleen zij tweeën. Maar Malene wilde niet naar haar luisteren. Ze wilde per se heel dicht naar de rand toe om naar *beneden te kijken. Ze wilde zien hoever het naar beneden ging.*

Ze legt uit hoe ze zelf zo dicht naar de rand ging als ze durfde, en Malene probeerde over te halen om van de kant weg te gaan.

Maar toen de rand onder Malene instortte, moest ze zichzelf toch in veiligheid brengen. Anders was ze er ook in gevallen. En het is echt een heel eind naar beneden. Dus Malene was verdwenen. Onder het grind.

Haar moeder kan niet begrijpen dat ze daar zo lang aan het spelen waren. Want het was al laat, toen ze hulp kwam halen. Ze waren zo fijn aan het spelen, legt ze uit. En ze hadden afgesproken dat ze daar de volgende dag weer zouden gaan spelen. Dan huilt ze even. Nu heeft ze niemand meer om mee te spelen.

Haar moeder zegt niets.

Haar vader zegt dat wat er gebeurd is Malenes eigen schuld was. Ze had ernaar moeten luisteren dat de rand gevaarlijk was. En hij heeft gelijk, denkt ze. Het was Malenes eigen schuld.

*

'Ga zitten,' zei Jens vriendelijk tegen het kleine, angstige Filipijnse meisje. Het was moeilijk om haar leeftijd in te schatten. Ze kon van alles tussen de zeventien en vijfentwintig zijn. Er waren veel volwassen vrouwen met man en kinderen die naar het Westen gingen om als au pair te werken en geld naar huis te sturen. Dat was nou niet precies de bedoeling van de regeling.

Maar dat was niet waar ze zich nu op richtten. Waar het nu om ging, was haar zodanig te laten ontspannen dat ze überhaupt iets wilde vertellen.

Maria huilde en trilde als een espenblad. Jens legde een kalmerende hand op haar schouder. Hun collega's hadden haar gisteren geprobeerd te ondervragen, maar ze hadden het op moeten geven. Ze had het op een huilen gezet, en het was absoluut onmogelijk geweest om een woord te begrijpen van wat ze zei. Zij waren er het meest in geïnteresseerd te weten of ze 's nachts iets had gehoord. En in tweede instantie, of ze iets van Winthers buitenechtelijke activiteiten afwist.

Ze kromp ineen. Mijn hemel, dacht hij, en haalde zijn hand direct weg.

Ze leunde helemaal naar achteren in haar stoel en keek naar beneden in haar schoot.

'We moeten je even wat vragen stellen, Maria.'

Ze knikte.

'Hoe lang ben je al bij Mads en Vibeke?'

'Een jaar en twee maanden,' zei ze aarzelend in het Deens met een heel sterk accent.

'Hoe is het om voor de familie Winther te werken?'

'Het is goed. Ik ben erg blij met de jongens. Anton en Viktor.' Ze klaarde op toen ze hun namen noemde.

'En hoe was de sfeer binnen het gezin?'

Ze schudde haar hoofd en kneep haar ogen samen. 'Ik begrijp het niet.'

'Waren ze gelukkig, Mads en Vibeke – waren ze gelukkig samen?'

'Ja, ja, heel gelukkig.' Ze knikte ijverig.

'Is je in de afgelopen paar weken ook iets ongewoons opgevallen? Is er iets gebeurd, hier thuis?'

'Nee, niets. Ze werken veel, maar dat doen ze altijd.'

'Kun je ons vertellen over de avond vóór Mads werd vermoord? Is er ook iets ongewoons gebeurd?'

Ze schudde haar hoofd.

'Nee, nee, niets.'

'Vertel eens over die avond.'

'Mads is op het werk. Ik stop de kinderen in bed en pak de babyfoon. Vibeke, zij moet erg vroeg op. Vandaar. Maar dat doe ik vaak. Het is oké.'

'Je luistert vaak 's nachts naar de kinderen?'

'Ja. Vibeke en Mads hebben heel zwaar werk. Ik pas 's nachts op kinderen.'

Klinkt alsof ze wel wat meer dan dertig uur per week werkt, dacht Jens. Hij wist dat dat de afspraak was, omdat er onlangs nog een geval was geweest van misbruik van au pairs. Ze werden vaak gebruikt als goedkope bedienden.

'Heb je Mads ook thuis horen komen?'

'Ja. Ik hoorde deur opengaan toen hij thuiskwam. En toen viel ik in slaap. Dus ik hoorde niets meer, ik was erg moe,' zei ze met een bepaald trekje om haar mond.

'Heb je gezien hoe laat het was toen hij thuiskwam?' vroeg Jens en bad haast dat ze dat had opgemerkt.

'Ja. Het was elf uur.'

'Yes!'

'Je hebt hem niet weer naar buiten horen gaan?'

'Nee.'

'En je hebt geen stemmen of geschreeuw vanuit de tuin gehoord?'

'Nee. Kamer is aan de andere kant. En ik slaap erg vast!'

'Maar je kunt de kinderen wel horen?' zei hij met een glimlach.

'Ja, ja, kan wel kinderen horen,' verzekerde ze. 'De babyfoon ligt naast mijn hoofd.'

Katrine keek onderzoekend naar de kleine vrouw.

'Hoe vond je Mads en Vibeke? Waren ze gelukkig?' vroeg ze vriendelijk.

'Ja! Erg gelukkig,' zei ze, ijverig knikkend.

'Hadden ze wel eens ruzie?'

'Nee, helemaal niet. Héél gelukkig huwelijk,' zei ze iets te plechtig.

'Heb je iets meegemaakt bij Mads en Vibeke waar je je over verwonderde?'

Ze schudde haar hoofd. Heel ijverig. Te ijverig. Maria was geen goede leugenaar.

'Weet je het zeker?'

'Ja!'

'Maria,' zei Katrine plotseling scherp als een boze, ouderwetse onderwijzeres die een ongehoorzame leerling tot de orde roept. Er ging een schok door het kleine lichaam. 'Ik begrijp dat je Mads en Vibeke wilt beschermen, maar je moet niet tegen de politie liegen. En ik geloof eigenlijk dat je nu liegt!' Het had niet veel met cognitieve interviewtechnieken van doen waar ze nu mee bezig was, dacht Katrine een beetje ongemakkelijk.

'Ik lieg niet,' zei ze met klem.

'Je kunt hiervoor naar huis gestuurd worden.'

Maria keek Katrine met angst in haar ogen aan.

'Wat heb je verder gezien of gehoord, Maria?' zei Katrine.

Ze begon weer te huilen.

'Ik heb het beloofd...'

'Dat weten we best, maar die belofte zul je nu moeten breken. Dat maakt je geen slecht persoon. Dit is een moordzaak. Er is een man dood! Mads is dood!' Katrine voerde de druk op. Ze was het mooie plaatje dat iedereen van deze man schilderde zat. 'Had Mads Winther wel eens bezoek van andere vrouwen?'

'Nee, nee.' Ze schudde hard haar hoofd.

Katrine bestudeerde haar grondig. De kleine vrouw nam een aanloop en zei toen:

'Wanneer ik begin, Vibeke voelt zich niet goed. Kan niet voor kinderen zorgen. Ik doe alles.'

'Hoezo niet goed?'

'Niet eten, erg dun, dunner dan nu. Ze loopt vaak hard.'

'Hoe vaak?'

'Elke dag. Vele uren. Dat doet ze nog steeds.'

'Maar waarom mag je dat niet zeggen? Het is niet verboden om veel hard te lopen – er is nog iets, kom nu voor de dag ermee!' Katrine schroefde echt de duimschroeven aan.

Maria snikte, dus het was moeilijk om te verstaan wat ze zei.

'Vibeke is bang. Ze is erg bang voor messen en voor alle scherpe dingen in de keuken. Ik moest alles in mijn kamer bewaren met de deur op slot,' hikte Maria. 'Dus hele eerste jaar ik haal ze van mijn kamer wanneer ik kook en daarna weer terug. Maar vorige week zegt ze tegen mij, dat ze nu gezond is en dat ze weer op hun plaats gelegd moeten worden.' Maria stortte in en was ontroostbaar.

Jens en Katrine zaten ieder aan hun eigen bureau op het Hoofdbureau en keken elkaar aan.

'Een weduwe met anorexia die het niet op messen heeft,' constateerde Katrine. 'We moesten misschien maar weer eens met Vibeke Winther gaan praten.'

'Oef,' kreunde Jens. 'Kom op Nukajev, praat met ons.'

En alsof zijn gebeden door een hogere macht werden verhoord, kwam Torsten op dat moment binnenlopen.

'Nukajev is in voorlopige hechtenis genomen – in inobservatiestelling – en is opgenomen op de psychiatrische afdeling van het Bispebjerg. En in de tussentijd is hij beginnen te praten. Hij zou hebben gezegd dat Winther heeft gekregen wat hem toekwam!'

'Wáát!?' zeiden Katrine en Jens in koor.

Torsten keek sceptisch van de een naar de ander.

'En waarom klinken jullie zo verbaasd?'

'Nou, we hebben net wat interessante dingen over de weduwe gehoord,' zei Jens en vertelde snel wat Maria had verteld over Vibeke Winther.

'Hm, ja. Maar nu hebben we iets dat op een bekentenis gaat lijken van de man die Winther heeft gestalkt en met bloed aan zijn handen is gevonden. Hij is weer bij zijn positieven en meende blijkbaar dat op de voorpagina van de krant stond dat Winther moest sterven. Maar op dit moment is hij zelf degene die de voorpagina's in beslag neemt. Het staat in alle ochtendkranten.'

'Hij klinkt zeker niet helemaal gezond,' zei Jens. 'Hoe zit het met dat mes?'

'Hij kan het zich niet herinneren. Bovendien is gebleken dat afgelopen week zijn verzoek om zijn zoon mee naar huis te mogen nemen door het opvangtehuis is afgewezen. Dat had hij ingediend. Ze dachten niet dat hij in staat was om voor hem te zorgen, en er zal waarschijnlijk sprake zijn van opname in een pleeggezin. Dat kan heel goed de aanleiding zijn geweest.'

'Ja, dat klinkt heel plausibel,' zei Jens.

'Kunnen we hem gaan verhoren?' vroeg Katrine.

'Dat was wel de bedoeling,' zei Torsten narrig.

Ze waren net de Bernstorffsgade ingereden toen Jens' telefoon afging. Hij deed de headset in.

'Jens Høgh.'

'Dag Jens, met Anja, Simones klassenleraar.' Shit! Hij kreeg gelijk een bang vermoeden. Anja was een jonge, betrokken lerares. Iemand die echt begaan was met de kinderen. En ze maakte zich tamelijk zorgen over Simone en haar toenemende spijbelgedrag.

'Ja, het spijt me, maar Simone en Fatima hebben alweer de laatste lesuren overgeslagen.'

'Oké, bedankt voor het bellen, ik zal zien dat ik ze te pakken krijg.' Hij keek verontschuldigend naar Katrine. 'Ik moet even mijn onhandelbare dochter, die 'm van school is gesmeerd in het gareel zien te brengen.' Hij was net linksaf de Tietgensgade ingeslagen toen het telefoontje kwam. 'We moeten even een omweggetje langs Vesterbro maken, als je het niet erg vindt.'

'Natuurlijk. Ik volg gewoon,' zei Katrine. 'Denk je dat ze in de problemen zit?'

'Ik geloof het niet, maar god weet dat ik haar wel met een camera en gps zou willen uitrusten.'

'Denk je echt dat dat zou helpen?'

'Nee,' zuchtte hij. 'Uiteindelijk vast niet.'

Jens probeerde Simone te bellen, maar kreeg haar antwoordapparaat. Vervolgens belde hij zijn ouders, Ellen en Steen. Zij hadden Simone vanaf het begin met open armen ontvangen.

Ze woonden in Valby en hadden hem geholpen door op haar te passen wanneer hij lastige werktijden had. Ze waren beiden gestopt met werken en hadden daarom wel de tijd.

'Kunnen jullie Simone vanmiddag en voor het avondeten hebben?' vroeg hij aan zijn vader, en verklaarde snel zijn dochters stunt. 'Nou, ik bel wel als we onderweg zijn.'

Jens reed vloekend de Ingerslevsgade uit.

'Heeft ze het al eerder gedaan?' vroeg Katrine.

'Ja,' zuchtte hij. 'Ze ziet het probleem gewoon niet. Dat is het vervelende van alles.'

Hij reed de Godsbanegade in en kreeg Simone in het oog, die heel relaxed aan kwam lopen met haar vriendin.

Jens zette de auto aan de kant en sprong eruit. Katrine kon zien dat hij woest was.

'Jullie hebben helaas vast verkeerd op het rooster gekeken, meisjes,' zei Jens en keek streng naar Simone, die een verongelijkt gezicht opzette.

'We kregen vrij van Deens,' probeerde ze.

'Het is grappig dat je het zegt, want Anja heeft me zojuist gebeld om te vertellen dat jullie weg zijn gebleven bij Deens, wat jullie nu, op dit moment hebben! En waar ik van plan ben jullie naar terug te brengen. In de auto. Nu! Ik heb gezegd dat je niet tegen mij moet liegen, Simone!'

De meisjes mokten en mopperden, maar liepen wel mee naar de auto.

Een erg knap, donkerharig meisje, van duidelijk francofone afkomst, met grote amandelvormige, donkere ogen en een verongelijkte pruillip, stapte demonstratief de auto in. Aan de andere kant stapte haar vriendin, Fatima, in.

'Wie is dat nu weer?' zei Simone in wat, terwijl Katrine het land uit was, 'Perker-Deens' was gedoopt en keek naar Katrine.

'Simone, niet zo onbeleefd!' zei Jens boos. 'Dit is Katrine, mijn nieuwe collega.'

'Hoi Simone,' zei Katrine en draaide zich om naar het meisje, dat niet antwoordde, maar demonstratief uit het raam keek. Ze was stoer gekleed; lange Dr. Martens-rijglaarzen, panty's met grote gaten erin onder een neongroene rok van tule en een oude, geruite, tweedehandsjas.

'En hoi Fatima.'

'Hoi,' klonk het zacht van het donkere meisje dat iets ingetogener gekleed was en een keurige hoofddoek om haar haar droeg.

Katrine draaide zich weer om. Oké, dacht ze, niet mijn zorg.

Jens keerde de auto en reed naar school.

'En wanneer jullie vrij zijn, ga je direct naar Ellen en Steen,' zei Jens streng tegen Simone en probeerde haar blik te vangen in de achteruitkijkspiegel.

'Maar Fatima en ik hebben net afgesproken om te gaan shoppen!'

'Je gaat naar Ellen en Steens huis. En daarmee uit!'

'Goed! Maar ik blijf daar niet slapen!'

'Ik kom om zeven uur, dan eten we samen en gaan we naar huis.'

'Oké,' zei ze dwars.

'En als je huiswerk hebt, vraag Ellen dan om je te helpen.'

De amandelvormige ogen rolden omhoog.

Jens stopte aan de voorkant van de school. De meisjes stapten uit de auto.

'Sicke haarkleur,' zei Simone tegen Katrine, net voordat ze het portier dichtsloeg. Verrassende wending, dacht Katrine met een glimlach.

Jens volgde hen met zijn ogen en zag dat ze meteen de school in liepen.

'Ik zal het even vertalen; "sick" betekent tegenwoordig zoiets als "gaaf", dat weet je wel, hè?'

'Ik hoopte al dat het iets in die richting was.'

'Even checken dat je niet het idee had dat mijn charmante dochter je meer beledigde dan strikt noodzakelijk.'

'Maak je geen zorgen. Knap meisje. Dat moet ik wel zeggen.'
'Ja, een beetje heb ik er wel aan bijgedragen,' zei Jens, terwijl hij de auto keerde en richting het Bispebjerg ziekenhuis reed.

*

Ze is blij dat ze verhuisd zijn. Dat is nu een paar jaar geleden. Hun vorige buurvrouw keek altijd naar haar met zo'n vreemde onderzoekende blik, waarbij ze zich ongemakkelijk voelde. Een keer kwam ze ook naar haar toe op de stoep en vroeg met een heel bezorgde uitdrukking op haar gezicht: 'Gaat het goed, thuis?'
Dat vond ze heel vreemd.
En na dat met Malene was het verboden om in de grindgroeve te spelen. Het was saai.
Ze heeft een enorm zwembad gekregen omdat ze haar vader erom is blijven zeuren. Het is een bloedhete zomer en iedereen heeft vreselijk last van de warmte.
Het zwembad staat in de achtertuin, en ze mag er alleen in zwemmen als er volwassenen thuis zijn.
Ze zijn zo stom – denken dat ze een klein kind is.
Maar ze kunnen niet zien of ze erin is geweest, of wel dan? Als ze geen handdoek gebruikt, en als ze haar badpak verstopt – of nog beter – als ze niets aan doet, kunnen ze toch niet aan het water zien dat ze er in is geweest. Ze vindt het gênant dat ze er niet alleen in mag. Alsof ze niet voor zichzelf kan zorgen. Maar het komt door haar moeder. Die is hartstikke hysterisch met water. Net zoals ze hysterisch doet over zo veel andere dingen. Ze haat haar!
Eigenlijk heeft ze zelf ook iets vreemds met water. Het trekt haar aan en stoot haar af. Als ze in het zwembad zit, kan ze ineens worden overvallen door een gevoel van paniek en een overweldigende drang om in een enorme vaart naar boven te komen. Alsof ze zou worden opgeslokt. Maar in deze hittegolf wint de drang om af te koelen het.
De oudste zoon van de buren heet Henrik en hij is bijna drie

jaar ouder dan zij. Hij gaat naar de middelbare school. De jongens uit haar klas zijn zulke baby's. Maar Henrik, die is precies goed: niet te oud en geen baby.

Niet dat ze in van die oude smeerlappen geïnteresseerd is die van kleine meisjes houden!

Pech gehad dat hij een vriendin heeft. Hij gluurt graag naar het kleine meisje van de buren nadat ze borsten begon te krijgen. En ze zorgt ervoor dat hij iets om naar te kijken heeft wanneer ze langsloopt. Ze loopt er echt mee te pronken. Op een dag was zijn vriendin er. Die werd stinkjaloers en schold hem daarna uit. Dat vond ze wel grappig.

Ze weet dat er geen volwassenen thuis zijn bij haar en bij hem. En ze weet dat hij ligt te zonnen. Dat heeft ze gezien vanuit haar raam op de eerste verdieping.

Ze trekt binnen al haar kleren uit, slaat een handdoek om zich heen en loopt naar het zwembad, buiten. De handdoek legt ze op het terras neer, en dan paradeert ze naar het water en plonst er luidruchtig in. Ze zegt heel hard 'Ahhh' wanneer ze helemaal naakt in het water gaat liggen en met haar armen boven haar hoofd ronddrijft. Haar hele lichaam tintelt bij de gedachte dat hij daar naar haar kan staan kijken. Ze gaat zo liggen, dat ze door de spleetjes van haar ogen hun tuin in kan kijken.

Kort daarop gaat het zoals verwacht. Ze kan zien dat hij van achter de heg naar haar staat te kijken. Dan begint er een spelletje. Ze begint zichzelf te strelen. Laat haar handen langzaam over haar kleine stevige borsten glijden. Ze kan duidelijk merken hoe hij dicht bij de heg komt om naar haar te kijken. Ze laat haar handen helemaal naar beneden gaan en streelt zichzelf daar.

Dan staat ze op en ziet dat hij van het hek terugwijkt. Maar hij gaat niet helemaal weg. Ze blijft zich omdraaien, zodat hij haar van alle kanten kan bekijken.

'Henrik?'

De voorstelling is afgelopen. Zijn vriendin is langsgekomen. Maar ze heeft gewonnen. Hij bleef staan. Hij verslond haar met *zijn ogen. Ze wil wedden dat hij haar aantrekkelijker vindt dan zijn vriendin, een onhandig meisje met een beugel.*

*

'Normaal gesproken zouden we hem voor verhoor naar het Bureau halen, maar hij is er niet al te best aan toe,' zei Jens, toen ze op weg waren naar de psychiatrische afdeling van het Bispebjerg ziekenhuis.

'Nee, dat geloof ik graag.'

'Ben je al eerder op een psychiatrische afdeling geweest?'

Ze knikte.

'Het is geen kattenpis.'

'Nee.'

Ze reden de parkeerplaats van het ziekenhuis op. De geluiden van de stad waren ver verwijderd en gedempt achter muren. Alsof je hier al een andere wereld was binnengetreden. Jens hield niet van ziekenhuizen. Ze gaven hem een gevoel van machteloosheid en onvrijheid.

In het ziekenhuis meldden ze zich bij de secretaresses van de afdeling waar Nukajev was opgenomen, en werden gevraagd in de spreekkamer te wachten, waar ze hem konden verhoren. Ze gingen aan een kant van de tafel zitten en wachtten een tijdje. Een jonge mannelijke arts kwam binnen.

'Tja, we hebben op het laatste moment moeten heroverwegen of het wenselijk is dat u onze patiënt ondervraagt. Er is een tijdelijke verslechtering van zijn toestand opgetreden. Er kan dus helaas vandaag geen verhoor plaatsvinden. Dat is medisch niet verantwoord.'

'Is hij weer buiten bewustzijn?' vroeg Jens geïrriteerd. Dit was behoorlijk vervelend voor hen.

'Ja, hij is volledig onaanspreekbaar.'

'Maar hij heeft eerder vandaag wel gepraat?' vroeg Jens.

'Ja, hij had wanen en dacht dat op de voorpagina van de krant had gestaan dat hij de arts moest opzoeken.' Hij gebaarde met zijn handen. 'En dat soort dingen.' Jens moest lachen.

'Ah, en dat soort dingen!' Hij trok zijn mondhoeken naar beneden en keek naar Katrine.

'Dan moesten we maar weer netjes naar huis rijden.'

'Mogen we hem niet observeren? Tja, ik werk nog niet zo heel lang in Denemarken, dus ik weet niet wat gebruikelijk is op dit terrein,' zei ze verontschuldigend.

'O, dat geeft niets, waar heb je gewerkt?'

'In Engeland.'

'Dat klinkt interessant. In de psychiatrie?'

Katrine voelde hoe Jens stond te trappelen om verder te gaan. Ze legde heel in het kort uit wat ze had gedaan. 'Dus het is natuurlijk erg interessant voor mij om de ins en outs van het Deense systeem te weten te komen.'

'Ja, ik begrijp het. Nou, ik zie niet waarom het kwaad zou kunnen als we even een kijkje bij hem nemen, hoewel het waarschijnlijk op het randje is, maar aangezien u psycholoog bent,' zei hij.

'Het is fijn om te zien dat dat ook als pluspunt kan worden ervaren,' zei ze.

De arts wierp een een beetje geërgerde blik op Jens, omdat hij aannam dat hij bij de psychologenhaters binnen de politie hoorde. Jens haastte zich te zeggen: 'Ik zie het ook als een pluspunt', en hij glimlachte breed naar haar. 'Een enorm pluspunt voor... ons allemaal! Voor de gehele politie zelfs!'

De psycholoog en psychiater negeerden zijn inspanningen en stapten in een flink tempo de gang door. Ze stonden stil voor een deur. Bovenaan was een ruit. Katrine ging ervoor staan. De psychiater trok zich wat terug na een vluchtige blik naar binnen geworpen te hebben. Jens stond achter Katrine. Ze stond diep in beslag genomen naar Nukajev te kijken.

Hij kon zich op niets anders concentreren dan hier achter haar staan en te proberen niet aan de douchebeurt van de vorige avond te denken. Toen zij met haar rug naar hem toe had gestaan en...

Katrine herkende Nukajev die in een bed lag. Hij staarde wezenloos voor zich uit met een blik die ze eerder had gezien bij gevangenen op de psychiatrische afdeling van de gevangenis; een afspiegeling van de geest die is afgestemd op een vreemde frequentie. Ogen, die je instinctief ongemakkelijk deden voelen, omdat je direct zag dat de gebruikelijke regels van het menselijk gedrag niet meer telden. Je wist niet wat je kon verwachten. Eigenlijk vond ze geesteszieken razend interessant. Ze had een blauwe maandag overwogen de psychiatrie in te gaan. En in vele opzichten was er ook een overlap: er was een duidelijk veel grotere frequentie van psychiatrische gevallen in de gevangenis en dus onder de doelgroep waar zij mee werkte.

'Heeft hij de verloskundige ook genoemd?' vroeg Jens aan de psychiater.

'Een verloskundige? Nee, niet dat ik weet. Maar hij is erg op de arts gefocust. Dat is degene om wie het allemaal draait.'

'Nou, dat zou ik eigenlijk ook gedacht hebben, maar hij is haar namelijk ook privé gaan opzoeken. Die verloskundige die bij de geboorte van zijn zoon aanwezig was.'

'Nee, daar heb ik niets over gehoord. En ik ben degene die het meest bij hem is geweest.'

'Hm. We horen het graag van u als hij over haar begint te praten,' zei Katrine.

De arts knikte.

'Goed,' zei Jens. 'Is er verder nog iets wat u over hem kunt vertellen? Iets wat hij zegt of heeft gedaan?' en keek weer naar Nukajev.

De arts schudde zijn hoofd.

'We hebben meer tijd nodig voor onderzoek en om een diagnose te stellen,' zei hij.

*

Ze heeft met Henrik afgesproken.

Hij komt hier vanmiddag zwemmen. Ze weten allebei best wat 'zwemmen' betekent. Er bestond niet veel twijfel over toen ze gisteravond door de heg heen afspraken. Een warme zomeravond, waarop zij een kort topje met bandjes droeg. Het ene bandje was van haar schouder afgegleden, en ze liet het gewoon hangen.

Dus ze beginnen met zwemmen.

Vandaag draagt ze een bikini. Die is waarschijnlijk wel droog voordat haar ouders thuiskomen. Het is weer heel erg warm vandaag. Henrik kan voor een volwassene doorgaan, dus zou het waarschijnlijk wel kunnen dat ze met hem zwom...

Maar ze mogen niet weten dat hij hier is. Iets in haar wil absoluut niet dat haar ouders weten wat ze met jongens doet. Het is alsof het twee werelden zijn, die niet samen mogen komen. Dan wordt het vies en walgelijk in plaats van mooi en zinnenprikkelend.

Ze kan zich moeilijk voorstellen dat haar ouders überhaupt een seksleven hebben gehad nadat ze haar kregen – als ze haar tenminste echt hadden gekregen en niet een of ander ettertje dat ergens anders, bij haar echte ouders woonde. Dat is het idee dat ze al had vanaf dat ze heel klein was.

'Zullen we binnen een kopje thee gaan zetten?' vraagt hij, niet te geloven.

'Is het niet een beetje te warm voor thee, vind je?' antwoordt ze, en houdt haar hoofd plagend schuin.

'Nou, nu je het zegt. Of wat sap?'

'Mm,' zegt ze en staat op en zorgt ervoor dat haar borsten in de beweging even langs zijn gezicht strijken.

Hij komt vlak achter haar aan. Ze drogen zich snel af op het terras en gaan naar binnen.

'Aanlenglimonade?' vraagt ze, en doet de koelkast open.

'Ja graag.'

Ze neemt de plastic fles eruit, pakt een kan en wil het erin gieten. Dan staat hij plotseling vlak achter haar en laat zijn handen over haar borsten naar beneden glijden.

'Wil je toch niet iets drinken?' lacht ze.

'Jawel,' zegt hij, en draait haar met een ruk om zodat ze opeens heel dicht tegen elkaar aan staan en elkaars ademhaling kunnen voelen. 'Maar ik wil jou graag eerst even proeven.'

Ze glimlacht. Hij praat als in een film, maar dat maakt niet uit. Ze houdt haar hoofd iets achterover, opent haar mond een beetje en kijkt hem recht in de ogen. Ze zoenen. Hij zoent goed. Niet zo van gewoon een harde, stijve tong in je mond duwen. Zijn tong is zacht en speels. Hij smaakt goed.

'Kom,' zegt ze, pakt zijn hand en neemt hem mee naar boven, naar haar kamer.

Ze staan daar midden in haar kamer en raken elkaar aan. Hij trekt haar de natte bikini uit en gooit zijn zwembroek op de grond. Ze bekijkt hem nieuwsgierig en houdt hem vast.

Hij legt haar op het bed neer en raakt haar overal aan. Hij heeft dit vast al eerder gedaan. Ze kreunt. Het is net zoals ze het zich al duizend keer eerder heeft voorgesteld. Dan gaat hij bovenop haar liggen. Ze voelt hem tussen haar benen.

'Is het je eerste keer?'

'Mm,' knikt ze bevestigend.

'Ik zal voorzichtig zijn.'

En dan gebeurt het.

Ze merkt gefascineerd hoe hij in haar komt. Het voelt niet bijzonder prettig of onprettig. Het is eigenlijk gewoon... zoals het moet zijn.

Tot aan het moment dat de deur naar haar kamer openzwaait. En haar moeder zichtbaar wordt in de deuropening.

'Waar zijn jullie in vredesnaam mee bezig?'

Shit! Ze heeft er niet aan gedacht de deur op slot te doen. Ze had gedacht dat haar moeder pas veel later zou komen. Ze vliegen omhoog en bedekken zichzelf met wat er binnen handbereik ligt.

'Wat is dit in vredesnaam voor smeerlapperij? Maar, ben jij dat? Jij bent toch van de buren! Dit is een minderjarig kind!' Ze grijpt hem woedend bij zijn arm. Hij probeert in de natte zwembroek te komen en het zou een hilarisch gezicht zijn als nu niet net de hel op aarde was losgebarsten.

Haar wangen branden van schaamte. Ze ontmoet haar moeders blik op weg haar kamer uit. Gewoon naar de badkamer lopen en de deur op slot doen. Ze zou willen gillen en schreeuwen totdat ze haar stem verliest. Ik haat je! Ik haat je! Ik haat je! Maar ze kan het niet. Het geluid wil niet naar buiten.

Ze weigert naar beneden te komen voor het avondeten en haast zich naar haar kamer wanneer ze de kans krijgt. Ze doet haar deur op slot en doet hem niet open, waar ze haar ook mee dreigen of lokken. Ze willen Henrik bij de politie aangeven. Zij is minderjarig, en wat ze gedaan hebben, is verboden. 'Dit soort smeerlapperij', zoals haar moeder het noemt, mag helemaal niet op haar leeftijd.

Als zij toch eens zou verdwijnen. Voor altijd.

*

'Moeten we niet even met Vibeke Winther gaan praten over haar gespannen verhouding met messen?' zei Katrine tegen Jens, toen ze weer in de auto zaten op de parkeerplaats van het Bispebjerg ziekenhuis. 'Het is immers een beetje te opvallend dat ze nou juist deze vorm van angst heeft ontwikkeld in verband met haar postnatale depressie. En nu is haar man omgebracht met een mes...? Kort nadat de messen weer in de lades zijn teruggelegd? Het is toch wel een wonderlijke samenloop van omstandigheden!'

'Ja, daar heb je gelijk in. Maar is het normaal dat je je zo kunt gaan voelen, ik bedoel dat je voor bepaalde dingen bang wordt bij zo'n depressie?'

'"Normaal" is waarschijnlijk niet het juiste woord. Maar dwanggedachten kunnen zeker ontstaan als bijkomstigheid bij zo'n reactie na een geboorte. Het kan heel erge vormen aannemen. Je kunt dwanggedachten hebben over dat je je kind of jezelf iets "aan zou kunnen doen". En het kan zo hevig worden dat het iemands gedrag bepaalt. Men vermijdt de plaatsen die deze gedachten oproepen, en sommige mensen maken een ingenieus systeem van regels voor zichzelf om het te kunnen beheersen. Dus ik gok dat het wel heel serieus is geweest, aangezien ze het ook nodig vond de messen uit de keuken te laten verwijderen.'

'Oké,' zei Jens. 'Maar... we moeten ons dus niet helemaal op een ding vastpinnen, daar ben ik me van bewust, maar – vergeten we niet even de huidige omstandigheden en het tamelijk belastende bewijs tegen Nukajev?'

'Maar wat als hij het niet is?'

'Ja, maar toch: hij werd min of meer onder wat waarschijnlijk Winthers bloed is, gevonden? Hij heeft een motief en heeft Winther maandenlang achtervolgd.'

'Het moordwapen is niet gevonden.'

'Dat is waar.'

'Dus... in theorie kan hij, zoals Kragh ook zei, best na Winthers dood in Frederiksberg opgedoken zijn.'

'En wat zou hij dan hebben gedaan? Zich bovenop een dode man geworpen hebben?'

'Waarom niet? Als hij onder invloed was en in een toestand die misschien een soort van psychose of pathologische intoxicatie blijkt te zijn. Dat is toch zeker niet ondenkbaar.'

Jens zweeg.

'Het is alleen toch wel vergezocht...'

'Dat kan. Ik heb alleen echt sterk het gevoel dat...'

'Aha,' zei Jens glimlachend. 'Ik dacht dat jij niet op je gevoel afging?'

'Oké, touché,' zei ze met een scheef lachje. 'Maar je moet toch toegeven dat er iets verdachts is aan haar? Luister eens,' zei ze met gedempte stem en indringend. 'Wat als ze net had ontdekt dat hij vreemd was gegaan, ze maken ruzie en om de een of andere reden belanden ze in de tuin. Ze steekt hem neer, ontdoet zich van het mes, neemt haar slaappil en de rest kennen we...?'

'Verschrikkelijk goed acteerwerk!' zei Jens.

'Er zijn mensen die daartoe in staat zijn.'

'En de kinderen dan...? Hun zieke zoontje?'

'Deze moord is in diep affect gepleegd. Ongeacht wie we ervan verdenken, is er sprake van zeer diep affect.'

'Ja. Maar het klopt gewoon niet met het feit dat ze verder zo extreem beheerst is, vind ik.'

'Het klopt juist wel,' protesteerde Katrine. 'Ze is het type dat van woede ontploft. Het is steeds het een of het ander. Zwart of wit. Alles of niets. Dat is de reden dat ze bang is voor zichzelf. Ze is bang voor waar ze toe in staat is. Het is niet iets wat we verzinnen. Het is iets wat we ook echt wéten. Misschien komt er nog wat zelfmedicatie aan te pas. Ze heeft er toch de beschikking over, omdat ze met psychofarmaca werkt.'

Stilte. Ze staarden allebei leeg voor zich uit door de voorruit.

'Oké,' zei Jens, en keek naar Katrine, die daarna ook haar gezicht naar hem toe draaide. Ze keken elkaar even aan. 'We moesten maar een ritje naar Frederiksberg maken,' zei Jens. Katrine knikte. Jens startte de auto en reed de Tuborgvej af.

Ze waren net de Borups Allé overgestoken toen Katrines telefoon af ging. Ze kende het nummer dat op de display verscheen niet.

'Katrine Wraa.'

'Met Lise.'

Shit!

'Hallo Lise,' zei ze en keek naar Jens, die vreselijk geïnteresseerd terugkeek toen hij hoorde met wie ze aan het praten was. 'Hoe gaat het?'

'Niet echt heel goed, geloof ik.' Haar stem klonk iel. 'Het is gewoon zo moeilijk. Af en toe weet ik niet waar ik het zoeken moet.'

'Waar ben je nu?'

'Op mijn werk.'

'Er is vast wel begrip voor als je je ziek meldt en naar huis gaat?'

'We zitten allemaal in hetzelfde schuitje,' zei Lise. 'Iedereen hier is nog steeds in shock. We kunnen het gewoon niet begrijpen. En eigenlijk is het fijner om hier te zijn, waar iedereen weet hoe je je voelt dan om thuis te zitten en naar de muur te staren. Ik voelde me gisteravond vreselijk, thuis.'

'Ja, dat kan ik me goed voorstellen. Ik bedoel gewoon, jij zit toch in een iets andere positie dan de anderen; Nukajev heeft jou toch ook thuis opgezocht?'

'Ja, gelukkig zit hij nu achter de tralies. Anders zou ik gewoon niet alleen rond durven lopen.'

'Nee, dat snap ik.'

'Het is verschrikkelijk. Te bedenken dat ik daar volkomen weerloos op straat stond en met mijn meiden binnen...'

'Hebben zij ook iets gehoord? Of hebben ze hem gezien?'

'Nee, gelukkig maar. Dat zou verschrikkelijk traumatisch voor hen zijn geweest. Vooral voor mijn oudste, Tilde. Ze heeft een heel levendige fantasie, dus ik durf er niet aan te denken wat zij zich hier allemaal bij voorstelt.'

'Het zou eigenlijk wel goed zijn als ze de kans krijgt om erover te praten, of om te tekenen wat ze zich voorstelt. Zodat ze niet rondloopt met allemaal beelden in haar hoofd.'

'Dat doe ik natuurlijk ook. Maar het kan best zijn dat ik met haar naar een psycholoog ga.'

'Nou, je kunt het nog even aanzien en kijken hoe ze over een aantal dagen reageert?'

'Ja je hebt gelijk. Wat fijn om met je te praten.' Lise zuchtte opgelucht. 'Het is zo vreemd, het is alsof het gisteren was dat we elkaar voor het laatst spraken.'

'Ja.' Katrine wist niet wat ze moest zeggen. Als ze nu op een goed excuus kon komen om het gesprek te beëindigen...Maar haar hersenen voelden schrikbarend leeg.

Er viel een ongemakkelijke stilte.

'Dus je bent psycholoog geworden, zoals je ook wilde.'

'Ja, dat klopt.'

'En je woonde tot nu toe in Engeland?'

'Ja.'

'Maar waarom ben je teruggekomen naar Denemarken? Ik bedoel, het moet veel spannender zijn om in Engeland te werken wanneer je met misdaad werkt. Gebeurt er daar niet wat meer?'

'Ja, maar ik wilde graag terug om het in Denemarken te proberen. Dus toen ik dit aanbod plotseling kreeg, toen...'

'Zo! Geheadhunt en alles! Cool! En waar woon je nu eigenlijk?'

'Ik woon eigenlijk in het zomerhuisje.'

'O, ja?' zei Lise snel.

'Ja, ik moet uitzoeken wat ik ermee ga doen.'

'Ja.'

Opnieuw ontstond er een pijnlijke stilte.

'Ik, eh,' Lise aarzelde even. 'Ik zou het heel leuk vinden om een keer af te spreken. Als jij dat ook wilt, natuurlijk,' zei ze snel.

'Ja,' zei Katrine aarzelend. Haar hart bonsde. Daar had ze helemaal geen zin in. Het kwam te dichtbij. Ging te snel.

'Ik heb het altijd jammer gevonden dat we...het contact hebben verloren,' ging Lise verder.

Het was diplomatiek geformuleerd, aangezien Katrine het van de ene dag op de andere had verbroken. Ze had niet teruggebeld en de brieven die Lise naar Engeland stuurde niet beantwoord.

'Ik moet nog even aan deze zaak werken. Dat is wel zo goed, lijkt me.'

'O? Maar het is toch opgelost?'

'Jawel, maar er is een heleboel papierwerk en ga zo maar door. En een proces waarbij jij ook kunt worden gevraagd om te getuigen.'

'Dat doe ik natuurlijk graag, maar ik snap even niet...Nou, dat kun jij waarschijnlijk het beste beoordelen.' Ze klonk teleurgesteld. Katrines geweten voelde in en in zwart. Ze deed het weer. Wees haar af. Maar ze kón het niet! Nog niet.

'Je bent ook altijd een beetje moe als je met een nieuwe baan begint, hè?'

'Natuurlijk. Ik laat wel aan jou over wanneer. Wil je mijn nummer niet even hebben?'

'Ik sla het wel op, ik kan het zien.'

'Oké, prima. Nou, ik hoop dat we elkaar nog spreken.'

'Ja.'

Ze beëindigden het gesprek.

Ondertussen waren ze in Frederiksberg aangekomen. Katrine keek uit het raam maar registreerde niet precies wat ze daar nou zag.

'Ze vertelde me over je jeugdvriendje,' zei Jens zacht.

'O?' zei ze verbaasd. 'Is dat zo?'

'Het moet moeilijk voor je zijn geweest.'

'Ja. Nou, dat was het ook.' Ze keek hem even aan, maar keek gauw weer weg. 'Het is iets wat je blijft achtervolgen.'

'Dat geloof ik best.'

'Zo,' zei ze resoluut en gaf daarmee duidelijk te kennen dat het onderwerp voor dit moment was afgesloten. 'Zullen we naar binnen gaan?'

Hij knikte. Hij had graag nog iets meer gezegd. Iets wijs en heel inzichtelijks. Maar dat soort woorden schoten hem nu zo niet te binnen.

*

Onrustig hart.

Zondagmiddag.

Ze is naar communievoorbereiding geweest. De hele klas moest vandaag naar de kerk.

Met afvinken en die hele zooi, dus je kon niet spijbelen. Ze hebben psalmen gezongen. Gaaap. Echt zo'n shittekst en dan op mu-

ziek gezet. Hun dominee is zo'n eng oud mens met lippenstift op de tanden, die zelf denkt dat ze echt het vertrouwen van de jeugd heeft gewonnen.

Ze lachen haar achter haar rug uit.

Onrustig hart.

Twee irritante woorden van een lied, die zijn blijven hangen. En nu blijven ze in haar hoofd rondspelen als een stomme plaat met een kras erin. Onrustig hart.

Ze gelooft in niets van wat de dominee zegt. Het zegt haar niks. Ze gelooft echt niet dat er een God kan bestaan die zo'n krankzinnige wereld geschapen heeft. Echt waar. Kijk toch zelf! Het spreekt voor zich. Als er een God bestaat, moet hij wel een sadist zijn en de aarde een goddelijk experiment waarin mensen zijn neergezet alleen om zichzelf te vernietigen, denkt ze, en Hij wil gewoon zien hoeveel tijd het ze kost.

Nee, God is een idee, iets wat ze hebben bedacht om de hoop te hebben dat dit alles toch zin heeft.

Onrustig hart. Nu loopt ze rond in het stille huis. Ze kon net zo goed onzichtbaar zijn. Of een schim. Het maakt toch niets uit. Niemand heeft het toch door als ze er is. Niemand merkt toch of ze er is. Ze is net als altijd uit het gezichtsveld van de oogarts. En de neurologe heeft het gelukkig altijd druk met haar boeken en artikelen over mensen die ziek in hun kop zijn.

Ze kon wel bij zichzelf beginnen. Het enige goede wat er over haar moeder valt te zeggen, is dat ze nu ze even lang zijn, gestopt is met slaan. De laatste keer dat het gebeurde, verkocht ze haar een flinke oplawaai. Haar moeder draaide zich toen op haar hielen om en vertrok zonder een woord te zeggen. Toen was het afgelopen.

De schreeuwlelijk vanbinnen maakt lawaai als nooit tevoren.

Bij toeval kwam ze erachter hoe ze haar tot zwijgen kan brengen. Voor een tijdje dan. Maar ze moet wel uitkijken. Nooit kan ze dezelfde methode nogmaals gebruiken; hand gebrand aan de kookplaat, gevallen met de fiets, zich gesneden met het broodmes.

Ze heeft dit niet meer gedaan, sinds ze een klein kind was dat alleen maar getroost wilde worden door de volwassenen. De pijn verbeet ze.

Nu kan ze ze niet ver genoeg van zich afhouden. Ze wordt misselijk van ze. Ze krijgt de drang om het uit te schreeuwen: Jullie zijn mijn ouders niet. Ik haat jullie!

Onrustig hart. Kan ze die klotewoorden verdomme niet eens kwijtraken?

Onrustig hart, wat scheelt er toch aan? Ze wordt er verdrietig van. Ze doen iets met haar. Die twee kleine woorden. En ze weet niet wat ze er mee aan moet, met wat ze doen.

Ze wordt woedend. Gefrustreerd over haar eigen onmacht. Laat me nou met rust.

Ze sluit zich op in de badkamer.

Weet niet wat ze daar moet. Ze doet het toiletdeksel naar beneden en gaat zitten.

Ze voelt zich eenzaam. Altijd. Alleen. Vanbinnen.

Ook al gaat ze veel om met een paar oudere lui op school.

Er zijn drank, feesten, sigaretten... en ze is haantje de voorste om iets nieuws uit te proberen.

Ze heeft wiet gerookt, is met Henrik samen geweest. All the way. De anderen vinden haar leuk en cool. Gezellig om een feestje mee te bouwen. Ze is populair. Een wilde kat. Rrrr.

Maar als de anderen haar blijkbaar zo leuk vinden, waarom haat ze zichzelf dan zo verschrikkelijk?

Ze ziet haar vaders scheermes liggen. Ze weet dat er volwassen vrouwen zijn die alle haren van hun lichaam verwijderen. Ze heeft zin om dat uit te proberen. Het zal de anderen iets om over te praten geven als ze alles had afgeschoren. Dat heeft niemand anders nog gedaan.

Maar niet met haar vaders vieze scheerding. Ze gaat bijna over haar nek bij de aanblik. Misschien heeft hij nog ergens een scheermes liggen? Zou je daar niet voorzichtig mee kunnen schrapen?

Er liggen een paar nieuwe, losse mesjes. Ze bemerkt een nieuw soort spanning. Een trillen vanbinnen. Ze laat haar vinger over het papierdunne blad gaan. Kijkt gefascineerd hoe het, zo gemakkelijk als wat, in haar vlees zou kunnen snijden.

Ze kijkt in de spiegel en schrikt van wat ze ziet. Het is net alsof het iemand anders is, die ze er in ziet. Het is het gezicht van een vreemde. Niet alleen omdat ze zo mager is geworden, omdat ze de drang om te eten heeft overwonnen en tot haar tevredenheid merkt hoe er met elke week die voorbijgaat steeds meer van haar verdwijnt. Er is iets veranderd in haar ogen. Een nieuwe gloed.

Ze wordt bang, maar overwint haar angst. Kijkt terug. Trekt enge gezichten. De ogen zijn zo anders. De huid is grijs. De mond is verwrongen.

Inwendig valt ze uiteen in duizend stukken.

De schreeuwlelijk maakt daar lawaai als nooit tevoren, maar er komt geen geluid uit haar mond.

Ze huilt, maar er welt geen traan op in haar ogen. Kijk toch naar mij, wil ze
schreeuwen, praat met mij! Maar ze weet dat het te laat is.

Het is veel te laat.

Ze kijkt naar haar pols. De blauwe aderen zijn duidelijk zichtbaar onder de huid. In een handomdraai kan ze ze doorsnijden. En hier blijven liggen.

Ze zouden het niet opmerken. Je moet bloedvaten overlangs doorsnijden. Ze heeft haar moeder horen zeggen dat het mislukt als je ze overdwars doorsnijdt.

Het gaat dan te langzaam.

Wat zou het heerlijk zijn.

Er is alleen een probleem. Ze zal er niet bij zijn om het ze te zien uitleggen.

Waarom hun dochter ervoor gekozen heeft om zelfmoord te plegen. Dat ze zulke vreselijke ouders zijn dat hun eigen dochter hen het allerergste heeft aangedaan.

Als ze die triomf niet mee kan maken, dan heeft het allemaal toch geen nut.

Onrustig hart, wat scheelt er toch aan?
Ze laat een hand over haar buik glijden. Ze voelt hoe haar huid reageert op de aanraking. Ze kijkt hoe het scheermes in de andere hand bijna als vanzelf een paar millimeter in haar buikwand verdwijnt.
Maar het is genoeg. De pijn is scherp en schrijnend, zoals je kon verwachten.
Hij vult het gat op.
De pijn overstemt de andere pijn. De schreeuwlelijk houdt haar kop.
Ze kijkt naar de vreemde in de spiegel die haar geholpen heeft en bedankt haar.

*

Katrine en Jens liepen naar het tuinhek en keken de voortuin van de grote grijze villa in. Hij verschilde van de andere tuinen aan de weg waar nog mooie vlakken sneeuw en ijs lagen en halve sneeuwpoppen, doordat hij bruut van sneeuw was vrijgemaakt, daar waar het lijk was gevonden en de politie had gewerkt. Het afzettingslint zat nog steeds rondom het gebied waar Mads Winther was gevonden, en de tent stond er ook nog.

Ze liepen naar de voordeur en belden aan.

Maria was duidelijk niet blij met het weerzien.

'Dag Maria,' zei Jens en glimlachte geruststellend naar de nerveuze jonge vrouw.

'We moeten even met Vibeke praten.'

'Ze is niet thuis. Ze is aan het hardlopen,' zei Maria. 'Een heel eind.'

Aan het hardlopen, dacht Jens. Haar man is gisteren overleden, en vandaag doet ze even een halve marathon. Maar een alcoholist stopte vast ook niet met drinken nadat er een ongeval was gebeurd. Integendeel. Dit was vast net zo'n sterke verslaving, dacht hij.

'Weet je wanneer ze weer terug is?'

Maria schudde haar hoofd.

'Nou, dan denk ik dat we maar even op haar wachten,' zei Jens en deed een stap naar voren.

'Ik weet het niet...' zei Maria onzeker en duwde de deur iets meer toe. 'Ik moet de stad in om boodschappen voor het avondeten te doen.'

'Dat is goed,' zei hij aandringend. 'Je hoeft je niet om ons te bekommeren. Wij wachten gewoon in de woonkamer op haar.'

Maria opende de deur aarzelend en deed een stap opzij. Ze keek onzeker van de een naar de ander.

Ze hingen hun jassen op in de hal.

'Maar we zouden eigenlijk ook heel graag zien hoe je de spullen eerder hebt verborgen,' zei Jens.

'Dat is deze kant op.' Ze trippelde snel voor hen uit.

Ze liepen de grote, moderne open eetkeuken in, waar ze de dag ervoor alleen even een glimp van hadden opgevangen. Al met al was het een huis waar ruimte was om jezelf te zijn, dacht hij. Je kon gemakkelijk tegelijk thuis zijn zonder elkaar ook maar tegen te komen.

Maria wees naar een groot messenblok. Jens liep erheen om het van dichterbij te bekijken. De technische recherche had uiteraard de messen meegenomen en alles gisteren uitvoerig onderzocht. Er was nergens een spoor van bloed te vinden. Afgezien van de gebruikelijke sporen van niet-menselijk bloed in de afvoer van een gewone keukengootsteen; van vlees. Geen menselijk bloed – ergo was er eten bereid, maar was er hier geen moordwapen afgespoeld.

In de badkamer was überhaupt geen spoor van bloed te vinden.

Niettemin had Jens na hun gesprek van zojuist in de auto een sterke behoefte om alles vanuit dit perspectief te doordenken. Om er zeker van te zijn dat er niets was wat ze over het hoofd hadden gezien.

'Lagen er ook messen op andere plekken?' vroeg hij. 'In de laden?'

Ze deed een grote la open, met een zee aan ruimte voor keukengerei.

Er lagen meer spullen in de la dan Jens in zijn hele keuken had.

'Hier lagen ook een heleboel verschillende messen,' zei Maria.

'Aha,' zei Jens. 'Wil je ons laten zien waar je ze verstopte?'

Ze keek onzeker uit het keukenraam. Duidelijk bang dat Vibeke zou komen en haar verraad ontdekt zou worden.

'Het is in orde,' stelde hij haar gerust.

'Deze hier,' ze wees naar het messenblok. 'Heb ik gewoon meegenomen. De andere messen heb ik hierin gedaan.' Ze pakte een opvouwbaar etui met gereedschap dat eruitzag als iets van een professionele kok. Toen vouwde ze het samen, nam het onder haar arm en keek Jens demonstratief aan.

'Zo. Oké?'

'Hm,' hij keek bedenkelijk. 'En dan legde je ze in je eigen kamer, met de deur op slot?'

'Ja.'

'En wanneer lagen ze weer in de la?'

'Vorige week.'

'En hoe is het aan jou uitgelegd dat ze nu weer gewoon in het zicht mochten liggen?'

'Ik weet het niet,' ze haalde haar schouders op. 'Het was gewoon zo, Vibeke wilde het. Ze zei dat ze ziek is geweest, en nu is ze weer gezond. Ze leek ook gelukkiger, daarna.'

'Oké. Dank je.' Hij keek naar het jonge meisje en wilde zeggen dat ze nu wel kon gaan. Zijn ogen dwaalden een beetje af bij haar. Klein, jong en flexibel lichaam. Stevige, hoogzittende borsten, mooi kontje. Ze was toch in huis...

Shit! Zou zij het kunnen zijn, waar Winther mee samen was geweest?

Zou het zo simpel zijn? Had hij wat met de au pair? Waarom hadden ze daar niet eerder aan gedacht? vroeg hij zich af en had bijna zin om zich voor zijn kop te slaan.

'Maria, er is nog iets anders wat we je willen vragen,' zei hij ernstig. Katrine keek hem nieuwsgierig aan. 'Had jij een relatie met Mads?'

Maria keek hem niet-begrijpend aan en kneep haar ogen iets samen zoals ze deed wanneer ze onzeker van de taal leek. Toen veranderde haar gezicht plotseling van uitdrukking. Nu begreep ze het. Ze deed beide handen voor haar mond en stootte een verbijsterd geluid uit.

'Nee, nee, nee,' zei ze waarna ze in snikken uitbarstte.

Katrine legde troostend een arm om haar heen.

'Het is oké, Maria,' zei ze tegen de trillende vrouw. 'Kom, dan gaan we even in de woonkamer zitten.' Katrine bracht haar daar naartoe, en ze gingen op de bank zitten. Maria leek ontroostbaar. Katrine had nog steeds een arm om haar heen.

Ze hoorden een deur open en dicht gaan, en even later hoorden ze Vibeke in de hal. Ze snoof, en aan haar manier van ademhalen konden ze horen dat haar hartslag wat verhoogd was.

Katrine en Jens keken elkaar aan. Jens haalde zijn schouders op.

Vibeke kwam de kamer binnen en hapte even naar adem bij de aanblik van de twee onverwachte gasten en de huilende Maria.

'Sorry dat we u hebben laten schrikken. Dat was niet onze bedoeling,' zei Jens.

'Wat hebben jullie in vredesnaam tegen haar gezegd?' vroeg Vibeke stomverbaasd en wees naar Maria. 'Ze is volledig in tranen.'

'We hebben Maria gevraagd om na te vertellen wat ze op zondagavond en maandagochtend gezien en gehoord heeft,' zei Jens kalm. 'En ze was duidelijk overstuur door het allemaal weer te moeten herbeleven.'

'Nou, dan hoop ik maar dat jullie alle vragen gesteld hebben die jullie wilden stellen,' zei Vibeke. 'Je kunt wel naar je kamer gaan,' zei ze tegen Maria, nadat ze zag dat Jens bevestigend knikte. 'Dan kun je wat tot rust komen.' Maria verdween snikkend de kamer uit.

'Moeten jullie mij spreken?' vroeg Vibeke.

'Ja,' zei Jens. 'Dat zouden we eigenlijk wel graag willen.'

'Ik moet even naar boven voor een snelle douche, anders koel ik helemaal af.'

'Wij wachten hier wel.'

Tien minuten later kwam Vibeke naar beneden en ging in de woonkamer zitten, waar ze op haar zaten te wachten.

'Ik kom gelijk ter zake,' zei Jens.

'Ja, dat heb ik ook liever,' antwoordde ze.

'Vibeke,' zei Jens. 'We weten dat je een gespannen verhouding met betrekking tot scherpe objecten hebt.'

Ze staarde hem verbaasd aan.

'Kun je ons iets vertellen over hoe dat zo is gekomen?'

'En waarom zou mijn ziekte, die overigens een afgesloten hoofdstuk is, jullie in vredesnaam interesseren?'

'Daar zijn verschillende redenen voor.'

'Dat was niet een heel duidelijk antwoord.'

'Het spijt me,' zei Jens. 'We moeten alles onderzoeken wat op ons pad komt. En tot dusverre is het niet mogelijk geweest om de verdachte te ondervragen.'

'Dan moeten jullie wachten totdat dat mogelijk is.'

'Precies, maar in de tussentijd moeten we ook aan alternatieve mogelijkheden denken.'

'Goed,' zei ze. 'Als het niet anders kan. Ik had een kortstondige postnatale depressie, die in tweede instantie resulteerde in bepaalde angstklachten.' Jens vond dat ze klonk alsof ze de diagnose van een patiënt in een dictafoon aan het inspreken was. 'Om deze niet onnodig te provoceren, aangezien ik hard aan rust toe was, heb ik een au pair in dienst genomen en haar gevraagd om messen en andere scherpe voorwerpen uit onze keuken in haar beheer te nemen.' Ze trok haar wenkbrauwen een beetje op. 'Het is, zoals gezegd, een afgesloten hoofdstuk.'

'Wanneer debuteerde het?' vroeg Katrine en gebruikte heel bewust hetzelfde jargon als Vibeke. Ze was er vrij zeker van dat Vibeke de benodigde afstand die dit creëerde nodig had.

'Toen de jongens ongeveer drie maanden oud waren.'

'Bent u gelijk gestart met behandelen?'

Vibeke Winther keek Katrine aan met een uitdrukking waarvan Katrine hoopte dat die betekende dat de vrouw nu overwoog of ze het hele verhaal zou gaan vertellen. Ook al was het maar om van de twee politieagenten af te zijn.

'Ja.'

'Zowel medische als cognitieve therapie?'

'Beide, ja,' antwoordde ze koeltjes.

Ze had blijkbaar besloten hen niet in haar privéleven toe te laten.

'Maar ik begrijp dat de messen afgelopen week pas voor het eerst weer tevoorschijn kwamen?' zei Jens.

'Dat klopt,' zei Vibeke. 'Ik heb het heel rustig aangepakt, om geen terugval uit te lokken. En het heeft geen problemen voor mij opgeleverd.' Ze keek Jens koel aan. 'Maar nu verbindt u het schijnbaar met de moord op mijn man. Een mes is een mes,' zei ze, nu met een harde ondertoon. 'Het komt mij een beetje primitief voor.' Ze keek met een veelzeggende blik naar Katrine, die ze verder niet veel aandacht schonk. 'Waardeloze psychologische analyse,' zei die blik.

'Vibeke,' zei Jens ernstig. 'Wij hebben soms echt een rotbaan.'

Ze keek hem verbaasd aan.

'We moeten ongemakkelijke vragen stellen aan mensen in de ergste situaties van hun leven. En negen van de tien keer vragen we al die vervelende dingen aan de verkeerde mensen. En waarom? Omdat we niet weten hoe alles samenhangt achter alle webben van verhalen die we horen. Maar het is en blijft onze belangrijkste taak om ervoor te zorgen dat de schuldige wordt gevonden.'

Vibeke Winther keek Jens zwijgend aan.

'En ik help jullie natuurlijk graag, zoveel ik kan, bij jullie werk. Maar je moet begrip hebben voor het feit dat ik niet altijd de relevantie inzie van hetgeen waar jullie je op storten.'

'Natuurlijk, dat begrijpen we best,' zei Jens.

Geen van hen zei iets. Ieder dacht er het zijne van.

Jens maakte aanstalten om te vertrekken. 'We laten onszelf wel uit,' zei hij.

Vibeke Winther gaf geen antwoord.

Ze liepen naar de auto en haastten zich erin. Jens startte de auto gauw om de verwarming te laten werken, maar wachtte nog met wegrijden.

'Dat was een goede ingeving over Maria,' zei Katrine.

'Het was het proberen waard,' zei Jens.

'Maar ik geloof eigenlijk wel dat ze de waarheid spreekt.'

'Dat denk ik ook. En haar DNA is afgenomen. Dus daar krijgen we wel duidelijkheid over.'

'Aargh! Ik wou dat die DNA-uitslag niet zo verschrikkelijk lang duurde! Het zou alles makkelijker maken. Maar luister eens,' zei Katrine.

'Als Vibeke Winther echt haar man heeft omgebracht, hoe moet ze zich dan daarna van het mes ontdaan hebben, gisterochtend? De technische recherche zou het toch hebben gevonden?'

'Ze kan er mee weggereden zijn? En het op een verdomd goede plek verborgen hebben? Of ze kan zijn gaan hardlopen als ze wilde voorkomen dat iemand haar de auto zou horen starten? Ze rent toch als een waanzinnige,' zei Jens. 'Ze is misschien wel heel ver gekomen. Helemaal tot het Damhusmeer. Dat is toch maar een paar kilometer hier vandaan. Een peulenschil voor haar, en niemand zou iets hebben gehoord of hebben ontdekt dat ze weg was. En de au pair zorgde voor de kinderen.'

Ze keken elkaar aan.

'Maar het verklaart nog niet de omstandigheden rond Nukajev,' zei Jens. 'En we zijn nog niets wijzer over met wie Winther een relatie had.'

'Als het al een relatie was en geen onenightstand.'

'Als het al een relatie was...' herhaalde Jens bedachtzaam. 'Wie neem je eigenlijk in vertrouwen als je er nog iemand op na houdt?'

'Je beste vriend?'

'Moeten we niet eens gaan praten met Thomas Kring?'

'Absoluut,' zei Katrine.

Ze reden terug naar de stad.

Katrine was verzonken in haar eigen gedachten. Het was zo duidelijk aan Vibeke Winther te zien dat ze leed en moeite had te accepteren dat ze hulp nodig had. Katrine had zelf paniek-aanvallen gehad, in de periode nadat dat met Jon was gebeurd. Het was verschrikkelijk, soms dacht ze dat ze dood zou gaan, omdat haar hart op hol sloeg, haar keel werd dichtgeknepen en het zwart voor haar ogen werd. Later had ze tijdens haar studie psychologie de onderliggende mechanismen achter de fysiolo-gische reacties begrepen en was geschokt geweest om te leren dat de hersenen daadwerkelijk kunnen veranderen als de angst een meer permanent karakter kreeg. De hippocampus, die van invloed was op het concentratievermogen en het geheugen, kromp gewoon. Wat weer voor een zelfbestendigende vicieuze cirkel zorgde, want een verzwakte hippocampus maakte ie-mand nog sensitiever en gevoeliger voor stress en invloeden van buitenaf. Cognitieve therapie, waarbij ze had gewerkt aan het veranderen van de gedachten die met je op de loop gingen, had haar erdoorheen geholpen en ze had sindsdien geen pa-niekaanvallen meer gehad.

Niet voordat ze probeerde te gaan duiken.

'Thomas, u bent al ondervraagd door een van mijn collega's,' constateerde Jens, toen ze zich hadden voorgesteld aan Tho-mas Kring, de vriend van Mads Winther, die ook arts was en zijn eigen vruchtbaarheidskliniek runde in een oud herenhuis aan de Frederiksberg Allé. In de wachtkamer wierp Jens een schuine blik op de ruimte waar een man die zich duidelijk niet op zijn gemak voelde door een vriendelijk personeelslid naartoe werd gebracht. Daarbinnen lag een grote stapel pornoblaadjes. Jens voelde met de man mee. Het moest een ongemakkelijke situatie zijn.

'Dat is waar, maar als ik u verder nog kan helpen, doe ik dat natuurlijk graag. Loopt u maar even mee.' Ze liepen achter hem aan, naar zijn kantoor dat was ingericht met moderne, stijlvolle meubels. Hij keek minzaam van de een naar de ander en gebaarde een beetje met zijn handen. Hij was een leeftijdgenoot van Mads Winther, begin veertig, maar zag er ouder uit. Er was iets aan zijn buitengewoon zelfingenomen houding wat Jens meteen vanaf het begin irriteerde.

'We zouden graag iets meer over de relatie tussen Vibeke en Mads willen weten,' ging Jens verder.

'Aha?' Hij was onmiddellijk op zijn hoede. 'En waarom eigenlijk wel? Ik dacht dat er een aanhouding in verband met de zaak was geweest?'

'We onderzoeken nog steeds andere bijzonderheden rond het paar,' zei Jens.

'Hm.' Thomas Kring keek peinzend naar Jens, voordat hij zei:

'Oké, op welk niveau bewegen we ons als u zegt dat u graag meer wilt weten over hun relatie?'

'Nou, op dit moment weten we dat Mads in ieder geval minstens een keer met een andere vrouw samen is geweest, namelijk op de avond van zijn overlijden. En wij dachten dat u daar misschien iets vanaf weet, aangezien u een van zijn beste vrienden bent, naar wij hebben begrepen.'

Thomas Kring zuchtte.

'Deze mensen,' zei hij, en trok zijn mondhoeken naar beneden in een geïrriteerde beweging, 'hebben gewoon zoveel meegemaakt. Als ze nu ook nog door het slijk worden gehaald en hun relatie te kijk wordt gezet...'

'Daar is zeker geen sprake van,' haastte Katrine zich te zeggen. 'De politie zet niemand te kijk. We willen alleen maar een ja of nee horen op een aantal theorieën die voortgekomen zijn uit specifieke technische bevindingen.'

'Weet u daar ook iets vanaf?' herhaalde Jens en toonde een wat bars gezicht. Ze bestudeerden beiden nauwkeurig Krings gezichtsuitdrukking. Maar Thomas Kring zweeg en vertrok absoluut geen spier. Toch aarzelde hij net iets te lang en had daarmee toch wel wat gezegd.

'Goed,' zei hij ten slotte. 'Ik weet niets van een nieuwe verhouding af.' Hij ging met zijn hand over zijn mond in een cirkelvormige beweging.

'Een nieuwe? Bedoelt u...?'

'Dat hij er in het verleden een had, ja.'

'Weet u ook met wie?'

'Nee, daar kan ik jullie niet mee helpen.'

'Hij moet het over haar hebben gehad, een naam genoemd hebben of iets anders.'

Kring dacht weer even na.

'Helaas niet. Maar ik heb moeite de relevantie ervan in te zien, moet ik zeggen. Het was, zoals ik al zei, een aantal jaren terug.'

'Het is dus vaker voorgekomen en het kan op dit moment zeker nog een motief zijn.'

'Ja ja.' Kring zette zijn vingertoppen zorgvuldig tegen elkaar en tuitte zijn mond licht. 'Het was voordat ze de tweeling kregen, hè? En daarna was het voorbij. Ik zag het als de relatief onschuldige remedie die nodig is om een verder goed huwelijk, dat in wat onrustig vaarwater terecht was gekomen, te redden. Het kan ons allemaal overkomen, nietwaar?'

Geen van beiden voelde de drang om te reageren op dit voor de arts vanzelfsprekende gegeven.

'En u weet niet met wie?' vroeg Katrine verbaasd. 'Wij zouden verschrikkelijk graag met haar willen praten. Het maakt niet uit hoe lang het geleden is.'

'Helaas,' hij trok zijn mondhoeken wat naar beneden en schudde zijn hoofd. 'Geen idee.'

'Dus hij heeft nooit verteld wat haar naam was of waar ze vandaan kwam?' vroeg Katrine met een uitdrukking die duidelijk zei dat ze moeite had te geloven dat dat waar was, registreerde Jens.

Kring schudde zijn hoofd.

'Was het een collega, denkt u?'

Goed zo, Katrine, dacht Jens geamuseerd. Bijt je er maar lekker in vast.

'Ik weet het werkelijk niet.'

'Hoe zit het met de au pair?'

'Nee, nou moeten jullie...' Nu werd het Thomas Kring wat te veel. 'Wat denken jullie wel niet van hem? Hij was niet het type dat zich zo nu en dan aan zijn kleine, onschuldige Filipijnse au pair vergreep. Nu is het afgelopen! Jullie moeten geen fatsoenlijke man door het slijk halen!'

Katrine keek hem rustig aan.

'En Vibeke is er dus nooit achter gekomen?'

'Klaarblijkelijk niet,' zei Kring. 'Maar ik weet niet of ik erop kan hopen dat jullie het fatsoen hebben om het haar niet te vertellen?'

'Het zal er uiteraard van afhangen hoe de zaak zich ontwikkelt,' zei Jens. 'U gaf aan dat ze verschrikkelijk veel meegemaakt hebben. Kunt u ons daar wat meer over vertellen?'

'Ik heb natuurlijk hun probleem met de onvruchtbaarheid al die jaren vanaf de zijlijn gevolgd,' zei Thomas Kring langzaam en duidelijk, alsof hij ieder woord nauwkeurig afwoog. 'Als ik iets zou moeten noemen wat problematisch voor hen was als stel, dan was dat het wel! En om een lang verhaal kort te maken, ik was in feite degene die het genoegen mocht hebben voor de zwangerschap verantwoordelijk te zijn,' zei hij. 'Niet veel mensen hebben het voorrecht om hun vrienden op die manier te kunnen helpen.'

'Waarom was het zo moeilijk voor hen om kinderen te krijgen?' vroeg Katrine.

'Nee, het spijt me zeer, maar ik kan echt de relevantie van die vraag niet inzien,' zei Kring geërgerd.

'De relevantie ervan bepalen wij wel,' zei Jens. Deze kerel maakte hem steeds pissiger.

'Ik kan gewoonweg niet in detail treden met betrekking tot de diagnose en de behandeling, maar ik kan zo ver gaan te zeggen dat Vibeke bepaalde fysiologische problemen had die uiteindelijk konden worden opgelost.'

'En de anorexia?'

'Het is duidelijk dat het feit dat ze een buitengewoon slanke vrouw is een uitdaging zou kunnen zijn. Ze heeft altijd wel in meer of mindere mate met anorexia geworsteld,' zei hij. 'Maar het verergerde tijdens de ivf-behandeling. Controleverlies,' zei hij, met een uitdrukking die aangaf dat dat alles verklaarde. Toch nam hij de moeite er speciaal voor de politie verder op in te gaan. 'Nu ben ik geen psycholoog,' zei hij en glimlachte naar Katrine. 'Of een expert op dit gebied, maar mijn eigen theorie is, en die is dus gebaseerd op vele jaren studie in de praktijk dat verlies van de controle over het lichaam, wanneer men niet in staat is om zwanger te worden wanneer men dat wil, de drang tot controle over het lichaam op een andere manier kan laten escaleren.'

De man spreekt alsof hij een encyclopedie is, dacht Jens.

'In het geval van Vibeke was dat de looptraining, die een beetje de overhand nam. Ik heb geprobeerd om haar wat rustiger aan te laten doen, om zo te zeggen, maar ze was niet zo happig om de mening van anderen hierover te horen. Wat heel goed te begrijpen valt, uiteindelijk. Maar eh, wees eens eerlijk,' zei hij en leunde naar hen toe. 'We hebben het over een vrouw wier man op brute wijze is vermoord. Moeten jullie je daar niet op concentreren, in plaats van je bezig te houden met haar eetstoornissen en al lang geleden opgeloste vruchtbaarheidsproblemen?'

'Hadden u en Mads ook meningsverschillen?' vroeg Jens in plaats van te reageren.

'Nee,' Kring antwoordde zonder te aarzelen. 'Ik kan u met zekerheid vertellen dat dat niet het geval was!'

'En u hebt een verklaring afgegeven over uw doen en laten op zondagavond?'

'Dat klopt, ja.'

'Zou u zo vriendelijk willen zijn deze voor ons nog eens te herhalen?'

Thomas Kring keek Jens geïrriteerd aan.

'Ik was naar de opera met mijn echtgenote en een bevriend echtpaar. We namen op weg naar huis een glas wijn en gingen tegen enen naar bed.'

'Bedankt,' zei Jens en rondde het verhoor af.

Ze verlieten de vruchtbaarheidskliniek en stonden weer op de Frederiksberg Allé.

De sneeuw was allang van de straten van de stad verdwenen. Katrine kreeg de laagstaande zon in haar ogen en knipperde met haar ogen tegen het licht, waardoor ze er erg schattig uitzag, vond Jens.

Hij wilde alle puzzelstukjes door elkaar schudden en ze opnieuw leggen.

'Kom op, we moeten de grijze cellen wat lucht geven na die zwangerschapsdokter,' zei Jens, en knikte in de richting van het Frederiksberg Park. Ze begonnen erheen te lopen. 'Zuurstoftekort,' zei hij verklarend en wees naar zijn hoofd.

Ze glimlachte.

'Dat was je nieuwe beste vriend, hè?'

'Echt wel.'

'Ik vraag me af hoe goede vrienden ze echt waren als puntje bij paaltje komt,' zei ze iets serieuzer. 'Waarom weet hij niet met wie Winther wat had? Zou je niet iets meer over haar vertellen wanneer je toch al besloten hebt een vriend in vertrouwen te nemen? Je zou toch tenminste een naam noemen...? Ik denk dus niet dat hij ons alles vertelt wat hij weet.'

'Het is toch mijn rol om te denken dat iedereen liegt,' zei Jens.

'O ja! Sorry,' zei ze, en voelde dat er niet veel hoefde te gebeuren voor ze de lollige toon van gisteren weer te pakken hadden.

'Maar, ja, dat zou je wel denken.' Ze liepen in een vlot tempo langs de ijsbaan op het pleintje voor de ingang van het park. 'Hé,' zei Jens. 'Misschien dat die twee samen wat hadden?'

'Ik hoop echt dat je het nu over de vruchtbaarheidsarts en de psychiater hebt? En niet...' Ze lagen dubbel van het lachen. 'Ja, nou zeg, dat andere zou echt kinky zijn,' ging ze verder. 'Maar dan zou hij toch niet zo aardig zijn geweest om ervoor te zorgen dat ze hun tweeling kregen?'

'Maar als het daarna is begonnen? En toen hebben ze Mads samen uit de weg geruimd?'

'Ik weet het niet, hoor...' zei Katrine. 'Er was geen telefooncontact tussen die twee, volgens het mobieltje van Vibeke. Dat is meestal een populair communicatiekanaal voor dat soort dingen.'

'Maar we moeten er in ieder geval achter zien te komen met wie Winther een affaire had,' zei Jens. 'En dan evalueren we later of we door moeten gaan met graven in Vibeke Winthers rol.'

Katrine knikte.

'Ja, zouden we niet moeten beginnen bij de verloskundigen?' zei ze. 'Je kunt je zo voorstellen dat ze wel eens in de verleiding zijn gekomen.'

Dat kun je zeker, dacht Jens en zag onmiddellijk Lise Barfoed voor zich. Er zouden niet veel mannen zijn die haar niet aantrekkelijk zouden vinden. Een eunuch misschien?

'Moeten we ook even langs het Rijks?' vroeg Katrine.

Jens keek op zijn horloge en dacht aan Simone. Hij moest haar over een paar uur ophalen.

'Laten we nog even vijf minuten verder wandelen,' zei hij.

'Ja.' Katrine haalde diep adem. Hun adem lag als een witte rook om hen heen. De zon was aan het ondergaan. Het werd snel donker in deze tijd.

In de wirwar van gedachten en theorieën dook Ian plotseling op in haar gedachten. Wat waren hij en het leven dat ze korte tijd hadden gehad in Sharm al weer ver weg. Ze miste hem opeens enorm. Ze had het zo druk gehad dat ze nog niet echt aan hem gedacht had. Misschien zou ze er in de kerstvakantie heen gaan. Als ze dan al met vakantie kon gaan? Of met Pasen. Misschien kon hij in de zomer naar Denemarken komen? Hij zou Denemarken dan zeker van zijn beste kant meemaken, als hij hierheen zou komen, en niet helemaal afgeschrikt worden. Ze werd blij bij de gedachte, maar het volgende moment alweer moedeloos. De zomer was het hoogseizoen in zijn werk. Hij kon onmogelijk er zomaar middenin op vakantie gaan. Het leek een hopeloos project om elkaar überhaupt weer te zien. Ze voelde zich opeens heel down.

Jens vocht tegen een overweldigende drang om een arm om Katrine heen te slaan, alsof ze samen op een zondagmiddag aan het wandelen waren.

'Vertel eens...' zei hij, voordat hij er eigenlijk verder over nagedacht had. Damn you, Jens Høgh, dacht hij. Maar er was vast geen weg terug meer. In de loop van driekwart seconde was zijn hart in zijn keel gaan kloppen en kwam er nu bijna uit. 'Is er iemand, of eh – woon je alleen, bedoel ik?' hoop ik, kon hij horen dat het klonk.

Ze glimlachte en keek hem aan. En ze keek dwars door hem heen, kon hij zien, alsof hij een doorzichtig weekdier was, een kwal. Hij voelde zich in ieder geval net zo week.

'Ja,' zei ze zacht. 'Er is wel iemand.'

Zijn hart zonk hem gelijk in de schoenen.

'Maar nee, op het laatste deel van je vraag, we wonen niet samen. Hij woont in Egypte. Hij is duikinstructeur, een Australiër, dus hij gaat waarschijnlijk niet meteen naar het noorden verhuizen.'

'Goh? Duikinstructeur?' zei hij dapper. Een Australiër, dacht hij bleek en zag een Baywatch-achtig type voor zich dat in de azuurblauwe golven aan het jongleren was met Katrine in een piepkleine bikini. En ze klonk verdrietig toen ze dat zei, van dat hij niet gelijk zou verhuizen. Dat betekende dat dat wel iets was waar ze van droomde. 'O, cool.'

'Ja, ik weet het eigenlijk niet,' zei ze. 'Het is best lastig.'

Ze passeerden de ijsbaan weer. Een ouderpaar van Jens en Katrines leeftijd was aan het schaatsen met hun dochter van ongeveer tien jaar tussen hen in. Ze lachten alle drie breeduit.

Hij keek naar hen en rilde in zijn winterjas.

Fuck!

Fuck!

Fuck!

'Zijn ze vandaag wéér bij je geweest?' vroeg Thomas.

'Ja, ze zaten in de woonkamer toen ik thuiskwam van het hardlopen.'

'Ze zijn net weggereden.'

'Maar je was gisteren toch ook al ondervraagd?'

'Ze blijven wroeten.'

'Denk je dat ze iets ontdekt hebben?'

'Nee,' zei ze. 'Dat geloof ik niet.'

'Zorg goed voor jezelf, liever. Ik kom vanavond langs.' Thomas klonk bezorgd. Ze kon daar anders nooit goed tegen. Het voelde verstikkend en opdringerig. Alsof het alleen maar een vals excuus was om achter haar pantser te dringen. En ze hield er niet van als mensen daar achter kwamen. Maar Thomas raakte een zuivere toon in haar tere wezen. Dat had ze alleen te laat ontdekt.

'Haast je. Ik mis je,' zei ze. Het huilen stond haar plotseling nabij. Ze nam snel afscheid. Kon zich er nu niet aan overgeven. Niet voordat hij hier was.

Vibeke leunde achterover op de bank en probeerde controle te krijgen over haar angstsymptomen, die nu in haar lichaam rondraasden.

Het kwam allemaal weer naar boven. Alle oude beelden in haar hoofd. Ze kon er geen grip op krijgen. Het probleem is, dacht ze zoals zo vele malen eerder, dat je al die gedachten en beelden al eens eerder had gehad. En ze gaan niet weg. Ze bevinden zich ergens diep in het geheugen, klaar om weer gedacht en gezien te worden. Maar het zijn gewoon gedachten, probeerde ze tegen zichzelf te zeggen.

Een gedachte is slechts een gedachte.

Maar wat als die gedachte de macht overneemt?

Ze was weer terug bij de avond waarop het allemaal begon. De eerste paniekaanval.

Mads was aan het werk.

Ze was zo moe geweest dat ze wel kon janken. Maar ze had de avond tevoren toen ze zich wat beter voelde een kip uit de vriezer gehaald.

Het had een beetje als een overwinning gevoeld. En het sloeg ook nergens op, als ze niet eens even een maaltijd klaar kon maken. Ze kon de kip in de oven doen met wat aardappelen, tomaten, olijven en een beetje olie, dan was het allemaal tegelijk klaar. Ze zou natuurlijk niet meer eten dan een klein stukje borstvlees, zonder vel natuurlijk, maar dat zou Mads niet doorhebben. Wat ging het hem eigenlijk aan wat zij wel of niet at?

Hij was er zo vreselijk op gefocust dat zij aan zou komen. Was het soms zijn lichaam?

Daarna kon ze hopelijk gebruikmaken van het feit dat de kleine tirannetjes sliepen, en op de bank gaan liggen met een dekentje over zich heen en een beetje slapen.

Slaaptekort.

Het was geen wonder dat ze het bij martelingen gebruikten. Het was zonder twijfel het verschrikkelijkste wat ze had meegemaakt. De kinderen waren drie maanden oud, en ze was wanhopig.

In bijzonder extreme situaties, zoals wanneer beide kinderen tegelijk schreeuwden, of ze de een voedde en de ander schreeuwde, wilde ze het bijna opgeven. Ze hield van haar jongens, maar ze voelde zich als een gevangene in haar eigen leven.

Zij had geweigerd om meer dan een bevruchte eicel terug te laten plaatsen. Maar de natuur had zich van haar meest eigengereide kant laten zien, en had het ene eitje in tweeën laten splitsen. Hoe ironisch.

Ze voelde zich misleid en bedrogen. Verraden door haar eigen lichaam.

Maar Mads was blij. Ook al had het lang geduurd voordat hij over zijn bezorgdheid dat er aan het begin van de zwangerschap iets mis zou gaan heen was. Hij was helemaal niet in staat geweest om zich te verheugen. Ze was zo teleurgesteld geweest over zijn reactie dat ze hem wel had willen slaan.

Maar toen begreep ze het.

Als ze dit kind verloor, zouden ze er geen meer krijgen. Natuurlijk was hij bezorgd.

En later kwam de bezorgdheid over de meerlingzwangerschap en het verhoogde risico dat dit met zich meebrengt, maar hij was blij dat ze niet maar een kind zouden krijgen, omdat hij zelf enig kind was geweest. 'Kijk maar hoe egoïstisch ik geworden ben,' kon hij met zijn meest charmante glimlach zeggen en ermee wegkomen.

Eén kind.

Ze had juist maar één kind willen hebben. Egoïstisch of niet. Dat kon haar niet schelen.

Natuurlijk kon ze best zien wat zo'n houding van haar maakte. Maar dan waren ze maar een stelletje egoïsten dat probeerde een gezin te zijn. Wat kon ze meer zeggen dan dat ze haar best deed. En ze was gewoon eerlijk. Andere mensen deden er alles aan om hun egoïsme te camoufleren.

Zij had een embryoreductie in gedachten gehad, maar had het niet durven noemen aan Mads. Door de ene foetus om te brengen met een kaliuminjectie direct in het kind, riskeerde je ook het andere kind te verliezen. Was ze bereid om dat risico te nemen, nu het eindelijk was gelukt?

Nee, dat was ze vast niet.

Ze was zo moe. Ze was zo ongelooflijk moe. Ze wilde alleen maar haar oude leven terug. Ze wilde doorwerken, hardlopen, naar fitness gaan en een goed boek lezen op zondagmiddag. Ze wilde op zakenreis, naar belangrijke vergaderingen met belangrijke beslissingen waar zij een belangrijke rol speelde. Ze wilde niet hier zitten en gereduceerd zijn tot een wandelende koelkast en luierverschoonster. Want met elke dag die voorbijging, ging haar humeur nog meer naar beneden.

Ze had de kip uit de koelkast gehaald, waar ze hem de vorige avond in had gelegd om te ontdooien.

Ze had hem uit de verpakking gehaald en op de snijplank gelegd.

Ze had haar grote Japanse koksmes gepakt, dat ze van hun zakenpartner in Japan had gekregen tijdens een reis, vorig jaar.

Ze had naar de kip gekeken en zich opeens heel slecht op haar gemak gevoeld bij het zien van het kleine dunne ruggengraatje daar onder het vel. Ze gruwde van de aanblik van de kleine, dikke pootjes, die opzij vielen.

Ze had zich heel erg vreemd gevoeld.

De ruggengraat... Een gevoel van ongemak had haar overmeesterd. Ze had zich heel afwezig gevoeld, alsof zij het niet langer was die in de keuken stond.

Met een groot mes in haar hand. En dit dier... Het leek ineens zo... Nee, nu moest ze zich vermannen.

Ze had het mes daar geplaatst waar de kop eraf was gehaald en wilde het naar beneden leiden langs de wervelkolom om hem in de lengte door te snijden.

Het kleine dunne ruggengraatje... Ze had het niet kunnen doen.

Ze had het mes met een schreeuw van zich afgegooid en de inhoud van haar maag geleegd in de gootsteen. Daarna had ze zich over de tafel gebogen en snel en schokkerig adem gehaald. Verman jezelf, had ze gedacht en de gootsteen omgespoeld.

De kip had ze zonder ernaar te kijken in de afvalemmer gegooid, en daarna had ze haar handen zorgvuldig gewassen, zoals altijd, wanneer ze vlees van pluimvee had aangeraakt.

Ze had de babyfoon met zich meegenomen en de keukendeur dichtgedaan, was in de slaapkamer gaan zitten met de deur op slot. Dit was een nachtmerrie. Ze bevond zich midden in een nachtmerrie. Ze beefde over haar hele lichaam. En toen had ze gehuild, en gehuild.

Toen ze niet meer huilen kon, had ze Mads gebeld.

'Je moet naar huis toe komen.'

'Ja, maar ik zit midden in een zeer gecompliceerde...'

'JE MOET NU NAAR HUIS KOMEN! HOOR JE ME?' Ze had niet kunnen vertellen wat er aan de hand was. Hoe zou ze dat ook kunnen?

'Ik ben ziek, last van mijn maag, moet overgeven. Ik kan niet voor de kinderen zorgen.'

'Maar schatje, Vibeke, er is niemand die mij nu kan vervangen. Het is heel... Kun je mijn moeder niet bellen?'

Hij had haar in de steek gelaten. Hij had haar er alleen voor laten staan, de egoïstische klootzak die twee kinderen bij haar had gemaakt!

Ze had het gesprek afgebroken. Natuurlijk kon je altijd wel een vervanger vinden. Roep er dan een op, verdomme!

Daarna was ze boos achter de computer gaan zitten. Zijn moeder bellen? HA! Ze zou nog liever vier keer doodgaan dan zijn moeder te laten zien hoe zielig en hulpeloos ze zich nu voelde.

Ze had een au-pairbureau gevonden en hen opgebeld.

Gelukkig had er nog iemand opgenomen, ook al was het laat in de middag geweest.

Ja. Ze wilde graag een au pair. Dat klopt, het liefst zo snel mogelijk. Kinderen? Ja, ze hadden een tweeling. Ja hoor, ze wist dat ze maximaal dertig uur per week mochten werken. Ja, natuurlijk hadden ze een geschikte kamer voor haar. Graag, ze kon zo spoedig mogelijk beginnen. Van de Filipijnen? Prima! Een gesprek met het bureau volgende week? Bij voorkeur nog wat sneller. Nee? Nou, als het maar zo snel mogelijk was!

Verder had ze hun werkster gebeld, een dame van in de vijftig, die een keer per week kwam en het huis volledig spic en span achterliet.

Vibeke wist eigenlijk alleen over haar dat ze twee volwassen kinderen had en dat ze van kinderen hield. Ze was zo aan het tuttelen met de tweeling, dat Vibeke het bijna te veel vond. Of ze interesse had in een paar extra uren deze maand totdat ze een au pair kregen?

Ja, Vibeke had rugklachten gekregen na de zwangerschap en moest wat ontlast worden.

Het ging vooral om de kinderen. Ja, ze vond het vooral moeilijk om met ze rond te sjouwen, en zo.

Vanaf wanneer? Nou eigenlijk was het enigszins acuut, omdat ze daarbij ook nog ziek was geworden, en Mads niet weg kon van het ziekenhuis.

Kon ze nu ook komen?

Nou, dan was dat afgesproken, had ze opgelucht gezegd. Tot over een halfuur. Of ze ook iets te eten mee moest nemen. Nou, als dat niet te veel moeite was? O, ze zou toch net beginnen? Nou, ze zou dan zeker geld voor het eten krijgen.

Het ene deel van de tweeling was gaan huilen en had de ander wakker gemaakt. Ze hadden beiden gehuild. Ze was er op de automatische piloot heengegaan en had ze uit bed gehaald.

Ze had met hen op de bank gezeten terwijl haar tranen zich met die van hen hadden vermengd.

Mads had later tot zijn eigen grote hilariteit beschreven hoe hij 's avonds thuis was gekomen en werd begroet door het verrassende scenario dat hun schoonmaakster het huis had overgenomen. Ze had voor de jongens gezorgd, en uitgelegd dat er gehaktbrood met jus en aardappelen was die vlug in de magnetron konden worden opgewarmd. Vibeke had slaappillen en pijnstillers voor haar rug ingenomen en was in diepe slaap, dus had ze beloofd om te zeggen dat Vibeke vanavond niet voor de kinderen kon zorgen. En het was natuurlijk iets verschrikkelijks met die rug en twee kleine kinderen. Maar ze hadden al afgesproken dat ze iedere dag zou komen totdat hun au pair kon beginnen.

'Ja, het is wat,' had hij stomverbaasd gezegd. Het verhaal eindigde ermee dat hij zich had afgevraagd of hij wel het juiste huis was binnengegaan. Waarop hij hard had moeten lachen.

Hij had er niets van begrepen.

Maar Thomas wel. Híj had het allemaal begrepen.

'Dus we kunnen nu wel even langskomen?' vroeg Jens. 'Goed, we zijn er over tien minuten.' 'Oké!' zei hij tegen Katrine. 'We gaan eerst even met Inge Smith praten om te horen of ze er iets van afwist of geruchten heeft gehoord.'

'En anders gaan we gewoon naar de kraamafdeling en vragen het daar?'

'Ja, het is een begin. Een steekproef. Dan moeten we zien wat we ontdekken en het dan verder met Torsten overleggen. We moeten op dit moment waarschijnlijk niet de hele kraamafdeling vragen om DNA-materiaal af te geven...'

'A propos...'

'DNA?'

'Nee, Torsten...'

'Shit!' zei Jens, en belde onmiddellijk de onderzoeksleider om hem op de hoogte te stellen van de nieuwste ontwikkelingen in de zaak.

Jens moest daarna diep zuchten.

'Misschien gaat hij wel gauw met vervroegd pensioen, of iets dergelijks...?'

'Probeer het hem te vragen wanneer je er de gelegenheid toe hebt,' zei Katrine.

'Zeker weten!'

Ze reden rond om een parkeerplaats te vinden. Een helikopter landde op het dak van het hoge gebouw.

'Fascinerend, hè?' zei ze en keek omhoog. 'Zij redden levens en wij...'

'Ja? Wat doen wij dan eigenlijk? Alleen maar een beetje rond-snuffelen?'

'O! Dan moeten we het zeker in een groter perspectief zien, denk ik.'

'Ja. Sorry. Wat wilde je zeggen?'

'Dat wij dat natuurlijk in zekere zin ook doen.'

'Door nieuwe misdrijven te voorkomen, bedoel je?'

'Ja, maar ook met betrekking tot de naaste familie, hè? Degenen die achterblijven. De nabestaanden. Dat is tenminste de ervaring die ik vaak heb gehad. Dat dat was wat ze nodig hadden om verder te kunnen met hun leven. Dat de dader werd gevonden.'

'Waarom is het bij deze zaak zo moeilijk om het gevoel te krijgen dat we daar ook mee bezig zijn?'

'Omdat de nabestaande dat gevoel niet bij ons oproept, denk ik.'

'Interessant,' zei Jens en keek haar aan.

'Ja, hè,' zei Katrine, naar hem terugkijkend.

Jens was nog steeds op zoek naar een parkeerplaats. Katrine keek weer omhoog naar de helikopter. Ze moest denken aan hun wandeling in het park. Hij had het goed opgenomen toen hij hoorde dat ze niet single was. Ja, er was iemand, herhaalde ze voor zichzelf. Er was iemand in haar leven. Maar was er plek voor hen samen?

'Hier is een plekje voor ons,' zei Jens en zette de auto in een klein vakje op de parkeerplaats van Juliane Maries Vej.

Ze liepen samen zwijgend naar de ingang en namen de lift naar de kraamafdeling.

Inge Smith ontving hen in haar kantoor.

'Is er nog nieuws?' vroeg ze onmiddellijk.

'We zijn helaas niet in staat geweest Nukajev vandaag te ondervragen,' zei Jens.

'Maar we gaan deze dagen een paar andere losse eindjes in deze zaak na.'

'O ja?'

'En dat is eigenlijk de reden dat we hier zijn. Het gaat om een ietwat precaire situatie.'

'O?' Inge Smith fronste ongerust haar wenkbrauwen. 'Wat bedoelt u?'

'We weten dat Winther zondagavond geslachtsgemeenschap had met een vrouw. En we weten dat het niet zijn eigen vrouw was.'

'Goh?' riep Inge Smith. 'Nou! Dat verbaast me wel een beetje!' Ze keek van de een naar de ander.

'Hebt u enig idee wie het zou kunnen zijn geweest?'

'Absoluut niet...'

'We denken dat het zich misschien hier heeft afgespeeld, vooral gezien het tijdsverloop. En daarom denken we aan een collega.'

'Nou, ik ben met stomheid geslagen,' zei Inge Smith en klonk echt verrast.

'Ik bedoel... hij was wel een beetje een flirterig type, maar verder... Hebben jullie een idee wie het is?'

'Het is moeilijk te zeggen. Het kan iedereen zijn. We hebben geen idee.'

'Nou, dan moeten we gaan rondvragen,' zei Inge Smith en vermande zich een beetje. 'Hoe pakken we dat aan?'

'Wij willen graag met een aantal mensen spreken die dienst hebben, op een discrete manier, om te zien of het ons op het spoor van iets brengt.'

'Discreet?' Inge Smith zei het met een glimlach. 'Jullie zullen zeker heel discreet zijn, daar twijfel ik niet aan. Maar zijn jullie je er wel van bewust hoe een dergelijk gerucht zich daarna zou verspreiden? Het gaat van mond tot mond, als een lopend vuurtje.'

'Ja, dat is moeilijk te vermijden, ongeacht hoe we te werk

gaan. Maar we doen natuurlijk een beroep op ieders morele gevoel en consideratie met zijn gezin.'

Inge Smith knikte zwijgend.

'Nou!' zei Susanne, een van de twee verloskundigen, die ze in de dienstruimte van de kraamafdeling hadden gevonden. 'Mads was zeker een flirt! Dat was overduidelijk,' zei ze en lachte. 'Maar ik heb geen idee wie het zou moeten zijn? Geen idee! Wat denk jij, Susanne?'

Jens keek naar de naambordjes. Susanne en Susanne. Zeker een populaire naam onder verloskundigen, dacht hij.

De andere Susanne, die de namen van de vrouwen die moesten bevallen op het bord aan het schrijven was, was een wat relaxter type die even goed nadacht, voordat ze antwoordde.

'Al sla je me dood. Maar ik denk dat het misschien meer een omgangsvorm was. Dat flirten dus, hè? Sommigen vonden het leuk, anderen vonden het misschien wat minder.'

Een derde verloskundige kwam de dienstruimte in.

'Ach! Waarom wil dat kind toch niet uit dat mens komen!' kreunde ze, maar ze hield giechelend haar handen voor haar mond en keek alsof ze in dezelfde beweging haar woorden weer in wilde slikken, toen ze Jens en Katrine in het oog kreeg. 'Oeps,' zei ze.

Katrine glimlachte naar haar.

'Soms moet je gewoon even de kamer uít en zoiets zeggen.'

Ze ademde diep in en weer uit. 'En dan ben je er weer klaar voor,' zei ze met een karikaturale en overopgewekte glimlach, alsof ze meedeed aan een advertentie voor een opwekkend middel. 'Het gaat over Mads, neem ik aan?' vroeg ze. Jens keek op haar naambordje. Het was niet te geloven! Zij heette ook weer Susanne! Zou het destijds een toelatingscriterium voor de verloskundigenschool zijn geweest?

'Ja,' antwoordde Katrine. 'Kom je even met me mee?' Ze gingen naar de kamer ernaast. Ze legde kort uit waarvoor ze kwamen. 'Heb je enig idee wie het zou kunnen zijn? We zouden deze vrouw natuurlijk graag willen spreken.'

'En jullie denken dat het een verloskundige was?'

'Dat zou een mogelijkheid zijn. Niet iets wat we zeker weten. Maar het is zeer waarschijnlijk iemand van hier.'

'Oké?' zei ze. Haar stem was plotseling een paar toonhoogten gestegen. 'Nee, niet dat ik weet,' zei ze, en keek snel op haar horloge.

'Nou, ik moest maar weer naar de verloskamer.'

'Ze weet iets!' dacht Katrine.

'Bel me als je iets te binnen schiet,' zei Katrine indringend. 'Het is echt belangrijk.'

Ze keken elkaar even zwijgend aan. Katrine keek naar haar naambordje; Susanne Larsen.

'Hier,' ze schreef vlug haar mobiele nummer op een papiertje en gaf het aan de verloskundige.

'Bedankt,' zei die en vloog de dienstruimte uit.

Bingo! dacht Katrine.

Jens was uitgepraat met de andere twee Susannes, toen Katrine terugkwam.

'Heeft ze iets gezegd?' vroeg hij.

'Ze weet iets,' fluisterde Katrine opgewonden. 'Ik ben er zeker van. Ik heb haar mijn nummer gegeven. En ik heb haar naam.'

Ze spraken discreet met andere verloskundigen, artsen en verpleegkundigen die dienst hadden, maar haalden niet meer uit hun bezoek. Ze bedankten en liepen weg.

'We zullen haar bellen,' zei Jens. Op hetzelfde moment ging de deur naar kamer 6 open.

Susanne Larsen kwam naar buiten en liep hen tegemoet.

'Ik weet misschien wel wie het was,' zei ze.

'Hoi Simone,' zei Jens in zijn mobieltje.

Ze stonden weer op de Juliane Maries Vej.

Jens belde zijn dochter om te zeggen dat hij wat opgehouden

was. Katrine kon aan hem zien dat hij last van zijn geweten had. Ze liep even een eindje verder, zodat hij in alle rust kon praten.

Jens had Torsten ingelicht over wat ze de afgelopen uren ontdekt hadden en ze hadden afgesproken dat Jens en Katrine naar de vrouw zouden gaan over wie Susanne Larsen hen had verteld.

'Ik vind het heel vervelend, schat, maar ik ben een beetje opgehouden. We moeten even met iemand praten, en dan kom ik je halen.'

'Echt wat voor jou!' zei ze boos. 'Ik wil graag naar huis!'

'Het spijt me echt.'

Ze verbrak de verbinding. Hij belde Ellen en legde de situatie uit.

Dat gedoe ook!

Een vrouw van midden dertig opende de deur en keek heel verrast toen ze Jens en Katrine bij haar op de stoep zag staan. Het was een knap, donkerharig en zeer vrouwelijk type.

'Mette Rindom?'

'Ja, dat ben ik.'

Ze stelden zich aan haar voor.

'We zouden u graag mee naar het bureau willen hebben voor een verhoor.'

Een man van rond dezelfde leeftijd verscheen achter haar.

'Het is puur een routinekwestie,' zei Jens. 'We zijn voormalige collega's van Mads Winther aan het ondervragen,' legde hij aan haar en de man uit.

De vrouw keek Jens nu aan met iets wat op wanhoop leek. Goed, dacht hij, ze is al op de hoogte. Achter het tweetal klonken kinderstemmen.

'Ik maak me klaar,' zei ze snel en sloot de deur een beetje. Ze wachtten buiten op haar. Susanne 3 had verteld dat ze enkele jaren geleden samen met Mads Winther bij het Hvidovre Ziekenhuis had gewerkt. Ze had hem per ongeluk in een intieme situatie met een collega betrapt.

Maar ze wist natuurlijk niet, of het iets was wat nog steeds speelde. Het was al zo lang geleden.

Het was stil in de auto tijdens de rit. De vrouw op de achterbank was duidelijk erg gespannen door de situatie. Jens en Katrine waren verzonken in hun eigen gedachten.

Ze parkeerden voor het politiebureau en liepen naar boven, naar hun kantoor.

'Wanneer werkte u samen met Mads Winther?' vroeg Jens zonder veel omhaal. Hij leek moe, dacht Katrine. Ze keek naar Mette Rindom die haar hoofd recht probeerde te houden. Ze stond op het punt om in te storten. 'Het is...' Ze rekende het uit. 'Ik denk dat Mads er drie jaar geleden gestopt is en bij het Rijks is begonnen. Ik ben al zes jaar bij het Hvidovre – sinds mijn afstuderen – dus we hebben drie jaar lang samengewerkt.'

'Hm,' zei Jens. 'En wanneer begonnen jullie elkaar privé te zien?'

Mette bloosde hevig.

'Dat eh... Dat is in een periode geweest waarin ik wat problemen had op het thuisvlak. Het heeft ongeveer een jaar geduurd. Toen ben ik ermee gestopt.'

'Waarom?'

'Om de klassieke reden, denk ik. Mijn man ontdekte een sms-berichtje op mijn telefoon.'

Ze trok een beetje een scheve grijns. 'Hij stelde een zeer redelijk ultimatum wat onze gemeenschappelijke toekomst betrof. Ik was niet bereid om hem en de kinderen kwijt te raken. En ik geloof trouwens ook niet dat Mads in iets anders dan een affaire geïnteresseerd was. Het was niet... zoiets.'

'Wat bedoel je?'

'Ja, het was eigenlijk meer een erotische relatie dan iets wat tot een echte relatie zou kunnen uitgroeien.'

'En hoe reageerde hij toen u het uitmaakte?'

'Hij,' ze sloeg haar ogen neer. 'Hij nam het eigenlijk heel goed op. Hij had er best wat bozer over mogen zijn geweest, om eerlijk te zijn,' zei ze met een cynisch lachje.

'Hij nam het een beetje te licht op, bedoelt u?'

'Ja, eigenlijk wel!'

'Waar ontmoetten jullie elkaar?' vroeg Katrine.

'Dat verschilde,' zei Mette. 'Soms in zijn kantoor, als we tot laat werkten. Of bij hem thuis overdag, wanneer zijn vrouw werkte en het huis leeg was. Ze was ook veel op reis.'

'En geen van jullie collega's kwam erachter?' vroeg Katrine.

'Ik dacht eigenlijk van niet,' zei ze. 'Maar iemand moet toch iets hebben gezien, anders zaten we hier nu niet.'

Jens knikte.

'We waren anders zeer discreet. Mads was vooral erg bezorgd om zijn reputatie, merkte ik. Op een beetje een, wat kan ik zeggen, zelfingenomen manier. Ik vond dat eigenlijk niet zo'n leuke kant van hem, merkte ik.'

'Kun je daar iets meer over vertellen,' zei Katrine en ze leunde wat naar voren. Dit was een van de weinige keren dat iemand iets negatiefs over Mads Winthers persoonlijkheid had gezegd.

'Ik denk niet dat ik met andere voorbeelden kan komen, als je daarop doelt. Ik had alleen het gevoel dat het wat overdreven was, hoe hij daarmee bezig was. Het was alsof het gevaar dat ánderen het te weten zouden komen erger voor hem was dan dat zijn vrouw het te weten zou komen.'

'Was hij goed in het verborgen houden van jullie relatie?' vroeg Katrine.

'Voortreffelijk,' antwoordde Mette zonder aarzeling. 'Hij kon zich op het werk gewoon volledig voor mij afsluiten. Het was verdorie bijna eng, als ik eraan terugdenk.'

'En uw man? Is die erg jaloers?' vroeg Jens.

'Hij was natuurlijk jaloers toen hij het ontdekte. Wie zou dat niet zijn geweest?'

'En is hij er overheen gekomen of koestert hij nog steeds wrok?'

Mette Rindom trok meteen bleek weg.

'Jullie denken toch niet...?'

'We moeten alle mogelijkheden open houden. Koestert hij nog steeds wrok?'

Ze schudde hard haar hoofd.

'Nee. Absoluut niet. We zijn er overheen gekomen en hebben het goed samen. We hebben nog een tweede kind gekregen. Jullie geloven toch niet...' De tranen die latent aanwezig waren, kwamen nu los. Mette Rindom snikte.

'We moeten weten waar jullie zondagnacht waren,' zei Jens.

Mette nam een zakdoek uit haar tas en snoot haar neus.

'We waren naar een familieverjaardag, zondagavond, kwamen laat thuis en brachten de kinderen naar bed. Daarna hebben we een beetje televisie gekeken en zijn om elf uur naar bed gegaan. Ik slaap heel licht en wordt van elk geluid wakker. En ik kan garanderen dat Henrik nergens heen is geweest 's nachts. En ik natuurlijk ook niet,' zei ze resoluut. 'Het is gewoon belachelijk, wat jullie insinueren! We hebben het hier al heel lang niet meer over gehad! Het is voorbij!'

Ze brachten Mette Rindom weer thuis. Ze zat stil op de achterbank. Katrine draaide zich om en praatte een beetje met haar.

'Ken je veel van de verloskundigen in het Rijks?'

'Een heleboel. We moeten veel stage lopen tijdens de opleiding. Zo leren we veel mensen kennen.'

'Ken je Lise Barfoed ook?'

'Ja?' zei Mette verbaasd. 'Waar ken jij haar dan van?'

'We gingen samen naar de middelbare school.'

'O? Wat grappig. Ja, we hebben korte tijd samengewerkt in het Hvidovre. Zij is echt overal geweest.'

'Hoe bedoel je dat?'

'Nou, ik geloof dat ze rondgeshopt heeft bij alle kraamafdelingen in de regio.'

'O ja? Maar ze is toch al een hele tijd bij het Rijks?'

'Is dat zo? Goh, maar goed dat ze ergens tot rust gekomen is.'
'Ja.'

Ze zetten Mette Rindom voor haar huis af.

'Denken wij hetzelfde?' zei Jens toen ze terug zouden rijden.

'Dat is mogelijk,' zei Katrine. 'Waar denk jij aan?'

'We moeten gewoon weten met wie hij op zondagavond samen was.' Jens beet op zijn onderlip. 'Ik denk dat hij wel een beetje een versierder was,' zei Jens. 'Maar wat was dat in vredesnaam voor een soort relatie, die die twee hadden?'

'De Winthers?'

'Ja.'

'Een instituut.'

'Wat?'

'Ik weet niet... Maar, ken je niet van die stellen waar de omgeving gewoon enorm hoge verwachtingen van heeft. Er moet iets van ze worden, en ze moeten zich binnen de kaders en aan de traditie houden?'

'De *royals*?'

'Idioot!'

'Echt waar, is dat niet een beetje achterhaald, dat soort dingen?'

'Er zijn misschien nog enkele dinosaurussen over? Maar ik denk dat we van een ding wel vrij zeker kunnen zijn. Hij kreeg waarschijnlijk thuis zijn behoeften niet bevredigd...'

'Maar waarom ging hij dan niet gewoon van haar scheiden?' zei Jens verwonderd.

'Wederom – instituut. En ik denk dat er ook een beetje narcisme bij komt kijken, een beetje een narcistische persoonlijkheidsstoornis, misschien? Het klinkt alsof hij nogal egocentrisch was. En blijkbaar fenomenaal goed in liegen.'

Jens zette Katrine af bij haar auto, die bij het Hoofdbureau stond.

'Niet lopen vandaag,' zei hij en klonk oprecht teleurgesteld.

'Dat doen we een andere keer,' zei Katrine.

'Ik hou je aan je woord,' zei Jens. 'Maar zeg eens, ben je niet bang om daar alleen te wonen?' Ze had eerder op de dag verteld waar ze woonde toen hij commentaar had op haar ietwat heftige auto.

'Nee, niet echt,' zei ze en schudde haar hoofd. 'Het is er eigenlijk heel rustig. Er is daar geen sterveling in deze tijd van het jaar.'

Jens knikte. Hij vond het moeilijk zich voor te stellen om op een plek te wonen waar het zo stil en donker was als hij dacht dat het er was.

'Maar eh,' hij keek haar aan. 'Tot morgen, dan.'

'Ja. Ik hoop dat ze niet al te boos is – Simone,' glimlachte Katrine.

'Dat weet je nooit,' zei hij met een scheef lachje en knipoogde. 'Ze houdt het leven wel spannend.' Ze ging in haar auto zitten en keek hem na. Hij was een charmante man, dacht ze. En er was vooral iets aan zijn tederheid jegens zijn dochter wat haar raakte.

Jens parkeerde voor zijn ouderlijk huis in Valby en liep snel naar de deur. Hij belde aan. En checkte vervolgens of de deur op slot was. Ze hadden hem vaak niet op slot vanwege een, volgens Jens, hippieachtig en hopeloos naïef geloof in de goedheid van hun medemens. Het toenemende aantal overvallen op huizen in de afgelopen jaren en Jens' onophoudelijke waarschuwingen, hadden echter een opvoedend effect op hen gehad.

Ellen opende de deur en keek hem verbaasd aan.

'Hé? Hallo Jens!'

Hij keek net zo verbaasd terug.

'Eh – hallo?'

'Heb je Simones berichtje niet ontvangen?'

'Simones berichtje?' herhaalde hij sullig. 'Nee, dat heb ik niet.'

'Ja, ze ging zelf naar huis, en ze zei dat ze je ge-sms't had en dat het in orde was.'

Hij voelde zich echt stom. Gedumpt en dom.

Hij schudde zijn hoofd. 'Ze heeft me niet ge-sms't.' Hij pakte zijn telefoon en controleerde het voor de zekerheid. Geen berichten van Simone. 'Ze ging naar huis, zei je?'

'Ja, we hebben aangeboden om haar te brengen, maar ze stond erop alleen naar huis te gaan.'

Zijn moeder keek bezorgd. 'Ja, het is niet dat het zo ver is, maar...'

'Nee, het is verdorie meer dat ze schijt heeft aan onze afspraken!' zei hij boos en pakte zijn telefoon.

'Het spijt me zo, Jens, ik dacht echt dat ze...' Ze schudde haar hoofd. 'Wat denkt ze nou toch, hè?'

'Dat is nou precies het probleem,' zei Jens. 'Ze is helaas gestopt met nadenken.' Hij belde naar Simone. Voicemail.

'Waar denk je dat ze zou kunnen zijn?'

'Ik hoop toch echt voor haar dat ze naar huis gegaan is,' zei Jens.

Hij gaf zijn moeder een snelle kus op de wang en holde naar zijn auto. 'Doe de groeten aan Steen,' riep hij.

Hij voelde zich erg alleen toen hij over Valby Bakke reed. En beangstigend slecht voorbereid op dit soort situaties. Waarom begreep ze niet wat het voor hem betekende als ze zoiets als dit deed?

Hij parkeerde fout voor het portiek aan de Godsbanegade, aangezien er geen parkeerplaats in de buurt was en rende de trap op met drie treden tegelijk.

Katrine stopte bij een sushibar en kocht wat eten voor thuis. Ze schrok van de prijs en probeerde zich in plaats daarvan te richten op hoe heerlijk het zou zijn om het voor de kachel op te eten met een glas van de chardonnay erbij die ze in de koelkast had staan. Dat maakte haar maag daarentegen zo erg aan het knorren dat ze weer aan iets heel anders moest denken.

Oké! Samenvatting.

Ze zette haar mp3-recorder aan, voor het geval ze nog heldere ingevingen zou krijgen, ook al betwijfelde ze dat nu. Maar het gebeurde vaak wanneer ze in de auto zat of aan het sporten was. Het was altijd goed om weer terug te kunnen horen hoe een idee precies was ontstaan.

'Vibeke Winther,' zei ze in het donker op de autoweg die algauw alleen door haar eigen koplampen zou worden verlicht. 'Weet waarschijnlijk niet dat haar man drie jaar geleden een langdurige affaire had. En wist in ieder geval niet dat hij zondagavond met een andere vrouw samen was. Die moet nog gevonden worden. Vibeke Winther lijdt aan anorexia, maar is blijkbaar herstellende van een postnatale depressie waarbij ze dwanggedachten en angstklachten ontwikkelde. Mogelijk ook een soort OCD. Een merkwaardige samenloop van omstandigheden is dat de messen pas een week geleden weer op hun plek werden gelegd. Ze werd defensief en probeerde mijn geloofwaardigheid als psycholoog te ondermijnen toen wij daarop wezen door te zeggen dat het een primitieve gedachtegang was.

Thomas Kring, Mads Winthers vriend, wist van de affaire af, maar dekte Mads. Hij zorgde ervoor dat het paar zwanger werd. Lijkt ook erg loyaal aan Vibeke.

Mette Rindom, die een affaire had met Winther, vond hem wel heel erg op zichzelf gericht. Erg bezig met zijn reputatie. Een beetje een narcistische persoonlijkheid misschien? Wellicht proberen iets uit te vinden over zijn ouders en zijn opvoeding. Hoe waren die?' zei ze als een notitie aan zichzelf.

'Aslan Nukajev kan nog steeds niet worden ondervraagd.' Ze zuchtte. 'Zien we spoken? Als puntje bij paaltje komt, is het wel moeilijk om de toestand waarin Nukajev werd aangetroffen te verklaren. Er is veel technisch en objectief bewijsmateriaal tegen hem; de vondst van het bloed, het motief, zijn inzinking – mogelijk als reactie op de moord.

Mogelijk... Nog iets anders?

Lise...' zei Katrine. 'Misschien weet zij met wie Mads een affaire had?'

Haar hoofd voelde leeg. Er kwam verder niets meer uit. Ze besefte zich dat het antwoord recht voor hun neus kon liggen, maar ze waren nog niet in staat het te zien. Misschien maakten ze het allemaal onnodig ingewikkeld?

Ze deed de radio aan en zette hem harder. Er speelde een Deense band waar ze nog nooit eerder van had gehoord.

De muziek katalyseerde een gevoel dat ze had gehad sinds ze eergisteren op Kastrup landde. Ze voelde zich vreemd. Zou ze zich hier ooit weer thuis voelen?

Jens stormde het appartement binnen en opende de deur naar de kamer van Simone.

Ze zat met een onschuldig gezicht op haar bed met haar laptop op schoot.

'Waarom heb je tegen Ellen gelogen?'

'Je behandelt me als een klein kind,' zei ze zonder van het scherm op te kijken. 'En dat ben ik zo zat. Mijn vriendinnen mogen veel meer dan ik.'

'Maar je kunt toch niet... Verdomme Simone, waarom zeg je dat niet gewoon, in plaats van tegen ons te liegen en ons allemaal vreselijk ongerust te maken? Ik dacht aan het ergste. Ik wist toch niet waar je heen was, verdorie!'

Ze trok haar schouders nonchalant op.

'Ik had geen zin om daar nog langer te zijn. Het is er gewoon zo saai. En ik wist toch niet wanneer je tijd zou hebben om me te komen halen?'

'Argh,' zei hij geïrriteerd en voelde een verschrikkelijke drang om haar op te pakken en door elkaar te schudden. Hoe kon hij het in vredesnaam in haar hersens laten doordringen dat ze zich egoïstisch en onredelijk gedroeg.

'Bovendien denk je toch altijd dat ik lieg, nietwaar? Dan kan ik dat net zo goed doen!'

'Simone! Nu ga je gewoon echt te ver!'

'En je had het toch druk? Dus ik wilde je ook niet tot last zijn.

Helemaal niet als je met die nieuwe collega van je samen wilt zijn.' Ze keek hem uitdagend aan.

Hij keerde zich om en haastte zich haar kamer uit voordat hij iets zou zeggen of doen wat hij later zou betreuren. Hij stond rusteloos en vol van onmacht midden in de woonkamer. Te bedenken dat hij een dergelijke gewelddadige woede kon voelen jegens haar, tegelijk met het feit dat ze alles voor hem betekende.

Toen ze de sushi op had, zette Katrine haar pc aan. Ze had de dictafoon met de opname van het verhoor van Lise van Jens gekregen. Ze zat klaar om aantekeningen te maken. Als ze vond dat het relevant was, zou ze het hele interview transcriberen. Ze zette het kleine cassettebandje aan. Het voelde bijna nostalgisch. In haar studententijd, had ze massa's interviews van cassettebandjes getranscribeerd.

'*Haar vriend heeft zelfmoord gepleegd*,' hoorde ze Lise zeggen. Ze zette het meteen weer uit. Haar wangen gloeiden bij de gedachte dat Jens het had gehoord. Zo lang geleden en nog steeds zo beschamend. Ze zat lang in het vuur van de kachel te staren.

Het was een dwanggedachte, dat wist ze best. Andere mensen dachten niet slecht over haar om die reden. Het speelde zich allemaal af in haar eigen hoofd.

Anderen voelden mee met haar verlies. Ze veroordeelden haar niet. Zelfmoord is een persoonlijke keuze, zeiden ze. Hoe had ze kunnen voorzien dat hij die keuze zou maken?

Maar ze had niet de situatie hoeven te creëren waarin alles op de spits gedreven was. Dát wat hem over de rand had geduwd, de hopeloosheid in, dacht ze. Dat had ze niet hoeven doen. Dus, was het haar vervloekte schuld.

Op dit punt eindigde altijd haar redenering van het gebeurde. Ongeacht hoeveel uren en geld ze in therapie had gestoken, ze was niet in staat geweest om haar denkwijze daarover te veranderen.

Daarom was ze tot de slotsom gekomen dat het enige wat ze er nu aan kon doen was te proberen om...er gewoon mee te leren leven. En ze had gehoopt dat naar hier terugkeren haar zou helpen om er vrede mee te krijgen.

Maar misschien was het een merkwaardig idee.

Ze overwon haar tegenzin en luisterde naar de rest van het verhoor terwijl ze haar best deed te proberen een gevoelsmatige afstand te creëren tegenover het feit dat het Lise was, die sprak.

' ...ze hadden moeite met kinderen krijgen. Langdurige vrucht-baarheidsbehandeling en ga zo maar door. En toen het dan eindelijk lukte...Hij was toch zo blij dat hij eindelijk vader zou gaan worden. Probeer je het eens voor te stellen. Je brengt duizenden kinderen ter wereld en ziet al die gelukkige ouders, en je kunt het niet zelf ervaren!'

Katrine luisterde deze passage een paar keer af. Jens had er aan gerefereerd, dat Lise Mads een 'familiemens' had genoemd, maar in feite gebruikte ze het woord geen enkele keer. Het was Jens' eigen interpretatie van wat Lise verteld had.

Het betekende weliswaar niets als het erop aankwam. Maar het was een heel goed voorbeeld van waarom je een verhoor moest opnemen, dacht ze.

Maar verder vond ze helaas niet dat het haar een nieuwe richting in liet slaan.

Verwachtingsvol sloot ze daarentegen de harde schijf aan, die Jens haar had gegeven, en waarop een kopie van Mads Winthers pc stond.

Het enige wat tot nu toe iets meer barsten in Mads Winthers gladde oppervlak had aangebracht, was de ondervraging van Mette Rindom. Maar zelfs na een affaire die ongeveer een jaar had geduurd, klonk het niet alsof ze erg hecht waren geweest.

Katrine had vreselijk veel zin om meer mensen te spreken, die hem heel goed gekend hadden, en die in tegenstelling tot zijn vrouw en Thomas Kring bereid waren om écht iets over hem te vertellen. Er was alleen niet echt iemand. Ze waren bij iedereen langs geweest. Misschien was hij het soort mens bij wie in werkelijkheid niet veel mensen dichtbij konden komen, vroeg ze zich af. Ondanks het feit dat hij erg geliefd was bij veel mensen, kenden ze hem blijkbaar niet erg diep en persoonlijk. Was hij gewoon gereserveerd geweest, net als zijn vrouw? Nee, iedereen beschreef hem als een innemende en charmante persoonlijkheid.

Maar hij had zijn vrouw wel vreselijk bedrogen.

Dat was een feit. Hij was erg bezorgd geweest om zijn reputatie.

Hij moest goed zijn geweest in liegen om zijn affaires verborgen te houden. Een aantal controlepunten voor verschillende persoonlijkheidsstoornissen begonnen zich af te tekenen.

Daarom vestigde ze er nu haar hoop op dat Mads Winthers digitale sporen en nalatenschap iets meer over hem konden zeggen.

Vrij snel nadat ze de mappen en bestanden opende begon ze zich zorgen te maken.

Het was blijkbaar niet een kopie van een computer, maar van een externe harde schijf waar ze nu mee zat. Waarom stond de hele pc er niet op? Ze had er in het bijzonder naar uitgekeken om zijn e-mailcorrespondentie te lezen om op die manier een indruk te krijgen van zijn persoonlijkheid. Met wie had hij contact?

Wat schreef hij? Wat schreven mensen aan hem? Hoe was zijn toon? Met wie was hij eigen? Was hij überhaupt eigen met iemand? En niet in de minste plaats had ze gehoopt op het spoor te komen van afspraken, telefoonnummers en dergelijke. En hier zat ze nu met een harde schijf met vakartikelen, rapporten, foto's van de kinderen en Vibeke en wat van hun persoonlijke financiën. Ze was diep teleurgesteld. Waarom had Jens dat niet verteld?

Ze vloekte hardop.

In ruil daarvoor had ze dus tijd om verder te werken aan de

paar notities die ze over de zaak had gemaakt. Het was nog niet zoveel bij elkaar. Ze was ook steeds met Jens mee geweest. Maar ze genoot er eigenlijk wel van om op pad te kunnen. Op dit moment kwam het idee om binnen achter een bureau te moeten zitten haar voor als een kwelling.

Ze kende de hoofdlijnen van het leven van Winther gedurende de laatste maand. Zijn ene zoontje was ernstig ziek geworden. De achtervolging door Nukajev was geëscaleerd en hij had zijn vrouw bedrogen, de nacht voordat hij stierf. Verder terug in de tijd, ongeveer drie jaar geleden, kon ze er nu aan toevoegen, was er een affaire met een collega geweest die blijkbaar niet bekend was bij zijn vrouw.

Verdorie! Ze hoopte vurig dat Nukajev de volgende dag gehoord kon worden. Het zou verdomd leuk zijn om zijn verklaring te horen.

Het vuur was aan het uitgaan. Ze keek naar de rode gloed in de kachel.

Toen herinnerde ze zich dat de elektricien de volgende ochtend zou komen, en haalde de foto's van Mads Winther, die nog verspreid over de vloer lagen, weg.

Ian!

Ze was vergeten dat ze had geschreven dat ze hem zou bellen. Ze pakte de telefoon en belde hem.

'Hi, I'm not able to answer your call at the moment...' Zijn stem ging direct naar haar onderbuik. Kon ze maar gewoon bij hém in bed kruipen in plaats van in een koud en leeg bed.

'Ik had anders een halfuurtje hete telefoonseks in gedachten,' zei ze, en lachte een beetje. 'Maar goed. Dat loop je nu mis. Bel me.'

Een klein duiveltje fluisterde in haar oor: 'Maar waarom heeft hij niet gebeld? Of gemaild...?' Ze zei het z'n kop te houden.

Ze ging naar bed en zette de wekker in haar telefoon op vijf uur. Ze moest hardlopen. Een flink eind.

Jens was net zijn kantoor binnengekomen. Katrine was nog niet verschenen.

'Goedemorgen, Jens.' Per Kragh stond ineens in de deuropening, samen met Bent Melby.

Dan wist je wel hoe laat het was, deze dagen.

Shit!

Alsof de lijst van ongewenste 'omstandigheden' in zijn leven niet al lang genoeg was. Zoals Simones slordige omgang met de waarheid. Australische duikers in Egypte. Om de ergste maar te noemen.

'Goedemorgen heren,' antwoordde Jens, en verwonderde zich er op hetzelfde moment over dat ze daar beiden stonden. De andere collega's die waren uitgenodigd om naar boven te komen, naar bendebestrijding, hadden alleen bezoek gekregen van Kragh. Waar zouden ze voor komen?

'Ja, je kunt waarschijnlijk wel raden wat we op ons hart hebben,' zei Kragh.

'Jep,' zei Jens en vouwde zijn handen achter zijn nek.

'Ik wil je heel graag bij ons in het team hebben, Jens,' zei Bent.

'Nou, bedankt dan,' zei Jens en probeerde een glimlach te forceren.

Het was geen optie om nee te zeggen. Dat was geen mogelijkheid waar rekening mee werd gehouden.

'Dat klinkt goed,' zei Bent formeel.

'Ja, ik ben je niet graag kwijt, Jens, maar het is maar voor een bepaalde periode,' zei Kragh.

'Het zou fijn zijn als ik wist dat ik terugkwam,' zei Jens met een veelzeggende blik naar Kragh, die gelukkig knikte.

'En hoe gaat het hier verder met onze nieuwe medewerker?' zei Bent terloops, in de richting van Katrines stoel knikkend. Dat was natuurlijk de reden dat hij mee was gekomen, dacht Jens, om te neuzen.

'Het gaat uitstekend – ze is vlijmscherp,' zei Jens. 'Het wordt vast een succes met haar in het team.' Die gedachte troostte hem wel een beetje. Dat ze bij dezelfde afdeling zouden blijven werken. Maar die bendelui... De chefs verdwenen en Jens sloeg met zijn hoofd tegen zijn bureau.

Katrine zag Kragh en Melby Kraghs kantoor in verdwijnen en liep haar en Jens' kantoor binnen. Daar werd ze begroet door het verrassende beeld dat Jens met zijn hoofd op het bureau lag.

'Maar Jens toch – het is te vroeg om het op te geven! We dringen nog wel tot de kern van de zaak door,' zei ze opgewekt.

Hij keek naar haar op en zag eruit als een zeer gepijnigd man.

Katrine haalde een kopje dampend hete koffie voor hem in het keukentje. Hij keek haar vervolgens dankbaar aan.

'Bedankt!'

'Gaat het wel?' vroeg ze enigszins bezorgd.

'Afgezien van het feit dat mijn dochter begonnen is weg te lopen en ik nu officieel bendebestrijder ben geworden, gaat het uitstekend.'

'Weggelopen? Om maar met het eerste te beginnen.'

'Ze was er vandoor gegaan bij mijn ouders en had hen wijsgemaakt dat wij hadden afgesproken dat het in orde was.' Hij staarde gelaten voor zich uit. 'Ze maakt gewoon het ergste in mij los. Ik wil haar wel door elkaar schudden en tegen haar schreeuwen dat ik een ticket naar Veronique in China voor haar koop... Het is verschrikkelijk!' Hij zag er heel verloren uit.

'Maar je doet het niet,' constateerde ze.

'Natuurlijk doe ik dat niet!'

'Ze heeft het er waarschijnlijk moeilijk mee dat haar moeder haar achtergelaten heeft,' zei ze voorzichtig. 'Heb je overwogen om daar heen te gaan om haar op te zoeken?'

'In China? Waar ze nu zijn? Van die fooi die we hier verdienen is dat helaas niet mogelijk...'

'Doen ze Europa helemaal niet aan op hun tournee?'

'Ze waren hier afgelopen zomer. Toen ging Simone naar Frankrijk en bracht er vier weken door in de zomervakantie. Ik weet het niet. Ik moet haar maar eens vragen wanneer ze hier weer komen.'

'Oké. Maar vertel eens, wat zou het ergste zijn dat er kon gebeuren, met betrekking tot het feit dat ze tegen je liegt?'

'Heb je een paar uur, dan zal ik een opsomming geven...'

'Heb je wel eens overwogen of je je misschien te veel zorgen maakt?' vroeg ze en hield haar hoofd iets schuin.

'Maar het is zo'n vicieuze cirkel. Ze zei dat ik toch denk dat ze liegt, zodat ze het net zo goed kan doen. Maar ik moet verdorie op mijn hoede zijn, vooral nu nog blijkt dat ik gelijk heb! Ze liegt gewoon tegen mij! En tegen mijn ouders. Recht in hun gezicht.'

Ze keek hem peinzend aan. Ja, hij kon het wel aan om het te horen.

'Je weet best wat ze over jullie politieagenten zeggen, toch?'

Hij zuchtte diep.

'Dat het verschrikkelijk is, zo goed als we eruitzien?'

Ze schudde haar hoofd.

'Nee, dat was niet echt waar ik aan dacht. En dat wat ik nu ga zeggen is niet alleen iets wat men zegt, het is ook wetenschappelijk bewezen. Jullie denken veel vaker dan gewone burgers dat andere mensen liegen. En jullie denken ook dat jullie het veel beter door hebben wanneer anderen liegen.'

'Maar dat is toch vanzelfsprekend. Denk maar eens aan de mensen waar we dagelijks mee te maken hebben: moordenaars, overvallers, dieven en oplichters.' Hij zwaaide met zijn hand en wees naar de andere kantoren. 'En... elkaar!' Toen keek hij naar haar. 'En psychologen en wat al niet meer!'

Ze verfrommelde het dichtstbijzijnde stuk papier tot een bal die ze naar hem gooide. Hij gooide hem terug en zij ving hem weer.

'Oeps, een notitie over de Task Force,' zei ze onschuldig glimlachend. Hij schudde zijn hoofd om haar.

'Wat ons bij het andere probleem brengt,' zei Jens. 'Ik moet daarnaartoe!' Hij keek naar het plafond.

'Naar de hemel?' Ze glimlachte weer. 'Daar is het nog te vroeg voor.'

'Hells Angels!'

Ze lachten allebei.

'Mag ik je mijn medeleven betuigen,' zei Katrine.

'Bedankt.'

'Maar het wordt toch vast gezellig,' zei ze troostend. 'Als we daar beiden zijn.'

'Mijn enige licht in de duisternis,' zei Jens.

'Vast,' zei Katrine en keek even wat ernstiger. 'Nou, ik keek gisteravond even naar Winthers pc. En het was eigenlijk niet veel soeps.'

Jens sloeg schuldbewust zijn ogen neer.

'Sorry.'

'Sorry waarvoor?'

'Ik had je nog niet verteld dat hij net zijn oude laptop weggedaan had en een nieuwe had gekocht. Hij heeft de belangrijkste dingen blijkbaar wel naar de harde schijf gekopieerd, maar hij is er nog niet aan toegekomen om de nieuwe laptop in gebruik te nemen.'

'En de oude?' vroeg ze hoopvol.

'Die stond niet in het huis, en Vibeke Winther wist niet wat hij ermee gedaan had.'

'En zijn werk-pc?'

'Een thin client,' zei Jens achteloos, alsof hij best goed thuis was in deze dingen. Als ze vroeg wat dat was, kon hij eigenlijk ook nog best uitleggen...

'Shit!'

Nou, het klonk alsof ze wel goed wist wat het was.

'Ja, het is nogal een ongelukkige timing.'

Katrine dacht even na.

'Is het heel ondenkbaar dat hij nog steeds ergens in huis staat?'

'Maar KTC heeft het huis uitgekamd. Als hij ergens stond, hadden ze hem wel gevonden.'

'Hoe zit het met zijn kantoor in het Rijks?'

'Waarom zou hij een oude computer van thuis daar neerzetten?'

'Ik weet het niet. Ik zou gewoon heel graag zijn mailcorrespondentie zien. Met wie hij eerder contact heeft gehad, en wat voor contact. En waarom heeft hij de nieuwe nog niet in gebruik genomen?'

'Hij was misschien niet iemand die hem zoveel voor privé-doeleinden gebruikte? Misschien onderhield hij zijn sociale leven gewoon via andere kanalen? De telefoon? De kroeg?'

'Of een postduif?'

'O ja! Nee, ik denk niet dat we er zoveel achter moeten zoeken.'

'Die visie respecteer ik,' zei ze. 'Maar ik ben het er niet helemaal mee eens. Ik denk wel dat het belangrijk is. Als hij er tenminste nog is, dan kan die computer ons iets vertellen over zijn gedrag gedurende een langere periode.'

Ze keken elkaar aan en er speelde zich een mentale krachtmeting af, dwars door de kamer heen.

Op dat moment kwam Torsten de deur binnen.

'Zo! Mogen wij zo ook horen waar jullie je in aan het vastbijten zijn?' Hij keek van de een naar de ander.

'Natuurlijk,' zei Katrine.

'En gefeliciteerd met je plaats in de Task Force,' zei Torsten met een brede glimlach tegen Jens. 'Altijd goed om te weten dat je kan helpen om een positieve bijdrage aan de samenleving te leveren, is het niet?'

Jens mompelde iets onverstaanbaars, en stond met tegenzin op.

Ze liepen mee naar de vergaderruimte waar Kim Johansen en Per Kragh zaten.

'Goed,' zei Torsten. 'We moeten een status opmaken van de zaak. Het moordwapen. KTC heeft op de messen uit Winthers woning alleen sporen van niet-menselijk bloed gevonden. Daarom kunnen we waarschijnlijk uitsluiten dat er een mes uit het huis is gebruikt. We zijn dan ook nog steeds op zoek naar het wapen. Kim, hoe staat het met de zoektocht?'

Katrine keek naar Kim, die ze eerder al de Pitbull had gedoopt. 'De route van Nukajevs appartement naar Frederiksberg is uitgekamd,' blafte hij. 'Er is niets gevonden. De volgende mogelijkheid is wellicht om ernaar te dreggen in het Damhusmeer?'

'Hm,' zei Kragh. 'Dat zullen we in overweging nemen. Maar we nemen hierna wel even door of er andere mogelijkheden kunnen zijn die we over het hoofd hebben gezien, voordat we dat in gang gaan zetten. Is er ook nieuws over Nukajevs route van Frederiksberg naar Nørrebro? Eventuele getuigen?'

'Geen getuigen,' zei Torsten. 'Er is geen sterveling die hem heeft gezien. Maar we moeten ook niet vergeten dat het sneeuwde en het laat in de nacht was, zondagnacht. Dan lopen er daar niet veel mensen op straat.'

'En bewakingscamera's?' vroeg Katrine. 'Kan hij ook de trein hebben genomen?'

'Hij is op geen enkele camera te zien. Dus nee, dat is niet waarschijnlijk.'

'Geen taxi, die hem meegenomen heeft?'

'Nope.'

'Heeft hij eigenlijk een eigen auto?' vroeg ze.

'Nee,' zei Torsten geringschattend.

'Een brommer? Of een fiets?'

'In die sneeuw? Dat denk ik toch niet...' zei Torsten en keek nu bijna alsof Katrine iemand was die een beetje hulp nodig had om mee te komen.

'Waren er ook autodiefstallen in dat gebied die nacht?' ging ze onverschrokken door.

Torsten keek naar Pitbull.

'Eh...' gromde die.

'Ja, het is het zeker waard om die twee mogelijkheden te onderzoeken,' zei Per Kragh droog.

'Bromfiets- en autodiefstal,' zei hij met een knikje naar Pitbull.

Wraf, dacht Katrine.

'Zeg eens, ben je een agent of een psycholoog?' vroeg Pitbull bruusk.

'Gaat het er niet om dat we een dader vinden?' pareerde Katrine, geïrriteerd door dat soort hokjesdenken. Sommige mensen hadden het idiote idee dat zij zich moest houden bij de dingen die met 'gevoelens' van doen hadden.

'Natuurlijk is dat zo,' zei Per en keek Kim afkeurend aan.

Katrine ontmoette Jens' blik. 1-0, zei die.

Jens nam het woord en vertelde wat ze de dag ervoor hadden uitgevonden. Hij eindigde met naar Katrine te kijken en te zeggen: 'Wij denken ook dat er reden is om te onderzoeken of Winther ergens een oude pc had staan, aangezien er niet zo veel soeps staat op die wij gevonden hebben.' Hij legde snel uit hoe het in elkaar zat.

'Dat klopt, het kan voor ons heel waardevol zijn om die te door te kijken. Als hij er nog is,' zei Katrine.

'Je hoopt misschien dat hij er een dagboek op bijhield of er een foto van zijn minnares op had staan?' vroeg Torsten.

'Ja,' zei ze en glimlachte naar hem. 'Dat geluk heb ik nooit eerder gehad, maar dat zou zeker geweldig zijn.'

'Wanneer krijgen we nou eigenlijk dat "slachtofferprofiel"?' vroeg hij onschuldig en maakte grote aanhalingstekens in de lucht. 'Het zou toch ook leuk voor ons zijn om iets nieuws te leren. Want op dit moment is het vooral Jens, die kan genieten van je speciale... talenten.'

Maar nu had Per Kragh er blijkbaar genoeg van. Hij greep in voordat Katrine kon antwoorden.

'Torsten – wij moeten even samen praten na afloop,' zei hij scherp.

Katrine nam Torsten op, die erg verongelijkt keek.

'De vraag is,' zei Jens en keek naar Per Kragh. 'Welke strategie we kiezen om uit te zoeken bij wie hij zondagavond tussen negen uur en elf uur was.'

Torsten schraapte zijn keel.

'Tom heeft sporen van sperma gevonden op het bed in het Rijks. Ja, dat resultaat kregen we vanochtend binnen.'

'Kunnen ze iets zeggen over van wanneer het is?'

'Het is relatief nieuw. Ze vergelijken het met het materiaal van Winther.'

'Heel goed,' zei Kragh en keek naar Katrine. 'En wat kunnen we verder nog in werking zetten?'

'Zijn telefoon heeft niets uitgewezen,' zei zij. 'En dat zou normaal de grootste verklikker zijn. Maar als het een langdurige affaire was, kunnen ze best gebruik hebben gemaakt van een telefoon met prepaidkaarten. Zo een is alleen niet gevonden. Ik vermoed dat we niet echt een DNA-onderzoek onder een paar honderd medewerkers in gang kunnen zetten?' Per Kragh knikte, Torsten kreeg even een klein, bijna onzichtbaar honend trekje om zijn mondhoek. 'En we weten niet honderd procent zeker of ze van het Rijks is, ook al is er veel wat daar op wijst. Mogelijk is de beste bron om haar te vinden, zijn oude computer. En roddels. Iemand móet ooit iets gezien hebben.'

'Goed,' zei Kragh ter afronding. 'Katrine, Jens – jullie gaan door met deze strategie; probeer om geruchten over Winther op te sporen. En doe een poging om de oude computer te vinden. Dan maken we aan het einde van de dag de status op. Ik ben er niet helemaal zeker van dat we nog middelen moeten blijven inzetten voor het overspelspoor. Alles bij elkaar geteld, hebben we waarschijnlijk de dader gevonden.'

'Het kan lang duren voordat hij in staat is om verhoord te worden,' onderbrak Katrine. 'En in de tussentijd...'

'Ja, in de tussentijd kunnen andere sporen koud worden, als hij niet de dader is,' zei Kragh. 'En natuurlijk is dat de reden dat we nog steeds een beetje doorgaan. Oké, onderzoek alles wat maar een beetje een mogelijkheid lijkt. En de onderzoeksleider nog wat meer op de hoogte houden, alstublieft,' zei hij met een resoluut gezicht tegen Jens die schuldbewust zijn ogen neersloeg.

'Ik heb dat gisteren anders wel geprobeerd,' fluisterde Jens uit zijn mondhoeken tegen Katrine op weg de deur uit.

'Het is niet bepaald dat je zin hebt om je tot die man te richten.'

'Je hebt zeker eigenlijk meer zin om te praten met...'

'Bandidos?'

'Ja – precies.'

'En dat zul je gelukkig snel kunnen, hè?'

'Bedankt dat je me eraan helpt herinneren.'

'Geen probleem. Anytime.'

'Zullen we beginnen bij het Rijks?'

Ze knikte.

Ze haalden hun jassen uit hun kantoor. Op weg naar de trap zagen ze Torsten schuimbekkend van woede in de richting van Kraghs kantoor lopen.

'Hé,' gniffelde Jens. 'Zoek dekking! Bistrup!'

Ze stoven de trap af en kwamen in de lobby, waar de gedenkplaten voor alle politieagenten die in de loop der jaren tijdens het uitoefenen van hun functie omgekomen waren, hingen.

Katrine huiverde een beetje bij de aanblik.

Voor de derde opeenvolgende dag reden ze tien minuten rond, op zoek naar een parkeerplaats bij het Rijks.

'Ze zeggen dat er hier een chronisch gebrek aan parkeerplaatsen is zodat mensen maar vroeg komen,' zei Jens.

'Maar waar zouden ze die extra parkeerplaatsen dan moeten aanleggen?'zei Katrine. 'Er zitten vast al laboratoria en bestraalkanonnen en ik weet niet wat, verschillende verdiepingen onder de grond.'

'Hm.' Jens vond een plekje aan het einde van de Frederik V's Vej. Ze passeerden net het Teilumgebouw toen zijn mobiele telefoon afging. Hij keek op het schermpje.

'Anne Mi!' zei hij hardop. 'Kon je gewoon voelen dat we in de buurt waren?'

'Dat klopt. Ik voelde jullie goede vibraties! Maar even serieus – zijn jullie buiten?' vroeg ze enthousiast.

'Ja, we komen even langs.'

Ze gingen naar binnen en liepen naar de tweede verdieping, waar de patholoog anatoom kantoor hield.

'Kom binnen,' zei ze, toen ze haar aan het einde van een oneindig lange gang met een aantal kleine kantoren vonden. Ze had een oranje sjaal om haar pijpenkrullen gebonden en zag er ongelooflijk charmant uit. 'Als we hier dan met zijn allen in passen.' Ze gingen dicht op elkaar zitten in haar kleine kantoortje en keken vol verwachting naar Anne Mi, die haar gezicht in de plooi probeerde te houden, zonder dat het goed lukte. Ze ontplofte gewoon bijna van enthousiasme om te vertellen.

'Zo,' zei ze, en wreef verwachtingsvol in haar handen. 'Het eerste is dat het duidelijk geworden is dat Vibeke Winther eigenlijk nog steeds sporen van slaapmiddel in haar bloed had.'

'Aha!' riep Jens uit. 'Interessant! Dus ze moet die pil later hebben ingenomen dan ze verklaarde?'

'In theorie wel, ja. Maar!' ging ze verder en hief een wijsvinger op. 'Haar zeer lage lichaamsgewicht kan ook een rol spelen en kan de halveringstijd verlengen. Plus het feit dat ze een flink aantal andere stoffen in haar bloed had. Antidepressiva en allerlei kalmerende middelen. Maar dat is nog niet alles,' zei ze enthousiast.

'Oké?' zei Katrine.

'In een van de wonden hebben we per fantastisch toeval microscopische sporen gevonden van bloed dat niet van Winther afkomstig is.'

'O ja?' zei Jens en dacht meteen aan Nukajev bij wie de forensisch patholoog geen wonden gevonden had. Waar kwam het dan vandaan?

'Niet-menselijk bloed.'

'Keukenmes?' vroeg Jens een beetje teleurgesteld.

'Mogelijk,' zei Anne Mi. 'We hebben zelf geen referentiecollectie van niet-menselijk DNA, dus hebben we geheel volgens routine contact opgenomen met de landbouwhogeschool om het DNA-profiel met hun referentiecollectie te vergelijken. Ze hebben profielen voor de meest voorkomende huis- en gebruiksdieren,' verklaarde Anne Mi. 'Ze konden niets vinden, en hebben het monster naar de zee- en marinebiologische instanties doorgestuurd. Ja, je moet de verschillende instanties echt complimenteren vanwege hun buitengewone hoge tempo bij deze zaak. Het overtreft alles wat ik al eerder heb meegemaakt. Maar daar werd het dus vastgesteld,' zei ze triomfantelijk.

'Dat?' zei Jens ongeduldig.

'Er vissenbloed op het mes moet hebben gezeten.'

'Vissenbloed?' riepen ze uit in koor.

'Jep. Nooit eerder voorgekomen, overigens, voor zover ik weet. Havmand had het ook niet eerder meegemaakt.'

'Dus de moordenaar had net een kabeljauw gefileerd en nam het mes vervolgens mee naar de tuin?'

'Of is het er een uit een visuitrusting?' zei Anne Mi. 'Het klopt perfect met het feit dat we kunnen zien dat het lemmet eenzijdig geslepen was en in vorm overeenkwam met een gewone dolk zoals je die bij visgerei kan hebben zitten. Dus nu hebben jullie iets om mee aan de slag te gaan,' zei ze lachend.

Katrine en Jens keken elkaar aan.

'Deed Mads Winther aan vissen?' vroeg Jens.

'Ja, KTC vond visgerei in het gereedschapsschuurtje in de tuin,' zei Katrine.

'Kan Nukajev daar een mes uit hebben weggenomen?'

'En dan op weg naar huis hebben weggegooid?'

'We kunnen beter Vibeke Winther vragen, of ze weet hoeveel messen hij had.'

Ze knikten beiden bedachtzaam. Jens keek naar Anne Mi.

'Je bent een kei.'

Anne Mi glimlachte breeduit.

'Wacht, er is trouwens nog een dingetje dat we moeten doen,' zei ze tegen Katrine. 'Een bloedonderzoek.'

'O ja,' Zei Katrine en stroopte haar mouw op. 'Ik ben er klaar voor.'

Anne Mi haalde een klein karretje met buisjes en naalden voor de bloedafname. Ze prikte Katrine snel en routineus en tapte een buisje vol af.

'Zo! Nu kun je snel worden geïdentificeerd. Je denkt nog wel aan onze lunchafspraak, hè?' zei Anne Mi aan Katrine en gaf haar haar visitekaartje.

'Echt wel,' zei Katrine. 'Volgende week, misschien? Ik ben een beetje moeilijk om afspraken mee te maken, de laatste tijd. Ik heb ook nog geen kaartje...' Anne Mi reikte haar een papiertje aan, waarop Katrine haar mobiele nummer schreef.

'En ik dan?' zei Jens.'Ik wil ook wel uit lunchen.'

'Ik trakteer op een haringmaaltje in de kantine,' zei Katrine. 'Ik zag je afgunstige blikken gisteren wel.'

'Yes!' zei Jens en maakte een klein triomfantelijk yes-teken met zijn arm.

Ze haastten zich de gang door, naar de lift.

'We gaan even snel langs het kantoor van Winther, en dan gaan we als een speer door naar Frederiksberg.'

*

Je moet het zeggen als er iets is wat we voor je kunnen doen in deze moeilijke tijd. Je bent vast nog steeds helemaal in shock.'

Ze knikt, snikt een beetje en kijkt naar haar klassenleraar van de middelbare school, Jørgen, die een bijvak psychologie geeft en van de gelegenheid gebruikmaakt om zijn kennis te demonstreren.

Ze vindt dat hij op iemand lijkt die thuis voor de spiegel staat en bedenkt dat het jammer is dat er zo'n getalenteerde psycholoog in hem verloren is gegaan. Maar dan moet je wel de kans grijpen om een beetje te oefenen als die zich voordoet. En daar mag zij nu de vruchten van plukken. Hij had haar thuis gebeld en aangeboden om het gesprek daar te voeren, maar zij had gezegd dat ze liever naar school kwam om te praten en haar klasgenoten in de ogen te kijken.

Ze weet namelijk best dat er een kritiek punt is waar je doorheen moet, en ze wil het liever niet te lang voor zich uitschuiven, zei ze aan de telefoon. Hij prees haar volwassenheid, en ze spraken af dat ze de volgende dag zou komen. Nu zitten ze in een vergaderruimte van de leraren.

'Ik denk dat wat ik het meest nodig heb, is om gewoon thuis te zijn bij mijn vader. Hij en mijn moeder waren heel hecht, dus hij heeft het er erg moeilijk mee.'

'Hij heeft maar geluk met zo'n begripvolle dochter,' zegt begripvolle Jørgen. 'Maar nou moet je je eigen verdriet ook niet vergeten. Het is altijd moeilijk om je ouders vroeg te verliezen, maar vooral voor een jong meisje van jouw leeftijd is het moeilijk om haar moeder te verliezen.'

Hij spreekt alsof hij voor een katheder staat, maar lijkt zelf kennelijk te denken dat hij het fantastisch doet. Ze laat hem graag in die waan. Ze knikt en slaat haar ogen neer. Ze laat de tranen weer de vrije loop. Droogt haar ogen met een van de tissues, die hij heeft klaargezet.

'Ik begreep dat jullie op een moeder-dochtertrip waren?' begint hij, om haar aan het vertellen te krijgen.

'Ja, we hebben een beetje een moeilijke tijd gehad, weet je, veel ruzies, tienerrebellie.'

Klein lachje. Hij glimlacht begripvol terug. O, ja, hij heeft ook tienerdochters.

Het is echt hard werken. 'Dus ze stelde voor dat we samen een wandeltocht in Noorwegen zouden maken. Om weer een beetje tot elkaar te komen. Ons samen in de wildernis te redden en el-

kaar als gelijkwaardige volwassen vrouwen te ervaren.'

'Dat klinkt fantastisch. Wat een wijze moeder had je,' zegt Jørgen meelevend.

'Ja, ze was echt heel speciaal,' antwoordt ze oprecht. In werkelijkheid was het tripje haar eigen idee geweest. Het had zo vanzelfsprekend geleken.

Jørgen aarzelt. Hij zou heel graag meer horen over wat er gebeurd is, kan ze zien, maar hij twijfelt hoever hij kan gaan. Ze moest vooral niet helemaal instorten. Hij is als een open boek, en ze krijgt bijna een beetje medelijden met hem.

'Ze moest per se midden in de rivier op zalm gaan vissen, ook al was de stroming waanzinnig sterk,' zegt ze en schudde haar hoofd. 'Typisch mijn moeder. Als ze zich iets in haar hoofd had gezet, gaf ze het niet op. En ze had in haar hoofd gezet dat we vers gevangen zalm als avondeten zouden hebben.'

'En daar in het midden van het water glijdt ze uit en slaat met haar hoofd tegen een steen?'

'Ja, het ging zo ongelooflijk snel allemaal. Ik zie haar nog uitglijden, en de stroming is zo sterk dat ik er niet bij kan komen om haar vast te grijpen. Ze is gewoon weg.' Ze kijkt Jørgen ongelovig aan, en in een fractie van een seconde ziet ze het allemaal opnieuw voor zich.

Haar moeder verdwijnt in de watermassa. Het gevoel van de koude, natte steen in haar hand. Het verhaal is nu zo vaak verteld dat leugens en waarheid nu samengesmolten zijn.

'Ik sta daar gewoon op de oever en zie hoe ze in de rivier verdwijnt. Ik rende er natuurlijk heen en riep als een gek. Ik hoopte dat er toch iemand in de buurt was, ook al hadden we de hele dag geen andere mensen gezien. Maar er was geen sterveling. Dus ik stond daar en was helemaal ten einde raad. Ik voelde me totaal hulpeloos.'

'Dat moet vreselijk zijn geweest.'

'Gewoon verschrikkelijk. Als een nachtmerrie, die je je niet kunt voorstellen als je het niet hebt meegemaakt.'

Jørgen is geschokt. Maar hij begrijpt het.

'Ze was vreselijk verminkt toen ze werd gevonden. Ze was tegen de rotsen geslagen, en haar kleren waren bijna helemaal van haar lijf gerukt. Je kon alleen maar hopen dat ze al bewusteloos was door de eerste klap op haar hoofd toen ze uitgleed. Anders...' Ze schudt haar hoofd, snikt wat, en zet het beeld van haarzelf met een steen in haar hand van zich af.

'Het klinkt zeker alsof het zo gegaan moet zijn,' zegt Jørgen.

'Ja,' zegt ze en slaakt een diepe zucht. 'Maar het was een ongelooflijk heftige ervaring en ik weet best dat er ook ruimte moet zijn voor mijn eigen verdriet. En dat is ook de reden dat ik graag de tijd wil hebben om wat er gebeurd is te verwerken.'

De docent knikt begripvol.

'Ik denk dat dat verstandig klinkt. En het gaat nu natuurlijk niet van je absentiepercentage af, onder deze omstandigheden. Maar zullen we voorlopig zeggen tot en met vrijdag? Dan bel ik zondag om te horen hoe je je voelt en of je klaar bent om maandag weer naar school te komen?'

'Ik wil gewoon zo graag de begrafenis achter de rug hebben.'

'Ja. Ja, natuurlijk,' zegt hij wat ontredderd, zich schamend dat hij daar niet aan had gedacht.

'Dus als we nu zeggen aan het einde van volgende week? Ze wordt maandag begraven. Dan heb ik een paar dagen om wat tot mezelf te komen.'

'Ja, natuurlijk, natuurlijk,' zegt hij, vol bewondering voor dit volwassen jonge meisje met zo'n hoge mate van zelfinzicht.

Dit zal niet slecht zijn voor het eindcijfer, denkt ze. Hij kan vast niet ontkennen zich tot haar aangetrokken te voelen.

Ze staan op. Ze voelt dat hij aanstalten maakt om haar een knuffel te geven en laat zich gewillig omhelzen door het naar pijp ruikende lichaam in het fluwelen jasje.

Ze laat hem even haar stevige lichaam tegen het zijne voelen.

'Dank je dat je zo begripvol bent, Jørgen,' zegt ze gemeend.

'Als er verder iets is wat ik voor je kan doen, aarzel dan niet om

het me te laten weten,' zegt hij, aan de ene kant opgelucht dat het
gesprek voorbij is, maar ook wel wat gebiologeerd.
'Bedankt, het helpt echt om dat te weten,' zegt ze met een dank-
bare glimlach door haar tranen heen.
Het gaat haar zo makkelijk af.

*

'Nou, we moeten ons vandaag maar goed gedragen,' zei Jens en
belde met tegenzin Torsten op. Hij bracht hem snel op de hoogte van de bevindingen van de lijkschouwers.

'Vissenbloed? Interessant!'

'Kun je op de lijst van KTC zien hoeveel messen er zijn gevonden tussen Winthers visgerei?'

'Ogenblikje.'

Jens kon Torsten hard horen typen.

'Er is één mes gevonden.'

'Zonder menselijk bloed?'

'Correct.'

'We willen Vibeke Winther graag gaan vragen of ze weet of
hij meer messen had.'

'Oké, het klinkt alsof het het onderzoeken waard is.'

'Goed,' zei Jens. 'We gaan erheen om het uit te zoeken nadat
we langs de kraamafdeling zijn geweest.'

Ze staken het plein met de fonteinen voor het ziekenhuis over
en namen opnieuw de lift naar boven.

Op de kraamafdeling troffen ze een heel ander soort hectische sfeer aan dan de voorgaande keren dat ze er waren. Een
lange man kwam hen tegemoet rennen met een lange jas achter
zich aan wapperend en schoot een kamer in.

Tegelijkertijd kwam er een vrouw uit rennen, de dienstruimte in. Er was iets acuuts aan de gang.

De dienstruimte was als een commandocentrum in de hoogste staat van paraatheid te midden van een slagveld. Katrine be-

greep dat een verloskundige bezig was een keizersnede te coördineren voor een heel kleine tweeling en een andere overlegde met een arts over een ingewikkeld geval van een zwangere vrouw die een veel te hoge bloeddruk had. Volgens het bord was er een volledige bezetting.

Niemand nam echt nota van Jens en Katrine. Jens voelde zich als de bekende olifant in een porseleinkast.

'Het spijt me zeer,' zei Inge Smith, die plotseling in de deuropening verscheen, beheerst, maar ogenschijnlijk net zo hard op adrenaline draaiend als de rest. 'Maar we zijn op dit moment eenvoudigweg niet in staat jullie te woord te staan. Alles wat ook maar kan lopen of kruipen, is ingezet.'

'Dat is in orde,' zei Jens. 'We komen later wel terug.' Inge haastte zich weer een verloskamer in.

Plotseling stond Lise in de deuropening. Ze had rode wangen van inspanning, en het blonde haar was in een slordige knot in haar nek verzameld. Ze zag er fantastisch uit.

'Goh?' zei ze verbaasd. 'Zijn jullie er weer?'

'Ja,' zei Katrine. 'Maar we zullen jullie niet storen.'

'Moesten jullie Inge spreken?'

'Ja,' zei Katrine. 'Maar jullie hebben het blijkbaar behoorlijk druk, dus...'

'Het is hier verschrikkelijk vandaag. Het is alsof alle gecompliceerde bevallingen zich hebben samengespannen tegen ons. Ik moet ook weer verder.'

Katrine knikte.

'We vinden het zelf wel.'

'Wat?'

'We moeten gewoon even iets in het kantoor van Mads bekijken. Gewoon routine,' voegde ze eraan toe. 'Maar we zullen je niet verder storen,' zei Katrine.

'Oké, we spreken elkaar nog, hè?' Lise maakte een telefoonteken met duim en pink. Katrine knikte en begon al te lopen.

Jens keek Katrine na en kwam iets dichter naar Lise toe.

'Zeg,' zei hij discreet. 'We zijn nog op zoek naar de vrouw waar Mads zondagavond mee samen was.'

'Jullie kunnen niet achterhalen wie het was?' vroeg Lise.

'Weet je heel zeker dat je niet weet wie het geweest kan zijn?' Ze knikte. 'Honderd procent. Ik heb geen idee.'

'Hm. Je neemt wel contact met ons op als je iets hoort, hè?'

'Natuurlijk,' zei ze en verdween een verloskamer in.

Jens haalde Katrine in.

'Heeft ze nog iets gezegd?' vroeg Katrine.

'Helaas. Ze zegt dat ze niet weet wie het kan zijn.'

Bij de kantoren troffen ze de secretaresse van de dag ervoor. Ze liet hen opnieuw binnen.

'Is er verder nog iets waarmee ik u van dienst kan zijn?' vroeg ze. 'Anders hoor ik het wel als u klaar bent...?'

'Nou, er is wel iets,' zei Katrine. 'Nam Mads wel eens een laptop met zich mee hiernaartoe?'

De secretaresse dacht even na.

'Ja, hij had geloof ik wel eens een laptop bij zich. Daar heb ik eerder helemaal niet aan gedacht. Ik hoop niet dat dat een probleem heeft gevormd voor het onderzoek,' zei ze schuldbewust. 'Misschien staat hij hier wel? Ik meen me te herinneren dat ik hem de laptop hierin heb zien leggen,' zei ze en opende een lade in een kastje naast het bureau. De lade was leeg. 'Zou de technische recherche hem niet mee hebben genomen?'

Jens schudde zijn hoofd.

'Nee, dat denken we helaas niet.' Hij keek naar Katrine.

'We moeten naar Frederiksberg.'

Vibeke Winther was allesbehalve enthousiast over het weerzien met Jens en Katrine.

'Weet u ook wat Mads met zijn oude laptop heeft gedaan?' vroeg Jens.

'Nee,' zei ze. 'Dat is mij al gevraagd en ik gok erop dat hij hem naar een kringloopstation heeft gebracht. Ik heb hem niet meer gezien sinds hij de nieuwe had gekocht,' zei ze en haalde haar schouders op.

'Naar welk kringloopstation gaan jullie meestal?'

'Dat zou ik echt niet weten! Mads regelde dat soort zaken.'

'Oké.' En nog iets anders. We hebben visgerei in het schuurtje gevonden. Viste Mads? Ik bedoel, deed hij aan sportvissen?'

'Ja,' zei Vibeke met gefronste wenkbrauwen. 'Hoezo?'

'De forensisch pathologen hebben sporen van vissenbloed gevonden, die vermoedelijk afkomstig zijn van het moordwapen.'

Een gekwelde uitdrukking gleed over Vibekes gezicht. Een tweeduidige reactie dacht Katrine. Wist ze het al? En maakte ze zich zorgen over wat ze zouden vinden? Of had het met het nieuws te maken. Het pijnlijke van het horen van dit concrete detail?

'De technici vonden één dolk bij zijn visgerei. Weet u of hij ook meer messen had?'

'Geen idee,' zei ze kort en keek Jens aan. 'Maar ik weet wel dat ik hem een paar jaar geleden met kerst een dolk heb gegeven,' en ze telde terug in haar hoofd.

'Vijf jaar geleden.'

'Aha,' zei Jens. 'En wanneer heeft u die voor het laatst gezien?'

'Vijf jaar geleden.'

'Vijf jaar geleden?'

'Ja.'

'Ging hij vaak uit vissen?'

'Vaak? Ik weet het niet. Hij viste graag 's winters op de Øresund naar kabeljauw. En in mei aan de Noordkust naar geep. En hij is ook in Noorwegen geweest om zalm te vangen.'

'Juist. En met wie ging hij daarheen?'

'Eerder met een paar oude studievrienden, maar de laatste paar jaar trok hij er alleen op uit. Dat leek hem meer ontspanning te geven.'

'En wanneer ging hij er voor het laatst op uit?'

'Dat was in november. Voor het eerst na de geboorte van de jongens.'

'Waar bewaarde hij zijn visgerei?'

'In het gereedschapsschuurtje.'

'Wij willen daar graag even een kijkje nemen,' zei Jens.

'Jullie kunnen gewoon naar binnen, het is niet op slot.'

'Jullie sloten het nooit af?'

'Nee.'

Ze gingen naar het schuurtje, dat in de tuin stond, aan de achterzijde van de garage.

Jens opende de deur en ze gingen naar binnen. Ze bestudeerden het goed uitgeruste schuurtje dat alles bevatte wat een huiseigenaar zich maar kon wensen aan tuingereedschap en machines. Jens werd moe bij de gedachte aan zijn korte carrière in Herlev. Goed dat hij het meteen over een andere boeg had gegooid. Dakgoten schoonmaken en grasmaaien, ook al was het gazon niet zo groot, was niets voor hem. Op een van de planken stond een grote gereedschapskist. Ernaast stonden drie hengels. Jens opende de kist, en een overvloed aan vishaken, glimmertjes en ander visgerei kwam tevoorschijn.

'Het ziet er niet naar uit dat de technische recherche iets over het hoofd heeft gezien.'

'Nee. Maar hoe zit het met de pc? Hij kan hem best hier neer hebben gezet. Laten we eens gaan kijken.'

De ruimte was tamelijk overzichtelijk, aangezien bijna alles netjes in een grote stellingkast stond. En ze konden al snel vaststellen dat er geen computer in de kartonnen dozen zat die opgestapeld in een hoek stonden.

'Oké, hier is waarschijnlijk niets meer te vinden,' zei Jens, en ze gingen de tuin weer in.

Samen liepen ze terug naar het huis en belden aan.

Maria opende deze keer de deur. Bij het zien van Katrine en Jens keek ze heel verschrikt.

'Ik haal Vibeke,' haastte ze zich te zeggen en verdween. Vibeke verscheen een ogenblik later.

'We hebben niets kunnen vinden,' zei Jens.

'Maar als je te binnen schiet waar de pc kan zijn, zou je ons dan willen bellen,' zei Katrine. Vibeke knikte. Ze namen afscheid, liepen naar de weg en stapten in de auto.

Ze zwegen op de terugweg naar het bureau. Ze waren beiden aan het piekeren.

'Daar werden we niet gek veel wijzer van,' verzuchtte Jens. 'Er kan best een mes uit die viskist verdwenen zijn.'

'We hebben een goede ouderwetse doorbraak nodig,' zei Katrine. 'Ik zou echt vreselijk graag die computer in handen krijgen, maar die is waarschijnlijk al weg uit het kringloopstation. Denk je dat het mogelijk is...'

Jens' telefoon ging af.

'Sorry,' zei hij verontschuldigend tegen Katrine, deed het handsfree oortje in en nam op.

'Jens Høgh.'

'Je spreekt met *store manager* Stina Christensen. Heeft u een dochter die Simone... eh Balloche heet?'

'Ja, die is van mij,' zei hij, sloot zijn ogen en wachtte op wat er nu komen ging, met ongeveer hetzelfde verwachtingspatroon als wanneer je op een wortelkanaalbehandeling wachtte. Hij werd er zeker niet blij van de woorden 'store manager' te horen.

'Ze zit hier bij mij. Ze heeft geprobeerd om een paar laarzen te stelen.'

'Geef me het adres maar,' zei Jens bars en kwam erachter dat het om een schoenenwinkel in het Fields-winkelcentrum ging.

'Ik ben er over een kwartier.'

Hij keek moedeloos naar Katrine.

'Ik moet helaas weg. Simone is nu doelgericht een criminele carrière aan het opbouwen!'

Katrine trok haar wenkbrauwen vragend op. Jens vertelde vlug over de dure laarzen waar ze om gezeurd had en die ze nu dus had geprobeerd te scoren.

Katrine knikte.

'Natuurlijk.'

Ze waren bij het Centraal Station aangekomen.

'Je kunt me wel afzetten bij het politiebureau.'

'Oké.'

Ze reden tweehonderd meter verder en stopten aan de kant van de weg. Katrine stapte uit.

'We praten later wel verder,' zei hij. Ze knikte en deed het portier dicht.

Jens reed snel richting Amager. Kalvebod Brygge uit en de Sjællandsbrug over.

Verdorie! Hij wenste Veronique een heel eind weg, al was ze dat nu ook al, ver weg. Op dit moment zou het hem eigenlijk best goed uitkomen als ze hier was. Hij voelde zich zo verdomd alleen met dit alles.

Katrine liep langzaam richting het bureau. Wat zou ze gaan doen, wanneer ze terug was? Zou ze weer naar het Rijks moeten om te proberen om iemand te spreken te krijgen? Ze hadden Mette Rindom ook op die manier gevonden.

Maar de computer... Ze moest er over nadenken of er misschien meerdere manieren bestonden om die te pakken te krijgen.

Wat als hij bij een kringloopstation was beland? Ze wist helemaal niet hoe zoiets werkte. Werden dingen vernietigd? Nee, dat zou wel niet bij kringloop... Er was dus nog wel een kans.

Maar Vibeke wist niet waar Mads heen ging. Punt één was daarom uit te vinden hoeveel kringloopstations er in de buurt van hun huis lagen.

Hij kon hem ook verkocht hebben. Maar dan zou Vibeke het toch wel hebben geweten? Misschien had hij hem weggegeven?

Wie kon daar meer over weten als Vibeke Winther het niet wist?

De enige aan wie ze kon denken, was Thomas Kring. Ze zou hem kunnen bellen wanneer ze weer terug was.

Aan de andere kant, dacht ze, en draaide zich om... De Frederiksberg Allé lag niet zo ver weg. Ze kon ook gewoon bij zijn kliniek langsgaan?

Ze liep vastberaden richting Vesterbro en Frederiksberg.

Een kwartier later stond ze voor Thomas Krings vruchtbaarheidskliniek.

Ze belde aan en een secretaresse deed open.

'Hij is op dit moment met een patiënt bezig,' zei de secretaresse.

'Hoe lang denkt u dat het gaat duren? Dit is tamelijk belangrijk.'

'En u bent van de politie, zegt u?'

'Ja, we waren hier gisteren ook en hebben toen met Thomas gesproken.' Er was toen een andere secretaresse, herinnerde ze zich.

'Hm, dragen jullie niet altijd een penning?' vroeg ze met een waakzame blik alsof het ook haar taak was om Thomas Kring persoonlijke bescherming te bieden tegen verdachte vrouwspersonen.

'Die heb ik niet,' zei Katrine en probeerde rustig te blijven en haar geduld te bewaren. 'Aangezien ik geen politieagent ben, maar psychologe. En ik ben net begonnen, dus ik heb mijn visitekaartjes nog niet.' Ze hoorde zelf hoe het klonk. De afgelopen dagen was ze gewoon met Jens meegekomen zonder over dat soort formaliteiten na te denken.

De secretaresse keek Katrine sceptisch aan en beoordeelde de situatie.

'Oké,' zei ze minzaam. 'Ik vraag hem of hij even tijd heeft.'

Ze klopte op de deur en sprak op gedempte toon met Thomas Kring. Met een bijna geïrriteerde uitdrukking op haar gezicht liet ze Katrine vervolgens weten dat ze plaats kon nemen en wachten, dan zou Thomas straks naar haar toe komen, wanneer hij klaar was met zijn patiënt.

Vijf minuten later kwam Kring naar buiten en hij begroette Katrine.

'Waar kan ik de politie vandaag mee helpen?' zei hij. De secretaresse verdween in een achterkamertje met een bits trekje rond haar mond.

'En waar is je maat?' vroeg Kring.

'Hij wordt elders opgehouden,' zei Katrine. 'We hebben Mads Winthers laptop nodig. Zijn oude laptop. We hebben de nieuwe al onderzocht.'

'Aha,' zei Thomas. 'Maar dan heb je geluk, want die staat bij mij thuis. Ja, ik hoorde dat hij hem wilde vervangen, dus vroeg ik of ik hem voor mijn zoon, Lukas, mocht hebben.'

Katrine voelde de spanning in haar lichaam. Nu gebeurt er iets, dacht ze. Nu is er een opening.

'Maar... jullie zullen je technici er waarschijnlijk wel bij nodig hebben,' zei hij en trok zijn wenkbrauwen op. 'Want hij is zo vriendelijk geweest om de harde schijf voor ons te formatteren, en zoonlief heeft er al een grote hoeveelheid spelletjes op gezet. Ja, het is gewoon zo'n extra computer, voor wanneer hij vriendjes op bezoek heeft. Als je even met me meeloopt naar boven, ik woon hierboven, dan krijg je hem mee.'

Van euforie naar teleurstelling in drie kwart seconde, dacht Katrine en hoopte vurig dat de IT-mensen hun zaakjes kenden.

Katrine haalde triomfantelijk de laptop van Mads Winther uit de Illum-boodschappentas die Thomas Kring haar had gegeven om hem in te vervoeren en zette hem voor Per Kragh neer op tafel.

'Dus we moeten gewoon de harde schijf door NEC laten herstellen,' zei ze enthousiast. 'En misschien kunnen we op die manier op het spoor komen met wie hij zondagavond was?'

Kragh knikte.

'Goed idee om Kring te benaderen,' zei hij goedkeurend. 'Ik neem contact op met NEC. Weet je wanneer Jens terug is? Ja, hij belde net om te vertellen wat er gebeurd was.'

'Nee, ik heb hem niet gesproken.'

'Oké. Dat van zijn dochter is heel vervelend. Maar dan rijst wel de vraag hoe we je tijd het best kunnen gebruiken, vanmiddag. Dat herstel gaat wel wat tijd in beslag nemen, voor zover ik weet.'

'Ik kan een proces verbaal schrijven van wat dingen die we vanochtend hebben gedaan,' stelde ze voor.

'Goed idee...'

'Er is eindelijk een doorbraak in het gekkenhuis!' Torsten was plotseling in de deuropening verschenen en hij keek triomfantelijk naar Per en Katrine. 'Ze hebben net gebeld. Ze denken dat we Nukajev nu wel kunnen ondervragen.'

'Goed,' zei Kragh. 'Een bekentenis zou wel heel prettig zijn!'

'Ja, misschien ligt het allemaal helemaal niet zo ingewikkeld,' zei Torsten en wierp een blik op Katrine.

'Torsten, jij gaat erheen en gaat hem samen met Kim verhoren.' Hij keek naar Katrine. 'Maar ik vind beslist dat jij ook mee moet, Katrine. Dan maak je deze zaak van begin tot eind mee.'

Het was moeilijk te zeggen wie van de twee er het meest ongelukkig uitzag.

'En de laptop?' probeerde Katrine hoopvol.

'Ja, ik denk toch niet dat we NEC moeten vragen om daar energie in te steken, op dit moment,' zei Kragh. 'Ze zijn momenteel erg druk bezig met een grote pedofiliezaak.'

Katrine zette Winthers laptop op haar bureau neer en liep beteuterd achter Torsten aan, die de Pitbull riep.

Geweldig, dacht ze. Fucking geweldig!

Ze werden meegenomen naar dezelfde kleine ruimte als de dag ervoor, maar vandaag zat Nukajev daar. Katrine nam hem op. Hij zat met hangende schouders en zijn handen in zijn schoot. Zijn kleren leken twee maten te groot en hingen wat af. Hij zag er onverzorgd uit en zijn huid was grauw. Hij leek wat meer bereikbaar dan de dag ervoor, maar het was duidelijk te zien dat dit een man was met wie het niet goed ging. Het waren vooral de ogen. Hun glazige waas en de uitdrukking erin die agressief en lijdzaam tegelijk was. Een man die op het randje zit, dacht ze. Wellicht er al overheen.

Naast Nukajev waren er een vrouwelijke toegewezen advocaat en een mannelijke tolk aanwezig. Laatstgenoemde om er zeker van te zijn dat er geen taalkundige misverstanden zouden ontstaan indien Nukajevs Deens niet toereikend zou zijn.

'Ik zou graag toestemming krijgen om het gesprek op te nemen,' zei Katrine en keek naar Nukajev die zijn schouders ophaalde. Ze keek naar zijn raadsvrouw, die knikte.

Katrine zette haar recorder op tafel.

'Zoals u waarschijnlijk weet,' zei Torsten en keek Nukajev ernstig aan, 'zijn we hier om uw verklaring af te nemen in verband met de moord op de arts Mads Winther, die in de nacht van zondag op maandag heeft plaatsgevonden. Ik wil u dan ook vragen naar uw doen en laten van zondagavond tot maandagochtend.'

'Ik herinner me niet echt veel. Ik was erg dronken.'

'Aha,' zei Torsten sceptisch. 'Maar kunt u op zijn minst aan ons uitleggen hoe het komt dat u eergisteren in uw appartement aangetroffen werd met bloed op uw handen en kleding?'

'Nee,' hij schudde zijn hoofd.

'U beweert dat u het zich niet kunt herinneren?' zei Torsten ongelovig.

'Het is niet iets wat ik beweer. Ik kan me vaag herinneren dat ik naar buiten ging, maar daarna niets meer.'

'Ach, wat komt dat nou goed uit,' zei Torsten. 'Vertelt u ons eens wat u zondagavond deed? Wanneer ging u naar het huis van Mads Winther?'

'Ik weet niet hoe laat het was.'

'Maar u bent er dus heengegaan? Wanneer? 's Avonds?'

'Het was in elk geval donker.'

'Maar daarna kunt u zich, handig genoeg, niets meer herinneren?' zei Torsten sceptisch.

'De waarheid is dat ik niet weet wat er gebeurd is. Het is een zwart gat in mijn hoofd.' Nukajev ging met zijn handen naar zijn hoofd.

'Maar u had plannen om hem te vermoorden?'

Nukajev zweeg.

'Was dat niet zo?' herhaalde Torsten. 'Hoor eens. U hebt Mads Winther nu enkele maanden achtervolgd, en u werd de volgende dag onder het bloed gevonden. Vindt u dan niet dat het erg voor de hand ligt dat we denken dat u degene bent die Mads Winther voor zijn huis neer heeft gestoken?'

'Ik weet het niet, zoals ik al zei. Ik herinner het me niet.' Nukajev keek Torsten indringend aan voordat hij verderging. 'Die man kon mijn vrouw niet redden. Door hem ben ik alles kwijt. Mijn vrouw, mijn zoon. Ik heb veel woede en veel vragen voor hem. En ik vind niet dat hij het mij allemaal erg goed uitgelegd heeft. Daarom bleef ik hem opzoeken. Ik kon het niet helpen. Ik kon geen rust krijgen in mijn hoofd.'

'Met andere woorden, u hebt hem neergestoken, en nu probeert u eronder uit te komen door te zeggen dat u dronken was? Artikel 16 – Pathologische intoxicatie – is dat waar u het allemaal op af probeert te schuiven?'

'Ik heb geen idee waar u het over heeft,' zei Nukajev en haalde zijn schouders op.

'Ik wil zelf ook graag het me kunnen herinneren,' zei hij en hield zijn hand voor zijn borst. 'Maar mijn hoofd is gewoon... helemaal leeg!'

'Nee, maar dan is het goed dat wij, dankzij onze nieuwe psycholoog,' zei Torsten naar Katrine wijzend, 'veel over Tsjetsjeense gebruiken afweten.' Nukajev keek onverschillig naar Katrine. Ze sloeg verlegen haar blik neer en maakte zich grote zorgen over hoe Torsten haar oppervlakkige onderzoek naar de Tsjetsjeense rechtsgang voor de briefing van gisteren zou gaan gebruiken.

'Dus we weten dat volgens deze "wet", hoe heette die ook alweer?'

'Adat,' zei Katrine zacht.

'Ja, precies, dat jullie volgens de adat menen dat het in orde is om wraak te nemen en voor eigen rechter te spelen – oog om oog, noemen wij dat in Denemarken – en anderen om te brengen bij het minste of geringste. Maar dat soort dingen kunnen echt niet in het Deense rechtssysteem.'

Zowel de tolk als Nukajev keken eerst naar Torsten en vervolgens naar Katrine met diepe minachting.

'Adat,' zei Nukajev langzaam terwijl hij Katrines blik vasthield. 'Geldt alleen tussen Tsjetsjeense moslims onderling.'

Katrine zou willen dat ze nu door de grond kon zakken.

Fuck – wat had ze haar werk slecht gedaan! Waarom had ze daar niet aan gedacht?

Tsjetsjenië was een moslimland. Ze had niet in overweging genomen of adat tussen twee religies gold. Ze had maar half werk afgeleverd. Dat soort dingen was levensgevaarlijk in handen van iemand als Torsten.

'Adat geldt niet jegens christenen of mensen die gewoon hun werk uitvoeren. Het geldt ook niet tussen mannen en vrouwen,' ging Nukajev verder.

'Nee,' zei Torsten. 'Dat kan best.'

'Ik betreur het ten zeerste,' zei Katrine. 'Ik had het onderwerp niet grondig genoeg bestudeerd. Ik vind het echt heel erg.'

Nukajev keek haar zwijgend aan. En ze voelde duidelijk Torstens nijdige blik van opzij.

Ze boog zich naar voren en keek Nukajev ernstig aan.

'Wij zijn net als u er zeer in geïnteresseerd dat u zich kunt herinneren wat er gebeurd is. Er is een man dood. Hij laat een vrouw en twee kleine jongens achter, die nu zonder hun vader moeten opgroeien. Dus, kunt u zich herinneren wat er eerder die dag gebeurd is?' vroeg Katrine. 'Wat dan ook?'

'Ik kan de ene dag niet van de andere onderscheiden, sinds mijn vrouw is overleden. Ze zijn allemaal hetzelfde.'

'Probeert u ons dan eens iets te vertellen over een doorsnee dag,' zei ze zachtjes. 'Probeer zo veel mogelijk details te noemen. Vertel het gewoon in uw eigen tempo,' zei ze, met een blik op Torsten.

Nukajev zuchtte zachtjes en begon langzaam te spreken.

'Ik word altijd wakker en ben bang,' zei hij, terwijl zijn gezicht diepe en oprechte angst weerspiegelde. 'Als ik überhaupt geslapen heb. Zo gaat het al jaren. Na de gevangenis en de martelingen. Ik kan me niet verroeren, ben gewoon verstijfd van angst. Dus ik blijf liggen tot ik op kan staan.' Hij zocht aarzelend naar woorden. 'Het ging beter toen we van het Sandholm-vluchtelingencentrum naar ons eigen appartement verhuisden. Maar nu... Na het overlijden van mijn vrouw kan ik niets meer. Als ik me gaandeweg de dag iets beter voel, ga ik de straat op, naar mijn kruidenier Mohammed. Hij vraagt naar mijn zoon en bidt voor mij. Hij geeft me vaak iets te eten, maar ik heb geen eetlust.' Hij hield zijn hand voor zijn maag en schudde zijn hoofd. Katrine zag hoe dat overeenstemde met hoe dun hij was. 'Het is heel moeilijk voor mij om te eten. Ik kan niets...'

'Afgezien van het feit dat u geen problemen had met het achtervolgen van Mads Winther,' zei Torsten bruusk.

'Ja,' zei Nukajev. 'Soms ook heb ik Mads Winther bezocht.'

'Soms?' zei Torsten hard. 'U hebt de man maandenlang achtervolgd. U hebt hem in het ziekenhuis en thuis opgezocht.'

Nukajev gaf geen antwoord.

'Waarom ging u naar hem toe?'

'Hij bleef maar in mijn hoofd,' zei Nukajev geagiteerd en getergd door Torstens agressieve toon. 'Ik kon het idee niet loslaten dat het zijn schuld was. Waarom kon hij mijn vrouw niet redden?'

'En toen is het zondagavond allemaal geëscaleerd, vertelt u ons nu wat u gedaan hebt?' zei Torsten ongeduldig.

Katrine wenste hem heel ver weg. Als ze nu gewoon de kans zou krijgen. Ze wist dat ze Nukajev meer zou kunnen laten herinneren over wat hij daadwerkelijk had gedaan. Op dit moment riep hij herinneringenschema's op – een in elkaar overvloeiende massa van dagen, die allemaal op elkaar leken. Ze wilde proberen om hem zondag van de andere dagen te laten onderscheiden. Maar dat soort dingen kostte tijd. En vereiste een geheel andere en op vertrouwen gebaseerde sfeer dan die Torsten creëerde. Haar gevoel bij de man tegenover haar was dat hij bereid was tot medewerking, maar zich kennelijk niet meer kon herinneren wat hij gedaan had.

'Ik begin te drinken zodra ik opsta,' zei Nukajev beschaamd.

'Hoeveel hebt u afgelopen zondag gedronken?'

'Geen idee. Een fles whisky misschien. Ik drink geen wodka als die verdomde Russische zwijnen. Ik denk dat ik ook een fles bij me had toen ik wegging. En daarna... Alles is gewoon een mist. Ik kan me niet herinneren wat er gebeurd is voordat ik hier wakker werd.'

Nukajev schudde zijn hoofd gelaten. Katrine was geneigd hem te geloven.

Torsten zat achterovergeleund in zijn stoel met zijn armen gekruist. Hij leunde plotseling naar voren over de tafel naar Nukajev.

'Dat is een zeer ontroerend verhaal,' zei hij. 'Maar ik geloof niet dat u zich niets kunt herinneren. Hoe heeft u hem zover gekregen naar buiten te komen? Hoe vaak heeft u hem gestoken?'

'Dat kan ik me niet herinneren.' Nukajev keek Torsten leeg aan.

'Maar u moet zich toch kunnen herinneren of u hem twee of twintig keer gestoken hebt?'

Nukajev schudde zijn hoofd.

'Ik weet het niet.'

'Wat is er toen gebeurd?'

'Ik werd hier wakker.'

'Heeft u de hele weg naar huis, naar Nørrebro gelopen?'

'Ik weet het niet. Maar ik heb die route wel eerder gelopen, dus misschien...'

'Waar had u het mes vandaan?'

'Ik weet het niet.'

'Vist u wel eens?'

'Wat?'

'Vissen vangen – met een hengel?' Torsten gebaarde met zijn armen alsof hij een hengel in zijn handen hield.

'Nee,' zei Nukajev met walging in zijn stem.

'Er zat vissenbloed op het mes. Hoe zou u dat willen verklaren?'

'Ik weet het echt niet.'

'Maar u nam een mes mee van huis?'

'Dat geloof ik niet.' Nukajev schudde langzaam zijn hoofd. 'Maar ik weet wel dat ik geen mes met vissenbloed thuis heb. Ik eet geen vis.'

'Geloof? U *gelooft* niet dat u een mes meenam? U klinkt niet erg overtuigend,' zei Torsten. 'Had u dat uit het schuurtje gehaald?'

'Welk schuurtje?' Nukajev leek een groot vraagteken.

'Mads Winther had zijn visgerei in een gereedschapsschuurtje in zijn tuin liggen.'

'Ik weet niet waar u het over heeft.' Nukajev maakte een vertwijfeld gebaar met zijn handen.

Torsten leunde opnieuw naar hem toe. 'Hoe zou u willen verklaren dat u bloed aan uw handen en jas had?'

'Ik weet het niet.'

'Kunt u begrijpen dat we dat een beetje moeilijk te geloven vinden?'

Nukajev gaf geen antwoord.

'Heb je de verloskundige, Lise Barfoed, opgezocht?' Vroeg Torsten bruusk en leunde achterover in zijn stoel.

'Nee,' zei hij zonder aarzeling. 'Nee, dat heb ik niet. Ze is een vrouw. Ik kan niet de hand slaan aan een vrouw.'

'Lise Barfoed zegt dat je haar bedreigd hebt. Voor haar huis.'

'Ik heb haar niet bedreigd. Ik weet niet waar ze woont.'

'Maar je kon ook niet de hand slaan aan een christen?'
'Nee.'
'En Mads Winther was, voor zover ik weet, een christen.'
'Ik weet niet of ik de hand aan hem geslagen heb.'
'U bent moslim?'
'Ja, natuurlijk,' antwoordde Nukajev geïrriteerd.
'En moslims drinken meestal niet, voor zover ik weet.'
Nukajev keek beschaamd naar zijn handen, die in zijn schoot lagen.

'En u bent de afgelopen maanden zwaar aan het drinken geweest, dus we moeten veronderstellen dat er heel wat dingen zijn die u zich niet meer kunt herinneren?'
Nukajev gaf geen antwoord.

'Dus ik weet niet of u mij hierin kunt volgen, maar het is eigenlijk heel moeilijk voor ons om überhaupt iets te geloven van wat u zegt.' Torsten keek alsof hij overwonnen had. Katrine kon zich niet herinneren ooit een slechter verhoor te hebben meegemaakt.

Torsten en de Pitbull vertrokken in een vlot tempo naar de auto. Katrine kwam vlak achter hen aan.

'Op dit punt zou ik adviseren dat je een verhoor op de plaats delict afneemt,' zei Katrine en deed verschrikkelijk haar best om haar woede in te houden en professioneel te klinken.

Ze spraken gewoon verder en negeerden haar volkomen.

'Door hem mee daar naartoe te nemen is er meer kans dat hij zich iets kan gaan herinneren van die avond,' drong ze aan. 'Met de juiste aanpak denk ik eigenlijk wel dat hij zou meewerken.'

Torsten stond abrupt stil en draaide zich om naar Katrine, zodat ze een stap terug moest doen om niet tegen hem op te botsen. Ze kon zijn aftershave ruiken. Een misselijkmakende, goedkope geur drong haar neusgaten binnen.

'Je snapt er ook echt geen moer van, hè?' zei hij. 'Je denkt dat die vent daarbinnen wil samenwerken en proberen het zich te herinneren, *als we hem maar helpen*? Maar nu zal ik jou eens iets vertellen: hij daar, hè?' Torsten wees agressief naar de ruimte waar ze vandaan kwamen. 'Hij weet dat als hij, met die ziektegeschiedenis van hem, zegt dat hij te dronken was om zich iets te herinneren, hij eronderuit kan komen. Er is maar een ding dat werkt bij dat soort lui: maximaal onder druk zetten. En ik denk helaas niet dat ik Kragh kan aanraden je aan meer verhoren deel te laten nemen. Je bent niet bepaald bevorderlijk voor het onderzoek! En verder zou het mooi zijn als je je huiswerk beter deed alvorens je dingen aan ons doorgeeft, zodat we niet in onze blote kont komen te zitten tegenover de ondervraagde!'

Hij draaide zich abrupt om en beende weg naar de auto. De rit terug naar het bureau verliep in stilte.

'Het is hem! Ik garandeer je dat het hem is,' zei Torsten. 'Wanneer zo'n oude jachthond als ik een geurspoor te pakken krijgt, blijft er verdomd weinig te twijfelen over,' zei hij en keek naar Kragh, alsof het duidelijk was dat er niets te bespreken viel. Ze verspilden hun tijd.

Katrine zat in een van de twee stoelen voor Kraghs bureau en keek naar Torsten, die tegen de deurpost aanleunde en eruit zag als iemand die het te druk had om te gaan zitten en zijn tijd te verdoen met onzindiscussies over voor de hand liggende feiten. Hij moest Nukajev morgen weer ondervragen. Dan zou hij terugkomen met een bekentenis.

Grappig, dacht ze, hoe zo'n woord als 'geurspoor' in de mond van een politieagent gewoon aanvaard werd als een geldige reden om een spoor te vervolgen, terwijl een woord als 'intuïtie', vooral uit haar mond, die van een psycholoog, zou worden opgevat als een echt zweverige basis.

'Maar het is niet bevorderlijk voor de zaak wanneer je midden in het geheel in de rug wordt aangevallen,' voegde hij eraan toe.

'Sorry?' zei Kragh.

'Ja, wanneer je een strategie uitgezet hebt en daarin wordt onderbroken. En ja, sorry hoor, nu spreek ik even gewoon Deens, hè, maar ik geloof niet in die onzin van dat hij "gewoon naar die tuin moet om dezelfde vogeltjes weer te horen zingen"', Torsten wapperde met zijn handen naast zijn oren. 'En dan moet hij zich zeker weer herinneren wat er gebeurd is. Ik bén daadwerkelijk op zo'n cursus in dat cognitieve gedoe geweest en ik vind het allemaal stérk overgewaardeerd!'

Katrine keek afwachtend en een beetje benieuwd naar Per Kragh.

Hoe reageerde haar, misschien ooit, toekomstige chef onder druk? Oude mannetjesbaviaan daagt nieuw, jong vrouwtje uit dat zich op zijn territorium begeeft. En de oudere mannetjesbaviaan is ondergeschikt aan de jongere mannetjesbaviaan. Een evolutionair ondenkbare strijd die niet zou plaatsvinden in de echte wereld. Torsten was waarschijnlijk het type dat vond dat die daarom hier ook niet kon plaatsvinden. Hij was waarschijnlijk al onderzoeksleider bij moordzaken toen Kragh nog een groentje was en aan zijn managementcarrière begon. Het moest wel zoiets zijn dat iemand had gezien dat Torsten geen geschikt leidermateriaal was, dacht Katrine. Zijn type was verschrikkelijk als chef; chaotisch en cholerisch, zelfingenomen en eigengereid.

Kragh keek Katrine zwijgend aan.

'Wat denk jij?'

'Hij zal zich waarschijnlijk meer kunnen herinneren dan hij nu kan, wat natuurlijk altijd een vooruitgang is, als we hem meenemen naar Frederiksberg en daar een verhoor afnemen. Het kan zijn dat je niet in deze methode gelooft,' zei ze rechtstreeks tegen Torsten. 'Maar desalniettemin is het wetenschappelijk bewezen dat ons geheugen op weg geholpen wordt als we dáár zijn waar de dingen gebeurd zijn.' Ze keek van de een naar de ander. 'Even heel simpel. Zijn jullie zelf niet eens teruggegaan naar een plek waar je als kind was en waar je sindsdien niet meer geweest was? En plotseling zijn daar situaties en mensen waar je in dertig jaar niet meer aan hebt gedacht.' Ze keek naar Torsten en kon de verleiding niet weerstaan eraan toe te voegen: 'Dertig of veertig jaar, die weer terugkomen?'

'Natuurlijk,' zei Kragh.

Torsten snoof vanuit de deuropening.

'Het is eigenlijk heel simpel. Er is niets laakbaars aan. Maar ik kan natuurlijk niets garanderen,' voegde ze eraan toe. 'Alcohol in zulke grote hoeveelheden trekt echt een wissel op het geheugen. En met zijn algemene psychische gesteldheid...'

'En hierna wil je hem zeker gaan hypnotiseren?' zei Torsten.

'Torsten!' zei Kragh, en keek bars naar Torsten.

'Dat kan in principe best,' antwoordde Katrine nuchter, vastbesloten om de discussie op een zakelijk niveau te houden, ongeacht zijn provocaties. 'Maar ik geef er de voorkeur aan om eerst te kijken hoe ver we kunnen komen met een gewoon verhoor in Frederiksberg.'

Kragh knikte.

'Oké,' zei hij resoluut. 'Oké, dat gaan we doen. Torsten, je hebt vast nog genoeg te doen. Jij en Jens gaan morgen met hem naar Frederiksberg, Katrine.'

Hij gaf aan dat het overleg voorbij was en Torsten verdween onmiddellijk.

'Het is uiteraard zeer belangrijk dat we Vibeke Winther van tevoren op de hoogte stellen zodat ze dan niet thuis is,' zei Katrine.

'Natuurlijk. Regel jij dat?'

'Ja, dat zal ik doen.' Ze stond op en liep naar de deur. Ze aarzelde een microseconde. Als ze wilde vragen of het in orde was dat ze Winthers pc mee naar huis nam om hem zelf te onderzoeken, was het daar nu het moment voor.

Maar ze liep natuurlijk het risico dat Kragh nee zou zeggen... Er was een grote kans dat ze hem niet van het bureau mocht meenemen. Ze kon die gedachte nauwelijks verdragen. Misschien zou het haar worden vergeven als ze hem zonder te vragen mee zou nemen. Ze had gewoon niet beter geweten, en ze was immers nog helemaal groen binnen de Deense politie?

En daarna mogelijkerwijs ook helemaal klaar binnen de Deense politie, dacht ze met een kleine huivering. Alleen vanavond, ik neem hem morgen weer mee terug.

Ze waagde de gok.

Katrine schopte haar laarzen uit in de kleine hal en sloot de deur af. Ze haastte zich naar binnen, zette zowel haar eigen als Mads Winthers oude pc aan en hoopte vurig dat haar onderneming iets op zou leveren. Pas daarna deed ze haar jas uit en de kachel aan, terwijl de pc's aan het opstarten waren. De radiatoren werkten weer, nadat de elektricien in de ochtend langs was geweest, maar een beetje extra warmte was niet weg.

Het was wat; Thomas Krings zoontje had zijn nieuwe reservecomputer al flink volgestopt met schietspelletjes. Ze kon zich van een andere zaak herinneren dat de it-mensen hadden gezegd dat gegevens in de regel altijd kunnen worden teruggevonden, maar hoeveel tijd dat kostte was sterk afhankelijk van hoeveel keren de harde schijf was geformatteerd.

Ze probeerde op het internet te zoeken naar informatie over het herstellen van een harde schijf, maar ze had eigenlijk geen idee hoe ze dit geval aan moest pakken.

Zo nerdy was ze dan toch weer niet.

Ze meldde zich aan bij een chatprogramma, waar veel van haar voormalige collega's gebruik van maakten, in de hoop Dave te treffen, een psycholoog en tegelijkertijd autodidactisch computerexpert die alle kanten uit kon met een computer.

Geheel tegen de regel in, was hij nu eens niet online. Had hij plotseling een analoog leven ernaast gekregen? Dat moest ze onthouden, om hem een beetje mee te plagen.

Haar telefoon ging. Ian. Haar hart maakte een sprongetje.

'*Hi love*,' zei hij, en klonk blij.

'*How are you?*'

'Ik mis je!'

'Mis jou ook.'

'Wat heb je de afgelopen dagen gedaan?'

Ze vertelde kort over de moord op Mads Winther en het onderzoek.

'Is het de butler? Nee, het is nooit meer de butler...'

'Gekkie! Die hebben we hier niet. Ze hebben wel een au pair, maar die is maar anderhalve meter lang en hij was een grote kerel.'

'Hm.'

Ze kletsten over Ians tours van de afgelopen dagen. Het leven daar kwam al ver en onwerkelijk op Katrine over. Ze spraken af om over een paar dagen weer te bellen.

Katrine maakte snel wat avondeten klaar en hield zowel haar e-mail als het chatvenster in de gaten.

Ze deed de gordijnen in de woonkamer dicht. Ze had er nooit van gehouden als mensen zonder dat ze het wist naar binnen konden kijken. Best stom, aangezien er hier geen sterveling in de buurt was. Ze had nog geen licht in een van de nabijgelegen huizen gezien.

Zoals verwacht was ze ook nog niet bij daglicht thuis geweest, zodat ze de tuin kon zien. In het weekend zou ze tijd hebben om erin rond te lopen.

En een wandeling op het strand te maken. De zee in de ogen te kijken.

Haar telefoon ging weer. Er ging een schok door haar heen. 'Jens Høgh' stond er op het schermpje.

'Hoi Jens,' zei ze, en kon horen dat ze zowel blij als verrast klonk.

'Hoi Katrine.' Hij klonk op zijn beurt wat terneergeslagen.

'Hoe ging het met Simone?'

'Ze had er gewoon zo'n spijt van. Het leek echt alsof ze het allemaal heel erg vond. Maar ik denk niet... Hè verdorie, het is ook zo moeilijk!'

'Je moet in haar geloven. Hoe meer ze je twijfel en wantrouwen nu voelt, hoe erger het allemaal wordt. Dan wordt het een vicieuze cirkel.'

'Ja, het klinkt allemaal zo verdomd juist zoals jij het zegt. En zo eenvoudig.'

'Ik zeg niet dat het eenvoudig is. Ik zeg alleen wat ik denk. Ik weet heel goed dat het helemaal niet zo gemakkelijk is.'

'Ja, dat weet ik best,' zei hij. 'Ik heb nagedacht over wat je zei over Veronique opzoeken. Het zou verdomd goed kunnen dat ik dat gewoon moet doen. Een lening nemen en het doen. Voor Simone.'

'Ik denk niet dat je daar spijt van zult krijgen.'

'Nee. Maar, sorry, ik ratel maar door. Ik wilde alleen maar even horen hoe het vandaag is gegaan.'

'We kregen ineens groen licht om Nukajev te ondervragen. Maar hij heeft een volledig geheugenverlies vanwege zijn alcoholgebruik.'

'Hm. Wie had je mee?'

'Bistrup en die, hoe heet hij, Pitbull?'

Jens lachte.

'Kim Johansen. Dus je hebt mogen meemaken hoe Bistrup helemaal losgaat?'

'Ik had het twijfelachtige genoegen, ja.'

'Die man zou voor een motorbende gegooid moeten worden.'

'Zeker weten. Maar ik heb een blunder begaan!'

'Wat bedoel je?'

Ze vertelde hem kort over haar vergissing wat adat betrof.

'Hm, ja, dat is natuurlijk een beetje ongelukkig. Maar wat nu?'

'Ik heb Kragh zover gekregen dat we hem morgen in Frederiksberg kunnen ondervragen,' zei ze. 'In de hoop dat hij zich beter zal kunnen herinneren wat er is gebeurd. Gelukkig was Nukajev het er mee eens dat ik dit ga doen. Ik denk dat ik hem overtuigd heb van hoe erg ik mijn vergissing vond.'

'Interessant,' zei hij, maar klonk tamelijk sceptisch. 'Maar als hij zo dronken was als een tor, zal hij zich dan überhaupt wel meer kunnen herinneren?'

'Dat is niet zeker. Maar er is een kleine kans dat hij zich toch een paar flitsen kan herinneren. We vergroten in ieder geval onze kansen door hem daar mee naartoe te nemen. Het geheugen is contextafhankelijk, dus door hem daar terug te krijgen, creëren we wat cues.'

'Cues?'

'Ja, een soort sleutels voor de afgesloten kasten, zou je kunnen zeggen. Heb je dat wel eens gehad? Na een feest bijvoorbeeld? Dat je gaten in je geheugen hebt, en dan opeens verschijnen er toch nog een paar flitsen, wanneer de een of ander een verhaal vertelt over die avond?'

'Ja, dat heb ik wel eens meegemaakt. Af en toe, ongeveer twee eeuwen geleden, toen ik nog naar feestjes ging.'

'Maar we hebben dus helaas niet echt iemand die hem de cues kan komen geven. Dus de plaats zelf is het enige wat daar nu voor kan zorgen. Als we geluk hebben, herinnert hij zich iets als hij daar weer is.'

'Die formulering kun je waarschijnlijk beter niet gebruiken in de buurt van Torsten. Dat met geluk.'

'Nee, daar heb je gelijk in. Mijn geloofwaardigheid staat bij voorbaat al helemaal op nul bij hem.'

Jens gaapte.

'Nou, dan is er verder niet veel anders wat we kunnen doen, hè?'

'Nee...' zei ze aarzelend, kijkend naar Mads Winthers computer.

Moest ze hem vertellen wat ze aan het doen was?

'Toch?'

Nee, het was waarschijnlijk het beste dat ze alleen haar eigen baan op het spel zette. Ze kon hem toch echt niet bij haar obscure activiteiten betrekken.

'Laten we er een nachtje over slapen. Dan zien we wel of we morgen iets kunnen doen.'

'Oké, maar eh,' zei hij, en nu was hij degene die klonk alsof hij nog iets wilde gaan zeggen, maar zich bedacht. Hij schraapte zijn keel. 'Ja. Tot morgen dan maar.' Zijn stem klonk opeens een beetje hees. En tegelijkertijd zacht. Alsof die zich uit wilde rekken en haar door de hoorn wilde liefkozen.

'Ja. Tot morgen.' Ze namen afscheid.

Katrine keek naar de telefoon. Ze kon merken wat er gebeurde, en wist niet zo goed wat ze ervan moest denken.

Het chatvenster op haar scherm werd actief. Dave was aangemeld.

'*Catching any scary killers, honey?*' Hij durfde haar geen Darling meer te noemen.

'*Not yet, I'm afraid!*' Ze bracht hem snel op de hoogte van de zaak. 'Ik kan het niet zomaar opgeven, Dave, en ik heb echt het gevoel dat ik het slachtoffer nog niet heb leren kennen. We zijn alleen nog maar een beetje aan de oppervlakte gebleven, en niemand in zijn omgeving is erg mededeelzaam.'

'Dus je wilt graag weten hoe je de harde schijf van zijn pc kunt herstellen die hij zelf heeft leeggehaald en die je mee naar huis hebt genomen?'

'Ja, graag.'

'Omdat je geen gebruik mocht maken van de IT-resources op je nieuwe werk?'

'Ja.'

'Dat klinkt niet echt bevorderlijk voor je carrière, als je het mij vraagt.'

'Maar ik bel ook niet voor loopbaanadvies, Precious,' schreef ze, en voegde er * LOL * – Laughing Out Loud – aan toe. 'Bovendien,' ging ze verder. 'Wat doe je eraan als je het niet kunt laten?'

'Nou, het kan dus zijn dat we je binnenkort weer terug hebben in Engeland,' antwoordde hij droogjes. 'Oké, laten we maar even gaan Skypen, dan zal ik het je uitleggen.' Beiden logden in bij de internettelefoon en vervolgden hun gesprek op die manier.

'Je moet een klein programma downloaden, waar ik je een link voor zal sturen,' zei Dave. 'Het programma laten lopen, neemt ongeveer een dag in beslag. Alle stations moeten worden gescand, en dat is behoorlijk tijdrovend.'

'Een dag?' zei ze. Verdorie! Ze had erop gerekend de computer morgen weer mee terug te kunnen nemen. Maar aan de andere kant, de focus lag op dit moment op een heel ander punt in de zaak. Hij zou niet worden gemist.

Katrine ontving een paar seconden later een mailtje van Dave met een link naar een website waar ze de software vanaf kon halen. Terwijl ze begon te downloaden, vroeg hij nieuwsgierig naar de zaak waar ze mee bezig was en ze vertelde hem er in het kort over.

'Duurt het een paar weken om een DNA-resultaat te krijgen?' vroeg hij gechoqueerd. 'Vertel eens, waar zit je eigenlijk echt? Nog steeds in Egypte of hoe zit dat?'

'Grappig. Heel grappig. En wat ook grappig is, is dat de Deense politie overweegt om CrimeWare aan te kopen.'

'Oké,' zei Dave ernstig. 'Dan is het definitief voorbij tussen jou en Big C.'

'Ik weet het...'

Toen ze de herstelsoftware op haar eigen computer had gedownload, brandde ze deze op een cd, die ze in Mads Winthers laptop deed. Dave leidde haar door de installatie. Kort daarop begon de computer van Mads Winther de gegevens te herstellen die hij ervan had verwijderd. Over een dag zou blijken of het ze iets interessants op zou leveren over de overleden arts.

Katrine lag in bed, sloot haar ogen en zag het allemaal weer voor zich; de eindexamenfeesten, de trotse ouders, de reis hiernaartoe met een paar uit de klas toen de feesten voorbij waren. Lise. En Jon die zo veel meer met hun relatie wilde. Te veel, te snel.

Ze was allang bezig zich van hem te verwijderen. Maar ze had er ook lang over gedaan om het aan de oppervlakte te laten komen, dat de zaken er zo voor stonden.

Voor de omgeving en in hun eigen ogen waren ze al gesetteld. Ze waren tijdens de hele middelbare schooltijd een stel geweest. Een paar. Zo'n paar waar iedereen al allerlei verwachtingen van had. Zij zouden wel bij elkaar blijven. Hun ouders zagen elkaar ook.

Ze waren goede vrienden geworden en aten bij elkaar – zelfs zonder Katrine en Jon.

Een instituut.

Aanvankelijk was het prima geweest. Maar naderhand werd ze er claustrofobisch van.

De laatste druppel kwam op een dag kort voor het laatste examen. Jon begon erover te praten dat hij vond dat ze na de zomervakantie samen moesten gaan wonen.

Ze had het weggewuifd. Zich verontschuldigd door te zeggen dat ze te veel aan haar hoofd had. Maar ze had het op dát moment geweten. Nu was het voorbij.

Hij wilde het hele traditionele plaatje. Zij wilde op avontuur. Dat ging niet samen.

De grote vraag was, wanneer moest ze het zeggen? Ze stonden vlak voor het feest van hun leven. De heerlijke, bedwelmende vrijheid na het lange, verloren voorjaar. Ergens wilde ze dat natuurlijk graag met hem delen. En het was niet dat ze plannen had om van de pas verworven vrijheid gebruik te maken door eens flink te gaan scoren. Dus ze had geen haast. De conclusie was dat ze hun aankomende zomer niet zou verpesten. Ze zou wachten.

Nooit had ze zo'n slecht besluit genomen.

Katrine draaide zich om in bed. Krulde zich op.

Die nacht toen ze hier hadden gefeest, hadden ze bij het vuur gezeten, en hij was blijven praten over hun toekomst. Over hun appartement, en hoe gezellig het zou zijn om iedere morgen samen wakker te worden. En zij had gezwegen.

Hij had haar gepusht. Wat was er mis? Ze had ontwijkend gereageerd, maar hij had het gevoel gekregen dat er iets mis was. Ze waren allebei flink aangeschoten geweest. Zij had zich even teruggetrokken en had er met Lise over gesproken. Lise had haar gelijk gegeven, en gezegd dat ze te jong was om zich te binden. Dat nu de tijd was aangebroken om te gaan leven, reizen, feesten en van hun vrijheid te genieten.

Lise en Katrine waren in een bepaalde stemming gekomen en voelden zich onoverwinnelijk en in een roes.

Daarna had ze weer met Jon gepraat.

En opeens had ze het gezegd. Dat het uit was.

Het had niet op die manier gemoeten. Natuurlijk niet.

Hij verdween – naar het strand. Alleen.

Ze voelde zich verschrikkelijk.

En tegelijkertijd kon ze de opluchting zien dagen aan de horizon. Het leven zou zich weer voor haar openen.

Ze vond het verschrikkelijk voor hem. Maar ze wist dat ze gelijk had. Hij moest niet iemand als zij hebben. Hij moest een meisje vinden dat niet háár honger naar iets anders en meer had. Morgen moesten ze praten.

Ze zou de juiste dingen zeggen. Dat ze vrienden moesten blijven. En altijd deel uit zouden maken van elkaars leven. Dat hij iets heel speciaals voor haar had betekend. Haar eerste lange relatie. Dat zou altijd een speciale betekenis houden. Ze hield nog steeds van hem. Maar het was meer zoals van een vriend.

Maar toen morgen kwam, was het te laat.

'Nou moet u gewoon de tijd nemen,' zei Katrine tegen Aslan Nukajev die zoekend rondkeek in de tuin van Mads Winther. Het was ochtend en de winterlucht hing zwaar en lichtgrijs boven hen. Nukajev keek naar haar en knikte. Ze stonden op de stoep. Jens en de twee agenten die hem begeleidden hielden zich mooi op de achtergrond, zoals Katrine hen had verzocht. Vibeke Winther had het huis ruim van tevoren verlaten.

'Probeert u het voor u te zien. U kwam hiernaartoe afgelopen zondag.'

Nukajev liep heen en weer op de stoep. Stopte en keek de nog rustige villaweg af.

'Ik kan me alleen maar herinneren dat ik hiernaartoe zou gaan. Daarna herinner ik me niets meer,' zei hij moedeloos.

'Het is in orde,' zei ze zacht. 'Probeert u zich te herinneren hoe u hier kwam.'

Hij deed zijn best, maar schudde zijn hoofd.

'Heeft u aangebeld?'

Gelaten handen werden opgeheven en zakten naar beneden langs de benen.

'Ik weet het niet.'

'Waar stond u de andere keren dat u hier was om met hem te praten?'

'Hier,' zei hij, naar het trottoir wijzend. 'Ik belde daar aan en dan liep hij met mij mee hiernaartoe. We stonden even te praten en vervolgens ging hij weer naar binnen.'

Ze liepen de tuin in richting de voordeur, terug naar de plek waar Mads Winther was gevonden.

'Wat wilde u ermee bereiken om met hem te praten? Ik wil het gewoon graag begrijpen,' haastte ze zich eraan toe te voegen.

De Tsjetsjeen keek langs haar heen. Ergens in het niets, zo leek het.

'Ik kon niet begrijpen waarom hij haar niet kon redden. En zolang je het niet begrijpt, voel je je woedend en machteloos. Ik dacht dat het zijn schuld was dat ik haar kwijt was – mijn vrouw, die al zoveel geleden had. En net nu we helemaal opnieuw zouden beginnen... was het definitief voorbij.'

Hij keek naar Katrine en zijn gezicht was als een plattegrond van alle dalen en diepe kloven van menselijke tragedie en verdriet.

'Mijn vrouw werd verkracht door Russische soldaten,' zei Nukajev plotseling met dezelfde wilde blik, waar Katrine de dag ervoor een glimp van had opgevangen.

'Groepsverkrachting. Vele malen.' Zijn gezicht vertrok zich alsof hij op dit ogenblik zelf werd gemarteld en veel pijn leed. 'En zij dwongen mij om in een ruimte te zijn vlak naast de plaats waar ze het deden. Ik heb het haar nooit verteld.' Zijn ogen vulden zich met tranen die over zijn wangen naar beneden begonnen te lopen. 'Ze dwongen mij naar haar te luisteren, ook al smeekte ik hen om mij neer te schieten in plaats daarvan, ons beiden neer te schieten in plaats van de hel, waar ze ons doorheen haalden. Als ze had geweten dat ik het wist... Ze zou van schaamte gestorven zijn.' Hij keek naar Katrine alsof hij zich afvroeg of hij haar de rest moest vertellen. 'Ik heb het haar hier ook nooit verteld,' zei hij langzaam. 'Maar ze boden aan dat ze gespaard zou worden, als ik een deal met hen maakte.'

Al het lijden, dat hij nu met Katrine deelde, deed haar verschrikkelijk veel. Ze liet toe dat het gebeurde en voelde in kleine weerzinwekkende glimpen hoe het moest zijn om gevangen, overgeleverd, en misbruikt te zijn.

'Ik moest mijn eigen landgenoten martelen.'

De tranen biggelden over haar wangen.

Zo stonden zij tegenover elkaar. Het kon haar niet schelen wat de politieagenten ervan zouden denken. Dit was geen verhoor, nu. Dit was iets anders, iets groters. Misschien was het niet professioneel, maar dat kon haar niets schelen. Ze moest erin meegaan en hem begrijpen.

'Maar ik kon het niet.'

Aslan deed beide handen voor zijn gezicht en haalde oppervlakkig en stokkerig adem. Hij verwijderde ze weer abrupt, en vertelde verder. 'Mijn vrouw had altijd pijn, na wat zij met haar deden. Altijd. Zowel in haar lichaam', hij hield beide handen voor zijn buik, 'als in haar ziel.'

'Ik vind het zo verschrikkelijk,' zei Katrine vertwijfeld.

'Ze had altijd pijn,' herhaalde hij, en leek er nu erg op gebrand om Katrine alles te vertellen. 'Ze haatte het ziekenhuis. Het deed haar denken aan toen we gevangen werden gezet,' zei hij en schudde zijn hoofd.

De zwangerschap en de wachttijd die ermee gepaard ging, moesten herinneringen hebben opgeroepen aan de onzekerheid en de lange tijd dat ze in afwachting zaten tijdens de gevangenschap en marteling, dacht Katrine.

'Ze kon het niet verdragen te worden onderzocht. Ik moest haar er iedere keer weer van overtuigen dat het noodzakelijk was om erheen te gaan. Voor ons kind. Wij dachten dat haar pijn iets was wat erbij hoorde. En daarom heb ik de verloskundige er niet bij geroepen toen Taisa pijn had na de bevalling.' Nukajevs gezicht vertrok helemaal.

'Het was mijn schuld. Ik had de verloskundige erbij moeten roepen. Maar ik deed niets. Ik dacht dat ik haar spaarde. In plaats daarvan heb ik haar vermoord. Hoe kon ik daar mee leven? Ik moest wel denken dat het zíjn schuld was. Hij was het die haar leven in zijn handen had. En hij redde haar niet. Kunt u dat begrijpen?' zei hij wanhopig en een beroep doend op Katrine. 'Hij deed niets verkeerd. Ik was degene die niet op mijn vrouw kon passen. Zoals ik ook niet op haar kon passen in de gevangenis... Maar ik heb er sindsdien niet meer aan kunnen denken. Het was te pijnlijk, dus is het weggeweest uit mijn hoofd.'

Ze knikte zachtjes. 'Ik begrijp het.'

Ze stonden een tijdlang zwijgend op het trottoir.

Katrine vond dat zijn verklaring vreselijk zinnig klonk.

Dit ging niet over culturele codes en wetten van wraak en vergeving.

Het was veel meer iets algemeen menselijks. Nukajev had zijn schuldgevoel op Mads Winther geprojecteerd om zichzelf te beschermen tegen de gedachte dat hij het leven van zijn vrouw had kunnen redden door hulp in te roepen.

En nu was hij erin geslaagd deze projectie om te keren.

Maar ze wisten nog steeds niet wat zich hier afgelopen zondagavond tussen de twee mannen had afgespeeld.

Aslan Nukajev keek de tuin in naar de plek waar Mads Winther was gevonden. Katrine volgde zijn blik.

Zouden ze het ooit te weten komen?

Ze reden in stilte terug naar het Bispebjergziekenhuis.

Katrine en Jens gingen met Aslan mee naar binnen. Een verpleegster stond klaar om hem naar de huiskamer te brengen.

Aslan keek Katrine met een ondoorgrondelijke uitdrukking aan.

'Ik zal nooit in staat zijn om voor mijn zoon te zorgen,' zei hij bedroefd. 'En ik denk niet dat ik daarmee kan leven.'

Hij draaide zich om en liep weg, samen met de verpleegkundige, voordat Katrine kon reageren.

'Hij herinnerde zich niets,' zei Katrine. 'Het is echt geheugenverlies. Niet iets wat hij zomaar zegt.'

Per Kragh keek Katrine aandachtig aan.

'Denk je dat hij de waarheid spreekt?'

'Daar ben ik sterk van overtuigd,' antwoordde ze. 'Ik denk dat het klopt dat hij zich niet kan herinneren wat er gebeurd is. Maar dat wil niet zeggen dat ik hem vrijspreek.'

'Nu vind ik eerlijk gezegd dat dit te ver gaat,' zei Torsten. Katrine kon zien dat hij probeerde zich te beheersen.

'Die man is zo schuldig als het maar kan,' ging Torsten verder. 'Het is verschrikkelijk dat hij gemarteld is – mijn diepste medeleven,' hij boog zijn hoofd. 'Maar hij heeft het motief, heeft toegegeven dat hij zondagavond naar de plaats delict is gegaan. Hij had bloed aan zijn handen, en wanneer de DNA-uitslag komt, zal dat hoogstwaarschijnlijk het bloed van het slachtoffer blijken te zijn.'

Per Kragh keek peinzend naar Torsten.

'Torsten heeft gelijk,' zei hij ten slotte. 'Er zijn heel sterke aanwijzingen.'

'Oké,' zei Katrine. 'Ik begrijp het best en ik ben het met jullie eens. Maar laten we nu voor twee seconden toch eventjes aannemen dat hij het niet was. Dan zijn we nu kostbare tijd aan het verspillen terwijl de echte dader de mogelijkheid heeft zijn sporen nog verder uit te wissen.'

'Dus, wat stel je dan voor, Katrine?' vroeg Per.

'Ik stel voor dat Jens en ik parallel lopend aan het onderzoek, alternatieve theorieën blijven nagaan.'

Per Kragh dacht even na.

'Goed,' zei hij. 'Daar mogen jullie dan de rest van de dag aan besteden. Maar als er in de loop van de dag geen doorbraak of nieuwe openingen komen, kan ik het niet meer verdedigen.'

Katrine en Jens knikten instemmend. Ze stonden op om te gaan.

'Bovendien,' zei Per. 'Maandag is de eerste planningsvergadering voor de Task Force. We gaan versneld van start. Er zijn veel rapporten, die jullie vóór die tijd gelezen moeten hebben. Dus bereid jezelf er maar op voor om daar morgen de hele dag aan te spenderen.'

Ze knikten beteuterd over dit weinig opmonterende bericht en verdwenen snel naar hun kantoor.

'Verdomme nog aan toe!' riep Katrine hardop uit, toen ze weer in hun kantoor waren.

Jens sloot discreet de deuren van de twee kantoren, waar ze tussenin zaten.

'Oké,' zei hij. 'Nu moeten we gewoon verrekte effectief zijn. We hebben alleen vandaag nog en ik ben ook bereid om alles in het werk te zetten om te zien of er iets in zit!'

Ze keken elkaar aan. Katrine voelde de adrenaline haar lichaam in pompen, alsof ze extra doses intraveneus toegediend had gekregen.

'Wat hebben we?' zei ze en gaf hier zelf gelijk antwoord op. 'We hebben het overspelspoor als beste gok.' Jens knikte instemmend. 'Het is absoluut noodzakelijk dat we uitzoeken met wie hij zondagavond in vredesnaam was.'

'We kunnen weer naar het Rijks gaan?' suggereerde Jens.

'Het is gewoon zo... Het is te toevallig. Het is niet zeker dat het diegene die dienst heeft... We moeten met iemand spreken van wie we weten dat ze een goede verstandhouding met hem had en diegene uithoren.' Een gedachte kwam in Katrines hoofd op. Een inval, die ze zich een paar dagen geleden in haar wildste fantasie niet had kunnen voorstellen.

Ze keek naar Jens.

'Ik kan met Lise gaan praten.'

Hij fronste zijn wenkbrauwen.

'Maar je zei zelf dat het te dichtbij kwam...? Is het niet beter als ik dat doe, en het dan een gewoon formeel verhoor is?'

Ze schudde haar hoofd categorisch.

'Ze heeft niets gezegd, de twee keer dat jij het haar gevraagd hebt,' zei Katrine. 'Er zijn dus drie opties, zoals ik het zie. Of ze weet het gewoon niet. Of ze heeft besloten om de betreffende persoon te dekken.'

'Of?'

'Of ze is het zelf.'

Haar handpalmen waren klam, en haar hart hamerde, terwijl haar vingers Lises nummer in de telefoon vonden.

'Lise Barfoed.'

'Hallo Lise, met Katrine.' Het lukte haar om een vrij luchtige toon op te zetten.

'Goh, hóói Katrine,' riep Lise blij uit.

'Ben je aan het werk?'

'Nee, ik heb straks nachtdienst – kreun! Dus ik heb net wat geslapen.'

'Oké, maar eh, ik ben op weg naar huis om wat verslagen door te lezen, en toen vroeg ik me af of ik niet even langs zou kunnen komen?'

'Dat zou ik héél gezellig vinden. Hartstikke leuk, kom maar. Ik wilde net koffie gaan zetten. Wanneer kun je hier zijn?'

'Nou', ze keek naar de klok en naar Jens, die het gesprek vanaf de zijlijn volgde, 'als ik over vijf minuten wegrijd, zou ik er over een halfuurtje kunnen zijn? Het is toch in Birkerød?'

'Dat klopt. Geweldig – tot zo!'

Katrine hing op.

'Ze was erg blij.'

'Dat klinkt goed. Heb je een strategie?'

Katrine knikte. 'De vriendin. De oude vriendin, die terugkeert en zich wil verzoenen. Misschien komt de oude vertrouwelijkheid terug?'

'Vind je het niet erg?' vroeg hij bezorgd.

'Ik heb geen idee hoe onze relatie zich op de lange termijn zal ontwikkelen,' zei ze. 'Maar ik moet in elk geval toch met haar gepraat hebben. Het is niet helemaal netjes, maar ik denk dat het op dit moment onze beste kans is...'

'Oké, je belt me zodra je daar weer weggaat, hè?'

'Ja. Wat ga jij ondertussen doen?'

'Ik denk dat ik me ga richten op Vibeke Winther. Ik weet nog niet precies hoe, maar we moeten alles over haar en haar relatie tot messen uitzoeken.'

'Daar heb ik ook aan gedacht,' zei Katrine. 'We hebben het er op een later tijdstip nog wel over.'

'Jep!'

'Je hebt geen idee hoe blij ik ben dat je belde!'

Ze stonden een beetje onwennig tegenover elkaar, totdat Lise haar armen uitstak en Katrine omhelsde.

'Ik had voor mezelf bedacht dat het wel even kon. Ik ga vanaf morgen toch niet meer verder aan de zaak werken.'

'O?' zei Lise. 'Daar moet je me meer over vertellen. Hier, je kunt je jas hier ophangen. Ik heb net een espresso gezet. Wil je een latte of macchiato?' vroeg Lise, terwijl Katrine haar door de duidelijk pas gerenoveerde villa naar een grote moderne keuken volgde.

'Latte, graag.' Wat zou haar man doen? dacht Katrine. Dit krijg je vast niet voor een verloskundigensalaris...

Lise haalde een paar melkpakken uit de koelkast en hield ze omhoog.

'Skinny of medium?'

'Met volle melk graag,' zei Katrine, lachend. 'Anders smaakt het nergens naar.'

'Echt wat voor jou, zo'n antwoord,' zei Lise, en wierp een snelle blik langs haar lichaam. 'En het is je nog steeds niet aan te zien... Het is niet eerlijk!'

'Nou, ik doe er ook wel wat voor.'

'Daar heb ik helemaal geen tijd voor,' zei Lise en goot de melk in een roestvrijstalen kannetje en zette de machine aan. 'Dus ik hou het gewoon bij een matige anorexia,' lachte ze. 'Nee, onzin, maar je kunt goed merken dat je stofwisseling verandert met de leeftijd, hè? En dan een paar bevallingen, oef... Goed, maar dan neem ik ook een medium, ter ere van vandaag.'

Ze maakte routineus twee perfecte café lattes klaar en gaf een ervan aan Katrine.

'Toe maar,' zei Katrine. 'Héél professioneel.'

'Ik heb na de middelbare school vijf jaar in een café gewerkt, voordat ik aan mijn opleiding tot verloskundige begon.'

'Goh? Nou, maar dan snap ik het beter,' zei Katrine, kijkend naar het patroon in de melk, prachtige bogen in de vorm van een blad.

'Hoe lang wonen jullie hier al?' vroeg Katrine.

'Dat zal algauw vier jaar zijn. De tijd vliegt! Maar vertel eens. Hoe is het om weer in Denemarken te zijn?'

'Vreselijk koud!' Ze lachten en gingen op twee barkrukken aan een kant van een groot kookeiland zitten, dat midden in de ruimte stond en aan die kant was verhoogd tot een bar.

Katrine vertelde kort over Ian en Sharm en wat over Engeland. Het voelde weer een beetje als toen. Lises energie voelde hetzelfde. Katrine herinnerde zich de dynamiek tussen hen op de middelbare school. Ze waren als twee magneten; elkaars tegenpolen, maar ook sterk tot elkaar aangetrokken.

'Waarom ben je in vredesnaam teruggekomen uit Egypte?' vroeg Lise verbaasd.

'Ik zag in dat het uiteindelijk niet zou werken. Ik zou me na een paar maanden gaan vervelen, mijn vak en de uitdagingen gaan missen. En toen kreeg ik dit aanbod. Ik moest het gewoon proberen.'

'Het is vast ook behoorlijk spannend, moordenaars en verkrachters helpen vangen! Heb je wel eens seriemoordenaars gepakt?' vroeg ze griezelend en vrolijk tegelijk.

'Een enkeling, ja.' Ze sloeg haar ogen neer. 'In Engeland.'

'Je bent zo cool. Ik wist wel dat je iets heel bijzonders zou gaan doen!'

Katrine keek haar aan en nam een aanloopje.

'Sorry,' zei ze zacht. 'Dat ik gewoon verdween.'

Lise zweeg. Katrine ging verder.

'Ik was... Ik moest gewoon weg.'

Ze kon Lises droevige uitdrukking nauwelijks verdragen. Wat was ze toch voor een vriendin geweest, dat ze er gewoon zonder een woord vandoor was gegaan? Haar geweten voelde zwarter aan dan ooit. En haar actie was net zo erg geweest als wanneer ze Lise direct had verweten dat ze haar had aangemoedigd om met Jon te breken. Lise moet zich verschrikkelijk schuldig hebben gevoeld en het ook heel moeilijk hebben gehad met het feit dat Katrine met haar brak.

Maar na Jons dood was er slechts een gedachte in haar hoofd geweest: vluchten. Maken dat ze hier wegkwam.

'Het is goed. Ik ben blij dat we het uit kunnen praten. Het is altijd een soort knoop vanbinnen gebleven.'

'Het spijt me gewoon zo erg. Ik weet niet...'

'Sssj, rustig maar. Je moet het toch ook niet overdrijven?' Ze keken elkaar aan.

De triestheid trok zachtjes aan weg. Het kwam Katrine nu zo onwerkelijk en vreemd voor dat ze toentertijd zo'n grote drang had gehad om Lise van zich weg te duwen. Ze hadden in plaats daarvan elkaar in de moeilijke tijd die volgde kunnen helpen. Lise zou haar eraan hebben kunnen herinneren alles niet zo verschrikkelijk zwaar en vol zelfverwijt op te nemen. En ze had toch alleen maar Katrines eigen bestwil voor ogen toen ze haar erin had gesteund om met Jon te breken. Het was het enige juiste geweest. En er was maar een iemand die ze de slechte timing kon verwijten: zichzelf.

Verdorie, wat was het in plaats daarvan zelfs nog ingewikkelder geworden.

Op hetzelfde moment werd ze gegrepen door een andere reden voor een slecht geweten, de reden dat ze überhaupt op bezoek was gekomen.

'Dus, wat ga je nu doen? Ik bedoel met betrekking tot Mads en zo?' vroeg Lise en deed Katrines gedachten een nieuwe richting in schieten.

'Ik hoef eigenlijk niet zo veel meer te doen,' zei ze, naar haar beker kijkend.

'Een beetje papierwerk en dan begin ik volgende week echt met mijn werk voor de Task Force tegen bendecriminaliteit.'

'De zoon van een van mijn collega's is ook een van degenen die is neergeschoten,' zei Lise.

'Goh,' riep Katrine uit, verbaasd dat de bendeoorlog ineens zo dichtbij kwam.

'Vreselijk,' Lise schudde haar hoofd.

'Ja... Wat erg.'

Ze zwegen even.

'Hoe dan ook, Aslan Nukajev wordt beschuldigd van de moord, hè?' vroeg Lise.

'Dat wordt hij vermoedelijk wel, ja.'

'Vermoedelijk?'

'Het ziet er wel naar uit.'

'Dus hij heeft niet bekend?'

'Hij heeft niet bekend, nee.'

'Maar hij is in voorlopige hechtenis genomen?'

'Ja, dat klopt. In inobservatiestelling, op een psychiatrische afdeling.'

'Goh!' Lise leek even ongerust als verwonderd. 'Ja, het zou wel fijn zijn om te weten of hij plotseling weer op de stoep kan staan.'

'Ja, je moet op de hoogte worden gehouden. Ik moet toegeven dat ik niet helemaal bekend ben met de procedures hieromtrent...'

'Maar ik mag toch aannemen dat ik wel bericht krijg, hè?'

'Dat zul je zeker krijgen,' zei Katrine stellig. 'En ik kan me niet anders voorstellen dan dat je bescherming aangeboden krijgt als het zover zou komen. Hij heeft jou toch ook opgezocht.'

'Ja, dat kun je wel zeggen. Hij stond hier voor de deur.' Ze wees naar de weg voor het huis. 'Wat heeft hij verdomme toch, mensen zomaar thuis opzoeken. Dat is echt creepy!'

'Dat gaat wel heel ver, ja. Daar moet ik je gelijk in geven.'

'Maar hoe denk jij hier nou over?'

Katrine aarzelde. Wat kon ze in vredesnaam zeggen?

Ze dacht aan het gesprek met Nukajev dat ze nog niet van zich af had kunnen zetten. Zijn verhaal. Het verhaal van zijn vrouw. Misschien zou het geruststellend werken op Lise, als ze haar dat deel ervan vertelde? Maar Katrine had zwijgplicht. Dat ging dus niet.

'Je doet wel een beetje geheimzinnig,' zei Lise. 'Maar dat geeft niet, je hebt ook je zwijgplicht en dat soort dingen. Daar weet ik alles van. Ik hoop alleen zo dat ze genoeg hebben om hem vast te houden.'

'Ik heb zelf met hem gepraat vandaag,' zei Katrine. 'En ik ben ervan overtuigd dat je, ongeacht wat er gebeurt, je geen zorgen meer hoeft te maken over Aslan. Ik hoop dat dat je enigszins gerust kan stellen.'

'Ja,' zei Lise, en keek Katrine onderzoekend aan. 'Oké. Dat neem ik dan natuurlijk van je aan.' Ze zat even te denken. 'Dus, waar richt je je eigenlijk op bij zo'n zaak?'

'Er zijn veel dingen,' zei Katrine. 'En vele niveaus. Nu ga ik bijvoorbeeld naar huis om Mads Winthers computer eens te bekijken.'

'O? Ik dacht dat je psycholoog was? En geen IT-nerd,' zei Lise, en nam een slok koffie. Er bleef wat schuim achter op haar bovenlip dat ze weglikte met het puntje van haar tong.

'Zo'n ding kan aardig wat over de eigenaar vertellen. E-mails, foto's, documenten, internetgeschiedenis...'

Was het gezichtsbedrog, of werd Lise een beetje bleek? Katrine keek naar haar. Lise keek naar beneden en roerde flink met een lange koffielepel in haar koffie.

Ze keek op.

Katrine keek haar onderzoekend aan.

'Hoe was jouw relatie met hem eigenlijk?'

Lise glimlachte breed en leunde vertrouwelijk naar Katrine toe.

'Ik vond het écht een heel lekker ding. Net als alle anderen overigens.' Lise had even die oude flirterige blik in haar ogen, voordat ze weer ernstig werd en verderging. 'En een heel goede collega. En ik ben érg blij met Jakob, de vader van mijn kinderen,' zei ze met een lange veelzeggende blik naar Katrine en knikte in de richting van een zwart-wit foto op posterformaat die esthetisch in het midden van een grote witte wand hing. Twee giechelende meisjes keken de ruimte in.

Katrine knikte en glimlachte.

'Je dochters?'

'Ja, dat zijn mijn twee prinsesjes.'

'Jee, wat lijken ze op je!'

'Ja, dat valt niet te ontkennen.'

'Lijken ze ook zo veel op hun vader?' vroeg Katrine.

'Eigenlijk wel, ja,' zei Lise, en glimlachte.

'Wat doet Jakob?'

'Hij is salesmanager,' zei Lise trots. 'Bij een groot softwarebedrijf.'

'Hoe lang kennen jullie elkaar?'

'O, laat eens zien... vanaf dat ik in het café werkte. Hij kwam op een dag binnen en nodigde me uit om bij hem thuis zijn nieuwste kruiden uit te testen.' Lise gooide haar hoofd naar achteren en lachte. 'En dat klonk erg grappig.'

'Kruiden?' herhaalde Katrine.

'Ja, hij kweekte thuis op zijn vensterbank hennep. Hij was toen een beetje een hippie. Hij studeerde biologie en wilde het regenwoud redden. Maar dan zie je weer wat er met mensen kan gebeuren, hè?' Lise keek veelzeggend om zich heen.

'Wat is er verder van biologie gekomen?'

'Hij kreeg een verkeersongeluk. Hij werd op de fiets aangereden en raakte gewond aan zijn hoofd. Daarna kon hij zich niet meer concentreren en kreeg hij hoofdpijn als hij veel las. Dus hij moest zijn studie laten vallen. Maar toen begon hij aan zijn tweede carrière. Hij is helemaal onderaan begonnen, als telefonisch verkoper, en daar bleek hij heel goed in te zijn. En toen ging het gewoon... aan een stuk door met promoties en bijscholing. En nu zitten we hier!'

'Het moet een grote opluchting zijn geweest dat hij er weer bovenop kwam,' zei Katrine begripvol.

'Ja, verdorie.'

Katrine leunde iets naar Lise toe.

'Vertel eens, hoe was Mads eigenlijk als persoon? Iedereen zegt dat hij zo verschrikkelijk aardig en vriendelijk was, maar hij moet toch ook zijn minder positieve kanten hebben gehad? Die hebben we toch allemaal,' voegde ze eraan toe.

'Tja,' zegt Lise. 'Ik vind het wel een beetje lastig om te zeggen. Zo goed kende ik hem ook weer niet. Ik vind het gewoon leuk om andere mensen te bestuderen, je weet wel, ze proberen uit te vogelen.'

Lise veranderde plotseling van uitdrukking. Ze keek verdrietig. 'Sorry,' zei ze en schudde haar hoofd. 'Het komt een beetje dichtbij allemaal... Zo af en toe vergeet ik gewoon helemaal dat hij dood is. Het is ook zo onwerkelijk. Alsof hij gewoon zo de dienstruimte weer in kan komen lopen. Dat het allemaal gewoon een nare droom is geweest.'

'Laat maar,' haastte Katrine zich te zeggen. 'Sorry, als ik aangedrongen heb.'

'Nee, wacht, het is goed, ik moet alleen even...' Lise dacht even na. 'Je kan zonder te overdrijven zeggen dat hij ook wel een beetje een egoïstisch type was,' zei ze uiteindelijk.

'Vertel daar eens iets meer over?'

'Nou, hij was er goed in het te camoufleren, maar hij was eigenlijk heel ijdel en lichtgeraakt. En hij was heel star, ook in discussies op vakgebied. Maar omdat hij zo vreselijk charmant was, was het wat makkelijker te verteren. Je kent het type zeker wel? Ze kunnen wegkomen met dingen waar anderen alleen maar over kunnen fantaseren.'

'Ja, ik ken het type,' zei Katrine en er verschenen verschillende beelden op haar netvlies. Onder andere van haar voormalige baas. De charmante psychopaat? dacht ze, en zag de zeer aantrekkelijke Mads Winther voor zich; flirtend, manipulatief, misschien? 'We hebben rondgevraagd of er iemand wist dat hij een affaire had, omdat we graag met diegene wilden praten,' zei ze en bestudeerde tegelijkertijd Lises gezichtsuitdrukking nauwlettend.

'Ja,' zei Lise afgemeten. 'Ik heb daar wel over gehoord. Het was iets met dat jullie wisten dat hij diezelfde dag met een vrouw samen was geweest? En het was niet zijn eigen vrouw?'

'Ja, en we dachten dat het goed zou kunnen dat deze vrouw iets had gezien wat voor ons van belang kon zijn.'

'Ja, je weet maar nooit...'

'Heb je een idee wie het kan zijn?'

'Ik? Nee, geen idee. Dat heb ik ook tegen Jens gezegd, zowel maandag als gisteren. Maar ik heb een gerucht gehoord dat hij ook een affaire had met iemand van het Hvidovre?'

'Ja, hij had eerder een relatie met iemand van het Hvidovre. Maar die was voorbij. We hebben met haar gesproken.'

'Goh? Ja, je weet het toch niet. Ze zal dat nu wel beweren!'

Ook, dacht Katrine op hetzelfde moment en merkte hoe dit hele kleine woordje *ook* in de vorige zin nu een huivering opriep die door haar wervelkolom ging, vanaf haar hoofd tot haar stuitje.

Lise had gezegd: 'Maar ik heb een gerucht gehoord dat hij *ook* een affaire had met iemand van het Hvidovre...'

In dat kleine woordje *ook* lag de kennis verborgen dat het niet de vrouw van het Hvidovre was, met wie hij zondag was. Hoe kon Lise dat weten? En er had een zweem van agressie in haar stem gelegen toen ze dit zei. Jaloezie?

Katrine keek naar Lise, en kon aan haar gezicht zien dat ze er ongemakkelijk uit moest zien.

'Is er iets?' vroeg Lise.

Jens was eigenlijk helemaal leeg in zijn hoofd en leeg qua ideeën.

Waar moest hij beginnen? Hij begon met naar de keuken te lopen voor een kopje koffie. Toen ging hij zitten om een aantal van de processen verbaal door te lezen die hij de afgelopen dagen had geschreven naar aanleiding van de verhoren van Vibeke Winther.

Hij dacht aan Katrine. Haar tegenzin om met Lise Barfoed te spreken was enorm geweest. Hij vond het wel een offer dat ze bracht door erheen te gaan om met haar te praten. Hij zou best graag willen weten hoe het hele verhaal van de zelfmoord en haar vriendin in elkaar stak. Misschien zou hij het op een dag te horen krijgen?

Hij ging een beetje zitten googelen. Mes + angst. Mes + ocd. Postnatale depressie. Hij werd er akelig van om te lezen hoe beroerd deze vrouwen zich voelden.

Hoe zou Veronique zich gevoeld hebben toen Simone klein was? zat hij zich af te vragen. Hij dacht aan de foto's van Simone in het album dat ze mee naar Denemarken hadden genomen. Zo heel klein en mooi. En mollig. Er waren foto's van moeder en dochter, waar Veronique zo blij en trots op stond. Het troostte hem om daaraan te denken. Maar hij zou zelf nooit meer die tijd kunnen meemaken. Het was te laat en hij had het haar waarschijnlijk nog steeds niet helemaal vergeven, kon hij wel merken.

Moest hij daar nou echt heen gaan? Naar China? Terwijl zíj bij hén weggegaan was?

Nou, terug naar de zaak, Høgh, dacht hij.

Hij zag Vibeke Winther voor zich. De ongelooflijk beheerste en koele vrouw. Een beetje een menselijke ijspegel.

Waar werkte ze nou ook alweer? Bij een groot farmaceutisch bedrijf, Medico-en-nog-wat... hij googlede haar naam en vond die al snel op de website van het bedrijf. MedicoZym! Dat was het! Hij las doelloos de informatie over haar door: opleiding, vakgebieden bla, bla, bla... contactinformatie.

Mail, telefoonnummers, direct, mobiel. Dat mobiele nummer...

Sønderstrøm plaagde hem vaak met zijn licht autistische vermogen om nummers te onthouden. Maar het klopte wel. Als hij een telefoonnummer een keer had gezien, kon hij het zich meestal zelfs lang nadat hij het gebruikt had nog herinneren.

Jens pakte het lijstje met nummers van de familie Winther waar ze de afschriften van hadden gekregen erbij, en vergeleek ze. Het nummer op de website stond er niet bij.

Dus dit moest een zakelijke telefoon zijn, en Vibeke Winther had dus twee telefoons!

Shit!

Hij controleerde het nogmaals. Ze hadden geen uitdraai van dat nummer. Hij greep zijn telefoon en bestelde een spoedafschrift voor dit nummer bij het telefoonbedrijf.

Onderwijl wachtte hij het met spanning af terwijl hij meer zoekstrategieën probeerde te verzinnen.

Waar kon hij verder nog naar zoeken? Er gebeurde niet zoveel. Er doken geen briljante ideeën op in zijn zuurstofarme hersenen. Maar daarentegen kon hij merken dat hij er bijzonder op was gebrand hier antwoord op te krijgen!

Tien minuten later klonk eindelijk het geluid van een nieuwe e-mail in zijn inbox.

Hij opende snel het attachment en liet zijn ogen langs de nummers gaan... er stond een mobiel nummer tussen met oproepen en sms-berichten tot – hij stopte even, fronste zijn wenkbrauwen en telde uit de losse pols – tot vijftig keer per dag... Het was niet het nummer van Mads Winther, kon hij snel vaststellen. En het was niet alleen van de afgelopen dagen. Er was dagelijks sms- en telefooncontact geweest in de drie voorgaande maanden, bleek uit de lijst. Hij keek snel de lijst van sms'jes door. Vibeke Winther en Thomas Kring waren klaarblijkelijk erg nauw in contact met elkaar.

Hij zocht het nummer op op internet.

Het behoorde toe aan Thomas Kring.

Jens belde Katrine, maar ze nam niet op.

'Met Katrine Wraa, ik ben op dit moment niet bereikbaar, laat uw naam en nummer achter, dan bel ik terug.'

'Met Jens,' zei hij. 'Bel me als je klaar bent met Barfoed. Ik heb nieuws over Vibeke Winther en Thomas Kring.'

'Nee,' zei Katrine rustig tegen Lise en glimlachte. 'Er is niets. Ik dacht er alleen aan hoe je toch met een dergelijke leugen tegenover degenen die je lief zijn kunt leven. En die van jou houden... Een dergelijk soort bedrog moet een enorme last zijn.'

'Ja, het is moeilijk te begrijpen, hè?' zei Lise verwonderd. 'Hoe kunnen ze met zichzelf leven? Goed. Ik moet even naar het kleine kamertje. Momentje.'

Katrine dacht koortsachtig na... Moest ze haar ermee con-

fronteren, op de vrouw af vragen of zij degene was die zondagavond bij Mads Winther was?

Omgekeerd had ze door dat kleine woordje al antwoord gekregen op datgene waar ze voor gekomen was.

En ze was er opeens niet zeker van of Lise haar wel in vertrouwen zou nemen... Als zij het was, konden ze dat nu in ieder geval met één DNA-test vaststellen zonder dat er in het hele Rijks
lukraak met hagel moest worden geschoten. Waarvan ze ten
zeerste betwijfelde dat ze daarin mee zouden gaan.

Dit was echt de perfecte oplossing. Ze had vermoedelijk het
antwoord gekregen. Missie voltooid.

Er stond al zoveel narigheid tussen hen in. En het was toch
niet aan haar om nu een verhoor af te nemen.

Ze nam een besluit. Misschien dat het verkeerd was, dacht ze,
maar ze nam het toch. En ze zou het er met Jens en Kragh over
hebben, zodra ze thuiskwam.

Lise kwam weer terug. Katrine besloot om niet al te abrupt te
vertrekken. Ze zou het een kwartier over koetjes en kalfjes hebben en dan naar huis gaan.

'Je ontmoet zeker heel veel verschillende soorten mensen in
dit werk? Ik denk aan wat je zei over het bestuderen van types
mensen?' vroeg Katrine.

'O, ja.' De mooi gebogen wenkbrauwen schoten omhoog. 'Er
zijn allerlei types.'

'De pijngrens van mensen is zeker ook heel individueel?'

'Ongelooflijk individueel! Er zijn mensen die zo'n lage pijn-
drempel hebben, dat je zin hebt om ze meteen wanneer ze de
deur binnenlopen onder volledige narcose te brengen. Je kunt
gewoon zien dat het daar toch wel naartoe gaat; ruggenprik, in-
fuus, hoofdje, en dan draait het uit op een acute keizersnede,
vanwege een schouderdystocie!'

'Hoe kwam je er eigenlijk toe om verloskundige te worden?'
ging Katrine verder en nam een slok van haar koffie.

'Nou, dat is eigenlijk een wonderlijk verhaal,' zei Lise. 'Ik ben thuis bevallen van Tilde. Volledig ongepland en met Jakob in wilde paniek om mij heen rennend. Ik nam het eigenlijk behoorlijk cool op, en dacht toen waarschijnlijk dat ik daar wel een talent voor had. En ik kon mezelf best in die rol zien. Hoewel ik dus zelf geen verloskundige had meegemaakt. Ik weet het niet... het was niet dat het zo'n grote en vurige wens was die ik al jaren had, zoals veel anderen tijdens de studie, die het tot een deugd verhieven dat ze in het water waren bevallen of hangend in een palmboom.'

Katrine kon het niet helpen dat ze moest lachen.

Lise glimlachte en ging verder. 'Dus het was niet echt doordacht. Het leek alleen heel "juist" op de een of andere manier.' Het laatste zei ze met een stem vol van ironie, terwijl ze met haar vingers aanhalingstekens in de lucht vormde.

'En was het dat?'

'Tot nu toe, ja. Maar ik weet niet hoe het over twintig jaar nog voelt om dag in, dag uit kinderen te staan vangen. Maar mensen zijn altijd zo ongelooflijk blij en dankbaar. Je hulp wordt echt gewaardeerd. Ik heb ook wel overwogen om hoofd te worden.'

'Maar de tweede keer dat je beviel had je er hopelijk wel een verloskundige bij?'

Lise glimlachte.

'Eigenlijk niet. Het was zelfs nog kariger.'

'Hoe bedoel je?'

'Ik was alleen.'

'Je bent helemaal alleen bevallen?' vroeg Katrine ongelovig. 'Je bedoelt, in het ziekenhuis?'

Lise schudde haar hoofd.

'Hier. In de slaapkamer.' Ze wees naar het einde van een gang. 'Het ging gewoon zo snel. Ik kon niets meer doen. En Jakob kon het ook niet meer halen.'

'Niet te geloven. Dat moet heel beangstigend zijn geweest!'

'Nee hoor,' zei Lise, en zag er bewonderenswaardig kalm uit. 'Het was eigenlijk heel mooi, op de een of andere manier.'

'Als een oervrouw die de bush in gaat om daar alleen van haar kind te bevallen?'

'Zoiets,' lachte Lise. 'Nee, dat mag je niet zeggen – je laat het verdorie nog erger klinken dan die types waar ik het over had.'

'Oeps!'

Katrine voelde haar telefoon weer in haar zak trillen. Ze keek er even vlug naar. 'Kragh', stond op het schermpje.

Ze keek verontschuldigend naar Lise.

'Ik moet deze wel beantwoorden,' zei ze. Ze stond op en liep even weg, naar de grote aangrenzende woonkamer. 'Dag Per.'

'Katrine. Ik heb slecht nieuws.' Ze was meteen ongerust. Hij klonk al te ernstig.

'O?' Haar hartslag steeg licht. Ze staarde de donkere achtertuin van Lise in.

'Nukajev is ontsnapt. Ik wil jou en Jens graag hier hebben om in kaart te brengen waar hij heen kan zijn gegaan.'

'Je huis zal onder bewaking komen te staan,' zei Katrine tegen Lise, en probeerde zo geruststellend over te komen als ze kon. 'Zodat jullie je veilig kunnen voelen, totdat hij weer aangehouden wordt.'

Ze had Per snel uitgelegd waar ze was. Hij vond het goed om haar uitleg over waarom ze daar was te laten wachten tot ze weer terugkwam en vroeg haar op het adres te blijven totdat een patrouille van de Noordsjællandse Politie was gearriveerd. Toen die gekomen was en de overdracht had plaatsgevonden, liet Katrine Lise weten dat ze terug moest om de ontsnapte verdachte te helpen zoeken.

'Oké,' zei Lise, en probeerde zich groot te houden.

'Het zal niet lang duren voordat hij wordt gevonden. Hij is niet in een goede conditie en ook niet bepaald psychisch in balans. Bovendien zijn een goede planning en hulp noodzakelijk als je je verborgen wilt houden, en hij heeft geen van beide.'

'Maar hij kan zich toch gewoon ergens verstopt houden. In

een schuur of in een leegstaand zomerhuisje voor mijn part?'

'Hij zal snel warmte, voedsel en geld nodig hebben. Hij heeft geen van deze dingen, en hij heeft nauwelijks contacten in ons land. Het zal wel niet zo lang duren.'

'Wat een puinhoop!' Lise beet op haar nagels. Dat had Katrine haar nooit eerder zien doen.

Ze leek oprecht bang.

'Waar zijn je kinderen?' vroeg Katrine.

'Die zijn bij Jakobs ouders. Ze slapen daar tot morgen. Aangezien ik nachtdienst heb.'

'Weet je zeker dat dat verstandig is?'

'Ja, ja,' zei ze. 'Liever dat, dan hier zitten te koekeloeren en wachten tot hij komt. Dat trek ik écht niet!'

Toen Katrine terugkwam op het bureau, hing er een hectische sfeer.

Voor zover als Katrine in kon schatten waren er ongeveer zes mensen op de zaak gezet naast haarzelf, Jens, Pitbull en Torsten.

Sommigen bestudeerden kaarten, anderen hingen aan telefoons en coördineerden de zoektocht met de dichtstbijzijnde politiekorpsen, en iemand schreef een tekst voor het nieuws op de landelijke zenders. Per stond te praten met een compleet kale man in een totaal ander soort maatkleding dan de meeste anderen die ze om hem heen kon zien.

Toen ze dichterbij kwam en kon horen waar ze het over hadden, begreep ze dat het een media-adviseur moest zijn, die Per een spoedcursus mediatraining kwam geven.

'... Je zal natuurlijk worden gevraagd hoe dit in vredesnaam kon gebeuren en dan is het belangrijk dat je niet in de verdediging schiet, maar rustig antwoordt dat er een onderzoek ingesteld zal worden en dat alles op alles wordt gezet om deze man te vinden...'

Ze wachtte tot de adviseur klaar was met zijn instructie, en ging toen naar Per toe.

'Wat is er gebeurd?'

Per zag er overdonderd uit.

'Ik wacht ook op een heel goede verklaring. Maar wat ik tot nu toe heb gehoord is dat het gebeurde toen hij naar een andere afdeling moest worden overgebracht. Toen wist hij te ontsnappen. Niemand begrijpt hoe het heeft kunnen gebeuren. Maar er zal een onderzoek naar komen.'

Katrine wist niet wat ze moest zeggen.

'Maar... hij leek gewoon zo – uitgeput. En krachteloos.'

'Hij moet de kracht ergens vandaan hebben gehaald. En Lise Barfoed – hoe ging het met haar?'

'Nou,' zei Katrine. 'Ze was duidelijk erg geschrokken van het nieuws.'

'En je was bij haar thuis?'

'Ja.'

'Opmerkelijk toeval. Maar het was misschien wel zo goed dat je haar het nieuws kon vertellen?'

'Ja, ik denk het wel,' zei Katrine. 'En ik heb waarschijnlijk ook informatie gevonden over iets waar we naar op zoek waren.'

'O ja? Wat was dat?'

'Ik denk dat zij degene was, die zondagavond bij Winther was.'

'Zo!' riep Kragh. 'Niet te geloven. En dat heb je zomaar uit haar weten te krijgen?'

'Nja, in zekere zin...' Ze legde hem uit wat er gebeurd was.

'Nou, dan moeten we haar morgen eventueel ondervragen. Het speelt natuurlijk een minder belangrijke rol gezien deze nieuwe situatie. Nukajev doet zijn zaak zeker geen goed met deze manoeuvre.'

'Ja, ik moet ook zeggen dat ik verbaasd ben,' zei Katrine geheel naar waarheid. Wat had Nukajev in vredesnaam gedaan?

De computer... zou ze Kragh daar over vertellen? Nee, ze moest het er eerst met Jens over hebben en horen wat hij gevonden had.

'Maar kun je niet een beetje beginnen aan die geografische profilering?' zei Per. Hij leek gestrest en gejaagd.

'Ja,' zei ze zo rustig als ze kon, omdat hij, zoals ze gevreesd had, niet zo stabiel reageerde onder dit soort druk. 'Het is alleen zo dat deze methode het meest geschikt is bij...'

'Ja, ja. Bij dader-slachtofferrelaties die niet bekend zijn. Dat heb ik laatst wel meegekregen. Maar kun je het toch niet even een kans geven?'

'Jawel,' zei ze, geruststellend en overtuigend. 'Absoluut, ik ga het proberen. Er is wel een variant die geschikt is,' zei ze en ze voelde haar neus bijna groeien. 'Ik zal een poging wagen.'

'Goed.' Per Kragh keek opgelucht en liep zijn kantoor in.

Katrine liep snel naar hun eigen kantoor en trof Jens daar aan.

'Wat denkt hij toch?' zei Katrine tegen Jens. Het klopte gewoon niet dat Nukajev nu vluchtte.

'Hij is waarschijnlijk wanhopig. Of hij is bang om te hangen voor iets wat hij niet heeft gedaan, of hij is daadwerkelijk de dader en niet bereid om zijn straf te ondergaan.'

'Hij zei iets toen bij binnenkomst...'

'Dat over zijn zoon?'

'Ja, dat hij niet kon leven met het feit dat hij nooit voor zijn zoon zou kunnen zorgen.'

'Moeten we het opvangtehuis ook niet onder bewaking plaatsen? Het ligt ergens in het noorden.'

'Ik denk niet dat dat nodig is,' zei Katrine. 'Ik denk dat hij het gevaarlijkst voor zichzelf is.'

'Hm,' zei Jens. 'Het bevalt me niet. Ik ga het Kragh vragen.' Hij stond op en verliet de kamer.

Even later was hij weer terug.

'We sturen er een wagen heen. Maar hoe ging het met Lise?'

Katrine gaf het gesprek weer en herhaalde Lises verspreking woord voor woord.

'Shit, zeg!' Jens floot zachtjes. 'Dan was zij diegene... Ze is wel een keiharde leugenaar.'

'Ja, dat is waar. Nu weten we natuurlijk niet of het lang aan de gang was, maar ze heeft ons al van van alles weten te overtuigen.'

'Ja. Maar wat nu? Het heeft geen prioriteit. Ze wordt daarentegen onder bescherming geplaatst en staat onder druk. En Nukajevs gedrag... Ik weet het verdorie zo langzamerhand ook niet meer.'

'Nee, maar eh... Ik ben iets aan het onderzoeken.'

'O ja?'

'Zijn oude pc.'

'Die bij Thomas Kring stond? Over hem heb ik trouwens ook een beetje spannend nieuws...', zei Jens en keek heel geheimzinnig.

'Ja? Dat moet ik horen. Maar anyway, ik heb de computer mee naar huis genomen...'

'Wat? Weet Kragh dat?'

Ze schudde haar hoofd.

Jens lachte.

'Jij bent me er echt eentje!'

'Ik ken er wel een paar die je daarin gelijk zouden geven.'

'Maar had hij die niet helemaal gewist?'

'Ja, maar op dit moment staat hij bij mij thuis en loopt er een recovery programma.'

Ze keek naar de klok. 'Dat zou eigenlijk binnen niet al te lange tijd klaar moeten zijn.'

'Oké?' zei Jens en keek verbaasd en tegelijkertijd enigszins bewonderend naar haar.

'Dus ik ga hem bekijken als ik thuiskom.'

'Maar we weten nu toch met wie hij was,' zei Jens, plotseling een beetje sceptisch over wat Katrines actie eigenlijk nog zou kunnen opleveren.

'Dat klopt. Het is helemaal niet zeker dat het ergens toe leidt.

Maar ik doe gewoon een poging. En dan moet ik maar zien hoe ik me er morgen uit red. Maar wat had je over Thomas Kring?'

Jens keek een beetje triomfantelijk.

'Nou, ik kreeg een heldere ingeving, en ik erger me er een beetje aan dat ik die drie dagen geleden niet had.'

'O ja? De spanning stijgt!'

'Vibeke Winther en Thomas Kring... hebben een affaire. En al heel lang...'

'Okaay?' Nu was het Katrine die floot. 'Verdorie, zeg! Dat geeft ineens zowel Kring als Vibeke zelf een motief.'

'Precies. Maar Kragh was duidelijk. We zetten nu alles op alles om Nukajev te vinden. Er mogen niet meer middelen worden ingezet om verder rond te snuffelen. Er worden geen hoge ogen gegooid met het feit dat een psychisch instabiele moordverdachte vlucht.'

'Oké, nu zetten we even de schouders onder de zoektocht, en ik bekijk die computer vanavond.'

Jens knikte.

Twee uur later was de zoektocht naar de ontsnapte moordverdachte in volle gang. Kragh stuurde Katrine en Jens naar huis. Katrine had een overzicht van Nukajevs meest voor de hand liggende vluchtstrategieën geproduceerd met de kennis die ze over hem hadden.

'Maar ik ben bang dat het niet echt veel zal helpen,' zei ze.

'Deze plekken worden al in de gaten gehouden, en hij is er nog niet opgedoken.'

'We vinden hem morgen wel,' zei Kragh en klonk heel stellig.

'Hij kan zich toch niet heel lang in deze kou blijven verbergen.'

'Nee, die bemoeilijkt het wel voor hem,' zei Jens.

Katrine en Jens trokken hun jas aan en liepen de trappen af. Jens kwam met Katrine mee naar haar auto.

'Je belt me als je iets vindt, hè?' zei Jens.

'Ja, dat zal ik doen,' zei Katrine. 'Tot morgen.'

'Rij voorzichtig,' zei Jens. 'De wegen zijn spiegelglad. Het kon wel min acht worden vannacht!'

'Brrr,' zei Katrine en rilde in haar dikke winterjas.

Katrine reed over het gitzwarte weggetje naar de zomerhuisjes en parkeerde voor het huisje. De volgende dag zou zenuwslopend spannend worden, dacht ze, terwijl ze naar het huisje liep.

Ze ging naar binnen, deed de deur op slot en ging gelijk naar Mads Winthers computer.

Yes! Het zag er naar uit dat de recovery software klaar was. Ze ging op de bank zitten en opende als eerste zijn mailprogramma.

Met een paar snelle muisklikjes kon ze constateren dat er een paar duizend mails zorgvuldig in een map waren geplaatst.

Een korte blik op zijn documentmappen wees uit dat hij een enorme hoeveelheid aan tekstbestanden en afbeeldingen had. Van veel ervan herkende ze de namen, aangezien ze identiek waren aan die op de externe harde schijf die ze al had doorgekeken. Katrine voelde zich als een klein meisje op kerstavond en begon bijna in haar handen te wrijven.

Nu is het jij en ik, Mads Winther, dacht ze.

Ze keerde terug naar het mailprogramma, waar een paar honderd mails in de inbox zaten. Ze begon bovenaan met de meest recente, klikte ze aan en las vlug het onderwerp en de inhoud door.

Hij was blijkbaar geabonneerd op allerlei nieuwsbrieven van over de hele wereld.

Er waren enorme ladingen e-mails met medisch vakmatige inhoud en veel over de vissport. Er waren persoonlijke e-mails van Thomas. In de laatste vroeg hij Mads of hij ervoor kon zorgen dat een van Thomas' patiënten bij Mads in het Rijks op het spreekuur kon komen. Katrine keek in Mads' outbox. Hij schreef terug dat het geen probleem was, ze kon zich gewoon bij de polikliniek melden, zoals gebruikelijk en om hem als arts vragen. Het klonk alsof het iets was wat ze vaker deden, maar daar was niets mis mee, dacht Katrine.

Thomas schreef in een andere e-mail over een nieuwe behandeling voor leukemie, waar een van zijn kennissen in de vs aan werkte, en die de moeite waard was om eens naar te kijken. Katrine keek naar Mads' verzonden e-mails. Hij bedankte en schreef dat hij met de betreffende persoon contact op zou nemen, maar dat ze ook een behandeling in China op het oog hadden.

Enkele weken eerder schreef Thomas dat hij en zijn vrouw helaas hun eetafspraak voor het komende weekend moesten afzeggen. Katrine vroeg zich af hoe het voor hen moest zijn geweest om met zijn vieren bij elkaar te zitten tijdens de gezamenlijke diners? Waarschijnlijk niet zo ontspannend voor Thomas en Vibeke?

De toon tussen de twee mannen was ongedwongen, maar ook een beetje afstandelijk.

Het was... bijna beleefd, dacht Katrine.

Er zaten e-mails bij van Mads' moeder, die wat foto's stuurde die ze van de jongens had gemaakt, de laatste keer dat ze op hen gepast had. Anton en Viktor. Katrine bekeek de twee jongens die van oor tot oor grijnsden en pepernoten aten met hun oma.

Een map met de naam Vis bevatte correspondentie tussen twee, nee, drie mannen, met wie Mads blijkbaar eerder had gevist. Aan hun e-mailhandtekeningen zag ze dat het artsen in verschillende vakgebieden waren van ziekenhuizen rond de hoofdstad. Misschien oud-studiegenoten van geneeskunde?

In de laatste mails lieten ze op verschillende manieren weten dat ze het betreurden om te horen dat zijn zoon Viktor ziek was geworden. Katrine kon zien dat ze een gemeenschappelijke mail hadden beantwoord die Mads hen gestuurd had, waarin hij hen over de diagnose verteld had.

Een halfjaar daarvoor grapten ze erover wanneer Mads toch

weer mee mocht om op zalm te vissen in Noorwegen, of dat het pas zou zijn wanneer de jongens naar de middelbare school gingen. Maar Vibeke had over het vissen gesproken alsof het iets was wat hij nog steeds deed, ook na de geboorte van de tweeling. Hadden de tripjes misschien als dekmantel gediend? Lange weekenden met Lise? Of een heel andere, derde vrouw?

Verder terug ging het over afspraken voor de vruchtbaarheidsbehandeling en opnieuw een ongelooflijke hoeveelheid nieuwsbrieven en artikelen over vruchtbaarheidsbehandeling, de nieuwste behandelingen en resultaten.

En dat was het wel zo ongeveer!

Er was een map met kwitanties en de bevestigingen van aankopen via het internet, maar geen interessante aankopen.

Bij de verwijderde post zaten uitnodigingen van een aantal mensen om Facebook-vrienden te worden, maar in dat medium had hij blijkbaar geen zin gehad om zich te begeven. Er was geen enkele mail van Lise of andere vrouwen.

Haar teleurstelling groeide geleidelijk aan en bereikte ongekende hoogtes toen ze de e-mailmappen helemaal had doorgespit. Er was helemaal niets!

Ze keek op de agenda van het mailprogramma. Leeg. Ze wist dat hij een mobieltje had, dat synchroon liep met de agenda van het ziekenhuissysteem. Maar ze had gehoopt dat hij ook deze had gebruikt. Al was het maar voor afspraken die niet in een openbaar toegankelijke agenda konden staan. Maar nee.

Ze begon daarom zijn documentmappen weer door te kijken, maar niet met veel optimisme. Tenzij hij er bij verrassing persoonlijke dingen in had opgeslagen, was er meestal niet veel te vinden op zo'n plek.

Een uur later wreef ze een beetje teleurgesteld in haar ogen, die van vermoeidheid prikten. Het was over tweeën 's nachts. Ze had honderden documenten gelezen en doorgekeken, maar niet een had haar iets opgeleverd.

Geen brieven of persoonlijke aantekeningen. Niets! *Nada*!

Ze voelde een heimelijke teleurstelling. Viel er echt niets meer te ontdekken?

Toen was het tijd om foto's te gaan kijken. Maar nu was ze bij voorbaat al niet optimistisch.

Ze had alle foto's laatst al doorgekeken, en een snelle blik op de mappen wees uit dat ze identiek waren aan die hij naar de harde schijf had gekopieerd. De twee jongens waren bijzonder grondig gefotodocumenteerd vanaf hun geboorte tot nu aan toe.

Maar toen kreeg ze ineens een map in het oog, met alleen de naam M.

Katrine opende hem.

De map zat vol met foto's die ze heel beslist niet eerder had gezien. Ze waren allemaal van een klein meisje, en er waren foto's van de babyleeftijd totdat ze rond een of twee jaar oud was. De leeftijd was wat moeilijk te beoordelen. Katrine vond dat ze bekend voorkwam op een aantal van de nieuwere foto's waarop ze een beetje ouder was. Ze keek aandachtig naar het gezicht van het meisje.

Ze had dit kindje eerder gezien. Pas nog.

En plotseling wist ze waar. Ze had eerder op de dag een foto van dit meisje gezien.

Het was Lises dochter.

De jongste. M? Marie... was dat niet hoe ze heette? Mads Winther had rond de honderd foto's van Lises dochter, vanaf haar geboorte tot nu. De meest recente foto's waren van november. Lise stond op geen ervan.

En de oudste dochter ook niet.

Zou het echt betekenen wat ze dacht?

Dat Mads Winther de vader van Lises jongste dochter was?

Katrine wreef over haar voorhoofd. Dit hier, was niet best.

Het was halfdrie 's nachts. Moest ze Jens wakker maken en hem alles vertellen? Ze probeerde haar vermoeide hersens logisch te laten nadenken, pakte potlood en papier en schreef.

Mads en Lise – langdurige relatie.

Mads is de vader van Lises jongste dochter.

Maar waarom in vredesnaam waren ze niet gaan scheiden en met elkaar verder gegaan, als het al zo lang had geduurd? En ze samen een kind hadden?

Het leek niet logisch.

En die foto's. Mads had de foto's van Marie gedeletet. Hij had ze niet naar zijn harde schijf gekopieerd. Waar duidde dat op? Had hij zich gerealiseerd dat het te riskant was om ze erop te hebben staan? Of had het te maken met een breuk? Een conflict tussen hen?

Ze schreef alle vragen die ze maar bedenken kon op, en probeerde ze te beantwoorden met behulp van wat ze met zekerheid wist.

Toen ze klaar was, had ze een hypothese over hoe het allemaal in elkaar moest steken.

Dus belde ze Jens die slaapdronken, met een schorre stem antwoordde.

'Ja?'

'Met Katrine. Ik heb iets ontdekt.'

'Ja?' Hij werd iets wakkerder.

'Ze hadden een kind samen. Mads is de vader van Lises jongste dochter.'

'WAT?' riep hij uit, en ze kon hem bijna in zijn bed overeind zien schieten.

'Ja,' zei ze, en legde uit wat ze op de computer had gevonden en de foto bij Lise thuis. 'Ik denk dat hij haar had beloofd te gaan scheiden maar daarop teruggekomen is vanwege de ziekte van zijn zoon.'

'Krijg nou...'

'Dit strookt ook met hoe ze reageerde toen ik zei dat ik naar huis wilde om zijn computer te gaan bekijken.'

'Ze wist zeker dat hij die foto's er op had staan.'

'Ja. Ze heeft ze waarschijnlijk naar hem gestuurd. Ze zitten niet tussen zijn mails, maar hij kan ze verwijderd hebben en ook uit de prullenbak. Maar hij heeft ze nergens opgeslagen, dus het lijkt alsof er een breuk is geweest, of dat hij bezig was om het te beëindigen...? Ik weet het niet?'

'Misschien had hij een Hotmail-adres voor dit doel? Hij kan ze naar zichzelf hebben gestuurd en daarna van zijn harde schijf hebben gewist?'

'Natuurlijk! Je bent briljant. Natuurlijk heeft hij dat gedaan! Ik ben er nog niet aan toegekomen om naar zijn internetge-schiedenis te kijken.' Ze opende een browser en ging naar de website van Microsoft. Ze bad dat hij zijn login-gegevens had opgeslagen... Maar er was niets. 'Gmail misschien?' zei ze en probeerde de site van Google. 'Er is geen automatische login,' zei ze. 'Maar er staat wel een mailadres in het vakje. Het wacht-woord is alleen niet opgeslagen... hè verdorie! Ik probeer "wachtwoord vergeten". Ah nee, hij heeft geen internetverbin-ding. Hij werkt niet helemaal normaal, deze machine,' zei ze.

'Daar kunnen we de IT-nerds morgen naar laten kijken. De vraag is what the fuck we nu gaan doen?' zei Jens, en hij was nu klaarwakker.

'We moeten Kragh op de hoogte brengen.'

'Uiteraard. Ik bel hem en bel jou daarna terug.'

'Oké.'

Katrine zat met de telefoon in haar hand te wachten tot Jens terugbelde. Het duurde een paar minuten. Ze nam bij de eerste toon op.

'Ja?'

'Hij zei dat we het hoofd koel moesten houden en morgen met de computer moesten komen om de IT'ers er naar te laten kijken. En hij klonk niet superenthousiast dat je hem mee naar huis hebt genomen, moet ik je waarschuwen.'

'Dat had ik ook niet verwacht,' zei Katrine. 'Maar ze moet hier toch wel over ondervraagd worden?'

'Ja, maar bedenk wel dat we volledig op de hoogte zijn van

waar ze is. Ze werkt 's nachts en er is bewaking wanneer ze thuiskomt.'

'Hm.'

'Denk je dat ze op haar werk moet worden afgehaald, nu om... drie uur 's nachts?'

'Ja, dat denk ik eigenlijk wel. Hoor eens, als zij echt degene is die Mads Winther heeft vermoord...'

'Maar zoals ik al zei, we zijn op de hoogte van waar ze is. En Kragh gelooft nog steeds echt dat het Nukajev is, dus hij vindt niet dat er reden is om veel gedoe te maken van een vader-schapskwestie.'

'Maar...'

'Het is niet anders, Katrine.'

'Oké,' zei Katrine. 'Dan moeten we waarschijnlijk maar pro-beren om in plaats daarvan wat slaap te krijgen.'

'Dat vind ik ook,' zei Jens. 'Slaap lekker.'

'Jij ook.'

Katrine zat achter de computer en keek naar de foto's van Ma-rie.

Een leuk klein blond ding. Met een andere vader dan die bij wie ze zou opgroeien en als haar vader zou beschouwen.

Ze dacht aan Lise, die naar de grote foto van de meisjes in de keuken had gekeken en glimlachend bevestigd had dat de meis-jes net zo op hun vader leken als op haar. Ze had waarschijnlijk moeten zeggen hun *vaders*?

Toen herinnerde ze zich iets anders, iets wat Lise gezegd had tijdens Jens' ondervraging van haar op maandag. Katrine pakte Jens' prehistorische dictafoon erbij en speelde een van de laatste passages af: '...*hij was toch zo blij dat hij eindelijk vader zou wor-den.*'

Lises stem veranderde daar eigenlijk. Hij kreeg bijna een zweem van... triomf? Had ze het in werkelijkheid over hun ei-gen kind gehad? Marie was waarschijnlijk ongeveer van dezelf-de leeftijd als de tweeling. De twee vrouwen waren ongeveer ge-lijktijdig zwanger geworden.

De vragen stapelden zich op. Waarom waren ze niet gescheiden? Hoe hadden ze het geheim kunnen houden?

En, de grootste vraag van allemaal, kon Lise echt haar dochters biologische vader van het leven hebben beroofd?

Katrine werd verward en met een schok wakker en hapte naar lucht.

Ze had een vreemde droom gehad. Ze was in Sharm met Jon en ze waren samen aan het duiken geweest. Ze had met zuurstof gedoken en was in heel diep water geweest, herinnerde ze zich verbaasd. Zonder enig probleem.

Maar de droom had tegelijk ook een griezelige ondertoon gehad. Van dat er iets mis was. Iemand was in gevaar. Toen herinnerde ze het zich met een huivering; Jon had geen masker op gehad. Zij had zuurstof. Maar hij niet.

Ze keek op de klok. Het was vier uur. Ze had nog maar net haar ogen dicht gedaan.

Maar toen ze haar hoofd draaide om zich op haar andere zij te keren, zag ze in het schijnsel van de wekker, uit haar ooghoeken iets wat haar deed verstijven van schrik.

Er was een schaduw in de kamer. Een schaduw die daar niet zou moeten zijn.

In een ijzig helder moment drong het tot haar door: Ze was niet alleen in haar slaapkamer. Er zat iemand in de stoel die ze gebruikte om haar kleren op te leggen.

'Hallo Katrine.'

Katrine vloog in een snelle beweging uit bed. Ze herkende de gestalte en de stem.

'Lise?'

'Ja.'

Ze stonden tegenover elkaar in het donker. Katrine hoorde haar eigen ademhaling. Hijgerig, alsof ze een paar honderd meter had gesprint.

'Het is lang geleden dat we hier samen waren, hè?'

'Wat...?' Katrines hersenen waren nog steeds op vluchten gericht, niet op conversatie.

Ze begreep er niets van. Hoe was Lise binnengekomen? Was ze vergeten de deur op slot te doen? Nee, ze wist heel zeker dat ze dat gedaan had voordat ze naar bed ging. Hoe was Lise dan binnengekomen zonder dat ze wakker was geworden van het geluid?

De situatie was onveilig. Ze moest eruit zien te komen. Nu. Ze draaide zich om en wilde haar toevlucht zoeken in de woonkamer. Maar het volgende moment voelde ze een harde klap op haar achterhoofd. Alles werd zwart.

Haar hoofd deed pijn.

Ze wilde er met haar hand naartoe, aanraken waar het pijn deed, maar kwam erachter dat haar handen vastgebonden zaten aan de stijlen van het bed. Hetzelfde gold voor haar benen.

Fuck!

Ze rukte en trok eraan, maar kon niet loskomen.

'Ja, het spijt me,' Lise zat op de stoel, net als voorheen. 'Van dit alles.' Ze wees op de gevoerde lederen handboeien, waarvan Katrine nu kon vaststellen dat ze er stevig mee vastgebonden was. 'Maar ik had het gevoel dat je niet van plan was om hier nog heel lang vrijwillig te blijven. Ook niet omwille van de oude vriendschap.' Ze glimlachte scheef. In de ene hand had ze een injectiespuit, waar ze een beetje mee zwaaide.

Katrine slikte, maar haar mond was kurkdroog.

'Ja, je weet maar nooit wat daar in zit, hè?' zei Lise, alsof ze Katrines gedachten kon lezen, en stak de spuit geroutineerd in Katrines ene been.

'Wat ben je van plan, Lise?' Haar hoofd. Een pijnlijke steek van de klap op haar achterhoofd schoot er als een priem dwars doorheen. Ze trok aan de riemen die een beetje loszaten, maar net niet genoeg om haar handen eruit te krijgen.

'Wat prettig nou dat ze aan de binnenkant gevoerd zijn, hè? Anders schuren ze zo. En laten ze sporen achter. Poeh, lastig om op het werk uit te moeten leggen!'

Ze wreef over haar pols. 'Signaalverwarring, je kent het wel. Mensen verwachten dat soort dingen niet van de verloskundige,' zei ze hoofdschuddend.

Katrine was koortsachtig aan het bedenken hoe ze hulp kon krijgen. Er was geen sterveling in de buurt. Haar telefoon lag buiten bereik, en ze zat volledig vast. Ze lag zonder deken over zich heen, slechts gekleed in haar T-shirt en had het hartstikke koud. De verwarming was niet aan in de slaapkamer.

'Mag ik het dekbed weer over me heen?'

Lise keek haar aan en dacht even na.

Katrine bespeurde een aarzeling bij haar. Wat was ze van plan? En wat was überhaupt de bedoeling hiervan? Waarom vermoordde ze haar niet gewoon, net zoals ze waarschijnlijk Mads ook vermoord had. Ze zag de tuin in Frederiksberg voor zich. Mads Winther en Lise. Een confrontatie tussen hen. Lise had hem eerst in zijn rug gestoken en daarna snel in zijn buik, voordat hij zich had kunnen verweren.

Maar Nukajev? dacht ze. Het bloed... dan moest hij daarna zijn gekomen. In zijn enorme alcoholroes moest hij zich op Winther hebben gegooid die op de grond lag.

Lise gaf geen antwoord, maar legde het dekbed half over haar heen, zodat de spuit nog steeds grotesk opzij stak. Dat was antwoord genoeg. Er zou op dit moment niets gebeuren. Lise wilde eerst iets anders. Katrine had dus een minuscule kans om te proberen zich uit deze hele situatie te praten. Een beroep te doen op haar gezonde verstand. Uitleggen dat ze hier nooit mee weg zou kunnen komen.

Maar het was waarschijnlijk ook haar enige kans, zoals het er nu uitzag.

Er zouden uren voorbijgaan voordat iemand reageerde op het feit dat ze niet op het werk was verschenen.

Maar Lise? Zij zou op dit moment op het Rijks moeten zijn voor haar nachtdienst.

'Je had toch op je werk moeten zijn?' zei Katrine.

'Ik voelde me niet goed en moest naar huis. Iedereen kon best begrijpen dat ik in een stressvolle situatie zit, nu hij gevlucht is.'

'Maar je beveiligers?'

'De afspraak is dat ze mij van het ziekenhuis ophalen wanneer mijn dienst erop zit. Maar ik ga straks bellen om te vertellen dat ik al naar mijn schoonfamilie ben gegaan om daar te overnachten. Nukajev kan hun adres onmogelijk weten, dus dat is wel veilig. Ik ben het type dat behoefte heeft aan te dringen op het recht op een normaal leven, zie je.'

'En hoe had je gedacht om hier onderuit te komen? Mijn collega's zijn behoorlijk bij de pinken. Ze komen er wel achter hoe de vork in de steel zit.'

'Dat is toch niet jouw probleem? Dat is het mijne. En ik heb overal rekening mee gehouden.'

'Het wordt onmogelijk om je hier uit te kletsen, Lise,' zei ze indringend en trok aan de riempjes. 'Je DNA zit overal op, en het zal met de sporen uit Frederiksberg worden vergeleken.'

'Het gaat er niet zo uitzien als jij denkt, Katrine,' zei Lise rustig en hield een behandschoende hand omhoog. 'Ik heb mezelf een beetje ingedekt. Bovendien zal het lijken alsof er een natuurlijke verklaring is voor alles.'

Katrine voelde hoe de onrust zich door haar lichaam verspreidde.

'Wat bedoel je?'

'Daar komen we nog op.' Ze haalde diep adem en ging verder. 'Ik kon wel nagaan wat je op Mads' oude laptop zou kunnen vinden. Ik had gezegd dat hij zich er helemaal van moest ontdoen. Ik had te veel verhalen van Jakob gehoord over wat ze terug kunnen halen van een computer en dat soort dingen. Hij zit natuurlijk helemaal in die dingen – IT.' Ze spreidde haar armen uit. 'Ik vond eigenlijk dat ik me maar eens op de hoogte moest stellen van de situatie. Dus de computer zal ook weg zijn. Tegen die tijd.'

'Hoe lang hebben jullie een affaire gehad?'

'Zo. Lekker direct, hè?' Ze glimlachte. 'Lang.'

'En hij was de vader van Marie?'

'Ja,' zuchtte ze. 'Dat was hij.'

'Wat is er gebeurd?'

'Je stelt wel allemaal lastige vragen, weet je dat?' zuchtte Lise. 'Maar dat was ook wat ik toentertijd zo leuk aan jou vond. En gisteren... Het was weer net als vroeger. Het is leuk om met je te praten.'

'Vertel me dan wat er is gebeurd.'

Katrine bestudeerde haar en kon plotseling de onvoorspelbaarheid onder de welbekende charme zowel zien als voelen. Lise was leuk, roekeloos en opstandig geweest, destijds op de middelbare school en Katrine had zich tot haar aangetrokken gevoeld. De derde klas was duidelijk het leukste jaar van de middelbare school geweest.

Nadat Lise in de klas was gekomen, begon het feest. Ze was niet iemand met wie je diepe gesprekken had en die je echt goed leerde kennen, maar dat maakte niet uit. Katrine was het zat geweest om zich braaf en verantwoordelijk te gedragen en wilde een beetje uit de band springen. Maar deze kant van Lise, die ze nu voor haar ogen zich zag ontvouwen, had ze zich niet kunnen voorstellen. En ze voelde haar zelfvertrouwen als psycholoog langzaam en gestaag krimpen, terwijl ze hier lag, zielig en hulpeloos.

Katrine trok wat aan de handboeien.

'Seks met Mads was niet alleen maar seks,' zei ze. 'Het was een obsessie, die niet was te vergelijken met iets wat ik ooit eerder had meegemaakt. Het klinkt misschien wat dramatisch, maar vanaf het moment dat ik die man voor het eerst zag, vervloekte ik gewoon het feit dat hij niet degene was die ik ontmoet had en met wie ik mijn goede genen vermengd had. Maar ik nam een besluit. Ik besloot dat ik hem wilde, en dat ik bereid was tot het uiterste te gaan om hem te krijgen. En geduldig te zijn. Toch vreemd, hè, soms heb je gewoon geen geduld. Maar andere keren...' Ze schudde haar hoofd. 'Dan weet je gewoon dat het uiteindelijk zijn vruchten af zal werpen.'

Katrine luisterde zwijgend, terwijl ze de twee voor zich zag: Mads Winther en Lise Barfoed. Ze moesten samen zeker een mooi paar geweest zijn. Knap en charmant. En heel erg op zichzelf gericht en egocentrisch.

'Arme Jakob, hij verbleekte volledig in de vergelijking.' Ze schudde haar hoofd. 'Hij liet de verbitterde bioloog, die kennelijk nog diep in hem zat, de kop opsteken na een paar flinke glazen rode wijn in het weekend. Gedeprimeerd over zijn verloren regenwouddroom. Ik vroeg hem die kaplaarzenvent de kop in te drukken en te waarderen wat hij in plaats daarvan bereikt had. We zijn op de Galapagos Eilanden geweest en alles, maar het was alsof dat het er alleen nog maar erger op maakte.' Lises blik werd afwezig, en ze deed haar lippen iets van elkaar. 'De eerste maand flirtten we alleen maar. En toen op een avond, toen ik net mijn avonddienst erop had zitten, liep hij met me mee toen ik me om ging kleden. We praatten en stopten voor een linnenkamer. En opeens bevonden we ons in de linnenkamer. Hij deed de deur op slot en begon me uit te kleden, stukje bij beetje. En toen nam hij me op de planken met babykleding.' Lise glimlachte. 'Ik vond dat er zo'n fantastische symboliek in zat. Vind je ook niet?'

Katrine knikte. Ze besefte dat haar aanwezigheid hier een heel specifiek doel diende; Lise maakte van de gelegenheid gebruik om het hele verhaal aan iemand te kunnen vertellen. Want ze verwachtte niet dat ze daar later de gelegenheid toe zou krijgen, aangezien ze er vrij zeker van leek dat ze hiermee weg zou komen. En Katrine had het voornemen dat dat niet zou gebeuren. Ze besloot om zo veel mogelijk uit Lise te krijgen. En om te proberen dat te gebruiken om te ontsnappen.

'Gelukkig raakte hij net zo geobsedeerd door mij als ik door hem,' ging ze verder. 'We ontmoetten elkaar zo vaak als we konden. Zowel Jakob als Vibeke was veel onderweg, en Jakobs moeder wilde altijd graag op Tilde passen. En we waren er best goed in om het discreet te doen; op zijn kantoor, bij hen thuis, ja, zelfs hier.' Ze keek naar Katrine en glimlachte.

'Hier?' zei Katrine gechoqueerd.

'Ja,' zei ze met de grootste vanzelfsprekendheid. 'Je moeder verhuurde het huis toch. En we kwamen hier elke zomer, Jakob en ik. We zijn goede klanten geweest. Even hierheen om bij te komen en vervolgens door naar Zuid-Frankrijk of Italië. Het perfecte recept voor een zomervakantie!' zei Lise, alsof ze twee collega's waren die zomervakantie-ervaringen deelden in een lunchpauze.

Katrine herinnerde zich de man van het verhuurbedrijf, die had verteld over een familie die bleef terugkomen. Dat waren Lise en haar gezin geweest!

'Dus ik was eerlijk gezegd een beetje teleurgesteld dat het plotseling niet meer geboekt kon worden. De eerste keer dat we hierheen kwamen, was het natuurlijk een beetje...', ze stak haar handen uit naar opzij als een weegschaal. 'Zal ik het wel of zal ik het niet doen? Maar ik kon de verleiding niet weerstaan om hier weer naartoe te komen. Het was tegelijk ook erg... levensbevestigend! En Jakob en Tilde hielden ervan om hier te zijn. Dus we zijn gewoon blijven komen. En toen heb ik vervolgens een kopie van de sleutel gemaakt, op een dag dat ik boodschappen aan het doen was. Ja, ja, ik weet het. Dat was heel erg fout. Maar het was wel heel handig voor Mads en mij. Ik kon op internet zien of het verhuurd of beschikbaar was. We hebben hier heel goede seks gehad. Dus het maakt me wel een beetje weemoedig om hier weer te zijn.' Ze keek om zich heen en zuchtte.

'Mads had toen nog geen kinderen, wat ik natuurlijk heel goed nieuws vond. Ze worstelden daarentegen met onvruchtbaarheid en waren verwikkeld geraakt in allerlei ingewikkelde afspraken en machtsverhoudingen. Dus ik schatte in dat ik best een goede kans maakte om die pillenarts van haar voetstuk te stoten en Mads Winther een paar prachtige kinderen te schenken.'

Ze snoof. 'Maar zo liep het niet helemaal...'

Ze keek even naar Katrine voordat ze verderging.

'Ik voelde duidelijk dat ik moest oppassen om niet te hard van stapel te lopen. Mads' huwelijk was een heel gevoelig onderwerp. Érg lastig. Ik heb nooit begrepen wat hij toch in die vrouw had gezien, die zo ongelooflijk onerotisch en saai klonk, maar hij beweerde dat ze erg was veranderd in de afgelopen vijf jaar. De kinderloosheid had een wissel op haar getrokken. Dat hardlopen was daar een uitvloeisel van, dacht Mads. Hij vergeleek het met een soort van anorexia, en hij had geprobeerd haar er voor in behandeling te krijgen. Hij leefde voor de overtuiging dat ze, als het hen eindelijk zou lukken, zichzelf weer zou zijn en zou opbloeien.

Mijn persoonlijke theorie is dat zij hardliep om de kans op een zwangerschap te minimaliseren. De tijd ging voorbij en ik begon eigenlijk wat ongeduldig te worden. Maar toen gebeurde er iets waarvan ik zeker wist dat het de oplossing voor alles zou zijn. We waren hier toen ik het hem vertelde. Dat ik zwanger was.'

Lises blik was weer afwezig, alsof ze Katrines aanwezigheid was vergeten.

'We vrijden, en toen heb ik het hem verteld. Hij was blij en het leek of dit zou doen waar ik op hoopte, hem een duw in de juiste richting geven. Dat hij van haar zou scheiden. We gingen zwemmen en werden bijna gezien door een verpleegkundige van de afdeling neonatologie. Hij had het er veel over hoe belangrijk hij het vond dat we ons gedeisd hielden. En hij raakte de hele tijd mijn buik aan. En vroeg meerdere malen of ik er zeker van was dat het zijn kind was. Alsof ik mijn cyclus niet kende?' snoof ze. 'Jakob was op zakenreis toen ik ovuleerde. En precies op die dagen waren wij samen, ja, ik weet eigenlijk niet precies hoe vaak hier, maar het was vaak. Ik loog maar een klein beetje tegen hem,' zei Lise, en hield haar duim en wijsvinger een paar millimeter van elkaar. 'Ik zei dat ik waarschijnlijk mijn spiraaltje was verloren. Maar ik had het dus laten verwijderen.' Lise haalde haar schouders op. 'Ik denk dat hij toen gewoon dacht dat als hij kinderen zou krijgen, hij nu toe moest slaan en op een ander paard wedden. Het zou niets worden met Vibeke. Ze hadden het jarenlang geprobeerd en het was niet gelukt. Ze had net een behandeling ondergaan, en ze had gezegd dat er geen sprake meer zou zijn van meer pogingen. Ze wilde niet meer. Dus we begonnen het over de toekomst te hebben. Dat het nu het juiste moment was om onze partners te verlaten en te gaan samenwonen.'

Lise zweeg.

Katrine besefte dat ze gelijk had gehad: het was hun gezamenlijke kind, waar Lise over had gesproken tijdens Jens' verhoor op dinsdag, toen ze vertelde hoe blij hij was om vader te worden.

'Maar zo ging het dus niet?' zei Katrine en probeerde om niet met haar tanden te klapperen. Ze had het vreselijk koud. Het was moeilijk om warm te blijven onder het dekbed nu ze zich niet kon bewegen, en ze had het behoorlijk koud gekregen voordat ze het dekbed terugkreeg.

'Nee, zo liep het niet helemaal. Voordat hij het aan Vibeke kon vertellen en haar kon zeggen dat hij wilde scheiden, kondigde ze niettegeloven aan dat ze zwanger was. En toen vond hij plotseling dat hij het niet kon maken om haar te verlaten. Niet kon maken!' sneerde Lise. 'Hij was meer bezig met hoe het over zou komen! Het zou zijn reputatie schaden. Dat de bekwame gynaecoloog Mads Winther zijn arme vrouw verliet net nu ze zwanger was na vijf jaar van behandeling tegen kinderloosheid. Hij zou het nooit hebben toegegeven. Maar ik kende hem. Ik wist hoe hij dacht. En...', Lise zuchtte diep. 'Even later kwamen ze er achter dat ze een tweeling verwachtten. Dat maakte de zaken er nou niet bepaald beter op.'

'Bleven jullie elkaar zien?'

'Eerst strafte ik hem door te weigeren hem te zien. Maar we konden niet zonder elkaar. Dus gingen we door. En we gingen steeds verder.'

'Hoezo?' vroeg Katrine, diep gefascineerd door dit geweldige bedrog waar Lise zich mee bezig had gehouden. Lise vertelde vertrouwelijk verder en had er blijkbaar geen problemen mee zich te abstraheren van het feit dat ze haar vroegere vriendin aan een bed had vastgebonden.

'Op een avond zijn we stiekem samen een scanruimte in gegaan. Hij maakte een echo zodat we het geslacht van het kind konden zien. Het was eigenlijk heel romantisch. We zagen het tegelijk, dat het een meisje was.'

Ze zuchtte en keek naar Katrine.

'We konden gewoon niet anders. Er viel niet veel tegen te doen. Het was net of we voor elkaar gemaakt waren.'

'Maar ik begrijp het niet. Waarom zijn jullie toch niet gewoon gescheiden, als het voor jullie beiden zo helder was?'

'Dat zei ik ook tegen mezelf en tegen hem. Ik had er geen problemen mee om te gaan scheiden, maar Mads wel. Wat zouden de mensen wel niet zeggen? De gynaecoloog, die zijn zwangere vrouw verliet die een tweeling verwachtte? Dat kon gewoon niet in zijn wereld.'

'Dus het zag er niet zo best uit?'

'Niet op dat moment,' zei Lise defensief. Ze vond het duidelijk niet prettig dat Katrine aangaf dat zij de verliezer in het spel tussen haar en Mads was. 'We maakten samen een afspraak.'

'Wat hield die in?'

'We spraken af dat we zouden wachten totdat de tweeling groter zou zijn. Ongeveer twee jaar of iets dergelijks. Dan zou hij kunnen zeggen dat ze voor hun huwelijk hadden gevochten. Dat hij er alles aan had gedaan wat hij kon. Dat kon hij niet op dit moment. Je verlaat geen zwangere vrouw of een moeder die net een tweeling heeft gekregen. Iedereen weet dat de eerste jaren lastig zijn. Dat het iets is waar je gewoon doorheen moet.'

Ze zweeg even. 'Maar hij had de ongelooflijke arrogantie om voor te stellen dat ik als eerste zou gaan scheiden, zodat we in alle rust bij mij samen konden zijn. Dat hij bij onze dochter kon zijn en haar kon leren kennen. Alsof ik van plan was een alleenstaande moeder van twee kinderen op een verloskundigenloontje en met deze diensten te worden? Terwijl hij alles op een serveerblaadje kon krijgen en zo nu en dan langskomen voor een beurt en suikeroom spelen? Nou, ik dacht het niet! En zo was het dus. Ik eiste dat het van beide kanten moest komen, de dingen moesten wel in evenwicht blijven. Dat we het gelijktijdig zouden doen. En dat hebben we toen afgesproken.'

Katrine stond perplex. Hoe kon je in vredesnaam afspraken maken over zulke dingen? Zo cynisch en berekenend.

'Dus in ons eigen wereldje waren we een stel dat gewoon voorlopig gescheiden moest leven,' ging Lise verder. 'Toen ik met zwangerschapsverlof ging, ontmoetten we elkaar wanneer we maar konden. Maar er was een ding dat ons beiden echt dwarszat.'

'Wat was dat?' vroeg Katrine.

'Dat Mads niet bij de geboorte zou kunnen zijn. Probeer je het eens voor te stellen: Een andere man zou bij de geboorte van zijn kind zijn!'

Katrine probeerde in deze bizarre gedachtegang mee te gaan.

'Ik kon dat ook niet uitstaan. Dus,' zei Lise, en keek heel sluw. 'We vonden natuurlijk een oplossing.'

'Wat deden jullie dan?' vroeg Katrine. 'Je was toch helemaal alleen bevallen, zei je?'

'Het begon ermee,' zei Lise, duidelijk aangemoedigd door Katrines vragen, 'dat hij op een dag voor de grap zei dat ik ervoor moest zorgen dat ik zou bevallen wanneer hij dienst had. We lagen op een ochtend dat hij vrij had bij hem thuis in bed. Ik lachte, maar ik kon aan zijn gezicht zien dat hij het meende. Het was natuurlijk absurd om je de twee mannen voor te stellen in dezelfde verloskamer met mij in het centrum van dit alles.

Maar...' zei Lise, en hield even een pauze. 'Ik had deze keer gepland om thuis te bevallen in tegenstelling tot de vorige keer, toen het niet precies de bedoeling was dat het thuis zou gebeuren,' zei ze en glimlachte.

Katrine keek niet-begrijpend naar Lise. Wat was het verschil?

'Jakob kwam bijna te laat de eerste keer. Mijn bevallingen gaan heel snel,' zei ze trots. 'Dus het was helemaal niet ondenkbaar dat het deze keer wellicht zo snel zou gaan dat hij niet op tijd thuis kon zijn. Je moet begrijpen dat het voor ons als juist voelde dat Mads degene was die erbij zou zijn. Het was per slot van rekening toch zíjn kind.'

Katrine was geschokt. Dit was toch zo'n ongelooflijk en grensoverschrijdend bedrog. Ze kon zich niet herinneren ooit eerder iets dergelijks gehoord te hebben!

'Het enige probleem met het plan was natuurlijk dat het 's nachts of in het weekend zou kunnen beginnen. En dat zou eigenlijk ook bijna gebeurd zijn. Het begon 's ochtends vroeg, toen Jakob nog steeds sliep. Ik lag in bed en concentreerde me op maar een ding: mijn lichaam te vertellen dat het moest wachten. Het kon nu nog niet. Het ging eigenlijk best makkelijk en ik slaagde er in verder te slapen. Toen ik wakker werd, rommelde het wat, en ik kon merken dat het zeker die dag zou gebeuren. Dus ik stuurde Mads een sms'je dat mijn weeën begonnen. Zodat hij hier alvast heen zou rijden om er zeker van te zijn dat hij op tijd was. Hij antwoordde onmiddellijk dat hij gelijk zou vertrekken en in de buurt wachten.

De weeën namen toe, terwijl het ochtendritueel moest worden afgewerkt. Ik haalde diep en geluidloos adem boven de lunchpakketjes,' Lise glimlachte en schudde haar hoofd. 'Ten slotte waren ze klaar om te gaan, Jakob en Tilde. Jakob keek bezorgd en vroeg meerdere malen of ik zeker wist dat hij niet thuis moest blijven? Daar was ik vrij zeker van. Ik beloofde plechtig onmiddellijk te zullen bellen als er iets gebeurde. Maar ik belde natuurlijk in plaats daarvan naar Mads en zei dat hij kon komen. Toen ging ik in bed liggen en voelde even. Ik had al vijf centimeter ontsluiting, en de baarmoederhals was zacht als boter. Het geboortevlies stond helemaal gespannen in de baarmoeder. Ik was er helemaal klaar voor. En het zou snel gaan. Ik wist dat het ermee zou kunnen eindigen dat ik het alleen moest doen. Maar dat had ik, aan de andere kant, de afgelopen keer toch ook gedaan. En ik voelde me echt heel rustig. Sterk en onoverwinnelijk. En hij zou er algauw zijn om me te helpen.'

'Waren jullie niet bang dat het mis zou gaan?'

'Mads was vooral bezorgd om daar met mij te staan, als er iets mis ging. Maar ik kon toch gewoon zeggen dat hij toch degene was bij wie ik me het meest op m'n gemak voelde om erbij te hebben, als er iets mis zou gaan. En toen was het eigenlijk wel in orde. Maar al dat soort dingen hadden we toen al wel op een rijtje. Dus ik ging naar de slaapkamer en zette alles klaar. Ik had alle spullen al in huis want het was een geplande thuisbevalling. Ik luisterde naar het hartje met de doptone en alles was in orde. En toen kwam hij. Het was precies zoals het moest zijn. Alleen hij en ik. Het was zo mooi. Wanneer ik een wee had, legde hij zijn hand op mijn buik en voelde de samentrekking. Ik vroeg hem om te kijken hoeveel ontsluiting ik had. Hij liet zijn handen over mijn buik gaan om te voelen hoe ze lag. Het hoofd was al ver ingedaald. Toen pakte hij de doptone en luisterde naar het hartje, dat er op los sloeg. Hij wilde handschoenen aan doen, maar ik vroeg hem dat niet te doen. Ik wilde dat het zou zijn als toen we elkaar liefgehad hadden,' zei Lise, volledig in haar eigen verhaal opgaand. 'Zijn handen waren gloeiend heet, en zijn bewegingen waren zo zacht. Het was fantastisch. Een van de meest erotische dingen die ik ooit heb meegemaakt.'

'Hij zei dat ik de mooiste bevallende vrouw was die hij in zijn leven had gezien. Dat ik er net zo uitzag als wanneer ik klaarkwam toen ik een wee had.' Ze schudde haar hoofd. 'Het was zo fantastisch dat hij mij zag bevallen. Dat hij erbij was bij haar geboorte. Er kwam een wee die het laatste gedeelte van de baarmoederhals wegduwde, en ik kreeg meteen persdrang. Hij hielp me een beetje omhoog, zodat we elkaar konden zien. Ik legde mijn vingers op haar hoofdje. En hij deed hetzelfde. We voelden haar beiden, en toen had ik weer persdrang. Ik perste wat ik kon, en terwijl wij naar elkaar keken en naar haar, kwam ze eruit. We tilden haar op mijn buik en dekten haar toe. Ze was zo mooi. Ons kleine meisje. Het was de meest perfecte geboorte die we beiden *ooit* hadden meegemaakt. De ultieme bevalling. En we zouden er nooit met anderen over kunnen praten.'

Lise zweeg. Katrine zei niets. Er was een bizarre, maar meeslepende magie aan het verhaal.

'We lagen een tijdje samen in bed naar haar te kijken. Geen van ons had op de klok gekeken toen ze geboren werd. Dus we wisten niet precies hoe laat het was geweest. Ik zei dat ze nu geen geboortehoroscoop zou kunnen laten trekken. Mads zei dat als we geen grotere problemen dan dat hadden... Daar had hij zo ontzettend gelijk in,' zei Lise peinzend. 'Na een tijdje reed hij weer weg en ik lag me een beetje voor te bereiden op het kleine toneelstukje dat ik moest opvoeren.'

Katrine keek vol ongeloof naar Lise, en probeerde haar steeds harder klapperende kaken rustig te houden.

'Ja, dat heb ik gedaan,' zei Lise, alsof ze Katrines gedachten kon lezen.

'Ik belde Jakob en zei wanhopig dat ik weeën had en dat hij zich moest haasten om te komen. Ik denk dat die prestatie op zijn minst een Oscar verdiende.'

Het maakt je compleet niets uit of je de waarheid spreekt of niet, dacht Katrine, dat heeft helemaal niets met toneelspel van doen.

'En,' zei Lise en sloeg spijtig haar armen opzij, 'helaas was ik dus al bevallen toen hij aankwam. Wat natuurlijk geen onrealistisch scenario was, als je er over nadenkt. Ik legde uit dat het heel erg snel was gegaan. Bijna als één lange wee. Een stortgeboorte. Het had mij ook echt verrast dat het zo snel ging. "Ik had echt niet gedacht dat het vandaag zou worden!" zei ik. En ik kon best begrijpen dat hij het jammer vond. Maar het belangrijkste was toch dat onze dochter helemaal gezond was. En dat was het toch ook? Vind je ook niet, Katrine? En per slot van rekening: wie waren het die samen zouden moeten leven op de lange termijn? Dat waren Mads en ik, toch? Het is toch logisch dat we dat moment graag wilden delen?'

Katrine gaf geen antwoord. De vragen stapelden zich in haar op en ze raakte geïrriteerd en ongeduldig, want ze had het nu zó koud. Het was nu onmogelijk voor haar om weer warm te worden. Ze rilde van de kou.

'Vind je ook niet?' herhaalde Lise ongeduldig.

'Wat gebeurde er, Lise?' vroeg Katrine. 'Waarom heb je Mads vermoord? Hield hij zich niet aan zijn belofte?'

'Wat een hoop vragen, Katrine,' zei Lise, en leunde achterover. Van haar weg. De vertrouwelijkheid was blijkbaar voorbij. 'Wat een hoop vragen.'

Maar ze ontkende het niet.

Dat was het moment dat het echt tot Katrine doordrong dat ze in handen was van de vrouw die Mads Winther die zondag op brute wijze had vermoord. En dat ze gelijk had gehad. Degene met het mes was een vrouw geweest.

De kou voelde plotseling dubbel intens.

'Kun – je – de – verwarming – hier – niet – aandoen?' vroeg ze, bevend en hakkelend. Ze voelde hoe de wanhoop aan de oppervlakte op de loer lag. Het ongemak van het zo afkoelen en het overgeleverd zijn begon haar zelfbeheersing te ondermijnen. Waar zou dit hier eigenlijk op uitlopen? Wat had Lise in gedachten?

Lise leunde weer naar voren, alsof ze twee samenzweerders waren die een vertrouwelijk gesprek gingen hebben. Maar de illusie van vertrouwelijkheid, die er vlak voor was geweest, ondanks de absurde situatie, was nu totaal weg.

'Voordat we afscheid nemen, Katrine, is er iets anders waarover ik graag met je wil praten. Herinner je je het weekendtripje dat we hierheen hadden? Na de eindexamenfeesten?'

'Wat is dat verdomme voor een vraag?' siste Katrine geprovoceerd. Instinctief voelde ze een sterke tegenzin om te gaan horen wat nu volgde.

'We konden toch heel goed praten samen, Jon en ik. Dat was altijd al zo. We hebben samen lang zitten praten op het strand. Vlak nadat je hem gedumpt had. Hij was erg teleurgesteld dat je dat op die manier had gedaan.'

Katrine opende haar ogen abrupt. Wat zei ze nu net? Dat zij en Jon samen op het strand hadden zitten praten? Ze hadden Katrine destijds verteld dat niemand hem gezien had nadat hij van haar weggelopen was. Ze had altijd voor zich gezien hoe hij alleen naar zee gelopen was. Dat hij wat verder het strand op was gelopen waar hij rust had, of recht het water in was gelopen. Daar was ze nooit helemaal uit gekomen – maar een van beide had hij gedaan. En nu zei Lise dat ze samen hadden zitten praten.

Katrine keek naar Lise.

Ze herinnerde zich hoe Lise geschokt de kamer ernaast in was gekomen en haar 's ochtends vroeg gewekt had en vertelde dat Jon was verdwenen. Dat een paar van de anderen het erover hadden gehad dat hij 's nachts niet was teruggekomen van het strand. Dat ze vreesden voor het ergste...

Het zou bijna licht worden. Ze hadden langs het strand gelopen en in de vroege ochtend gezocht en geroepen. Ze hadden de hulpdiensten gebeld. De zee was kalm geweest en de zon was opgegaan aan een wolkenloze hemel. Een bijzonder mooie zomerochtend.

Een helikopter had de idylle verstoord en had boven het water gevlogen. De kustwacht had er rondgevaren om naar hem te zoeken.

En had hem gevonden.

Hij was verdronken.

Hij had zichzelf van het leven beroofd. Hij was ver uit de kust gezwommen, en had het water zijn leven laten nemen. Omdat zíj hem had afgewezen. Omdat zíj had gezegd dat het voorbij was, op een heel verkeerd moment, toen ze dronken waren. En waarop het voor hem als een donderslag bij heldere hemel kwam.

Daarna volgden de zelfverwijten, het schuldgevoel. Ze voelde dat zijn ouders het haar verweten, ongeacht wat ze ook zeiden.

Het was een grote nachtmerrie die haar achtervolgde, waar ze ook maar heen ging met haar rugzak het jaar daarop. Of ze nu in de bergen van Zuid-Amerika zat of in Thailand. Waar ze ook heen ging, het beeld van Jon, die geschokt van haar wegliep, de nacht in, liet haar niet los.

'Ik heb er echt vaak over nagedacht, Katrine.' Lise schudde haar hoofd. 'Over wat je er eigenlijk van zou zeggen als je het wist.'

'Wat wist?'

Lise hield haar hoofd schuin als een klein meisje dat graag in de gunst wilde komen en zei onschuldig: 'Dat we die avond op het strand geneukt hebben. Jon en ik.' Haar hoofd schoot naar de andere kant. 'Net nadat je hem gedumpt had.'

'Wat? Je bent ziek!' riep Katrine woedend.

'Ik denk eigenlijk niet dat je je in een positie bevindt waarin je dat soort dingen kunt zeggen,' zei Lise boos en gaf haar een harde mep.

Katrine staarde haar verbluft aan. Haar wang schrijnde van de mep en de tranen kwamen in haar ogen.

'Wat is er toen gebeurd?'

'Ik weet echt niet of ik je dat wel wil vertellen als je zo tegen me praat,' zei Lise. 'Maar je bent waarschijnlijk een beetje opgewonden nu. Ik denk eigenlijk dat je een beetje moet afkoelen.'

'Zo!' zei ze en haalde het dekbed helemaal weg.

Toen deed ze het raam open.

IJskoude lucht stroomde naar binnen en trof Katrines toch al koude lichaam.

'Nee, dat kun je niet...'

'Nee, dat zou je niet denken, hè?'

'Lise...' Ze ergerde zich aan haar eigen smekende stem, maar dit was te verschrikkelijk en weerzinwekkend. Ze had het ongelooflijk koud.

'Maar het is in werkelijkheid eigenlijk heel eenvoudig. Nou blijf je hier gewoon een tijdje liggen. Dan kun je er eens over nadenken en word je wat meegaander. En dan kunnen we het afsluiten.'

'En wat ben je dan van plan?'

'Kun je dat niet bedenken? Helemaal leeg? Ach, wat ben je fantasieloos geworden. Het is bijna zielig om naar te kijken! We gaan toch zwemmen, Katrine! Iedereen zal denken dat het je te veel is geworden om hier terug te keren. Vanwege je schuldgevoel en zo. Je gaf het op en ging Jon achterna om rust te vinden.'

Katrines tanden klapperden als castagnetten. Haar lichaam schudde zo hevig dat het bed kraakte. Of ze wilde of niet, de grote spieren in het lichaam waren begonnen aan een hopeloos en ongelijk gevecht om op temperatuur te blijven in deze ongunstige situatie.

Aangezien de vastgebonden houding haar bewegingsmogelijkheden tamelijk klein maakte en het raam wijd open stond, met daarbij de nachtvorst, ging het warmteverlies nu heel snel. Ze probeerde het allemaal te begrijpen, terwijl ze de meest aparte bewegingen met haar lichaam maakte om de bloedsomloop zo goed als ze kon op gang te houden.

Lise had Mads Winther vermoord.

Ze had hem neergestoken in zijn voortuin.

Ze hadden jarenlang een affaire gehad, hadden een kind, en hij had zelfs geholpen met de geboorte.

En ze hadden het allemaal verborgen weten te houden voor hun echtgenoten.

Het zat haar ongelooflijk dwars, dat ze niet te weten was gekomen wat er op het strand gebeurd was tussen Lise en Jon. Ze hadden seks gehad. Maar wat was er gebeurd?

En wat had zich afgespeeld tussen Lise en Mads Winther, voordat hij stierf?

Ze moest het weten!

'Lise! Lise, kom terug! Ik moet je wat vragen!'

Er gebeurde niets. Geen geluid, niets. Had ze het huis verlaten?

Ze probeerde zo veel als ze kon zich te bewegen in haar beklagenswaardige en nu verschrikkelijk onbehaaglijke situatie. Ze was geschokt bij het idee hier verschillende uren te moeten liggen. Hoe ongemakkelijk dat zou worden. Ze voelde plotseling dat ze geen lucht kon krijgen en snakte naar adem. De koude lucht deed pijn in haar longen.

Ze wist helaas goed wat er relatief snel zou gebeuren als ze in deze kou bleef liggen. Ze had behoorlijk wat fysiologie gehad en wist genoeg over onderkoeling om te weten hoe het verloop zou zijn.

De grote spiertrillingen die ze ervoer, nu haar lichaam volledig buiten haar controle was, zouden afnemen. De bloedsomloop zou veranderen, zodat het bloed alleen door de dieper gelegen aderen stroomde om de inwendige organen te beschermen, die het koude bloed uit de buitenste aders niet konden verdragen. Armen en benen zouden daarom nog kouder worden. Haar voeten en schenen deden al pijn. Na enige tijd zou deze toestand onomkeerbaar zijn. Als ze zich dan snel in beweging zou zetten, zou het afgekoelde bloed uit haar armen en benen namelijk te abrupt in het binnenste van haar lichaam komen en dat zouden de inwendige organen niet aankunnen.

Als het te lang duurde, kon ontsnappen haar uiteindelijk het leven kosten, als ze überhaupt ooit vrij zou komen.

Het was dus zaak om zo snel mogelijk uit deze hachelijke situatie te komen. Ze moest zich bewegen. Haar lichaam op gang houden. Zorgen dat Lise terugkwam.

Ze riep weer. Er gebeurde niets.

Het was een dwaas plan dat Lise bedacht had. Jens wist alles over het kind en de affaire. Hoe kon ze denken dat ze ermee weg zou kunnen komen?

Katrine was in ieder geval van plan om er alles aan te doen wat ze kon zodat het geen zelfmoord zou lijken, als het zover kwam. Ze moest sporen achterlaten op haar lichaam, die ervan getuigden dat ze niet door eigen hand gestorven was. Ze draaide haar handen rond zodat de randen van de riemen in haar huid sneden. Dat sneed de bloedtoevoer naar haar handen af, dus het was niet bepaald prettig gezien de situatie. Even een pauze. Dan kon ze het nog een keer doen. Ze keek op naar haar handen. Er was nu nog niets te zien, maar de markeringen konden na enige tijd wel zichtbaar worden. Ze draaide de riemen nog een keer rond en deed hetzelfde met haar voeten.

Shit, wat had ze het koud!

Ze probeerde haar lichaam op gang te houden door ieder lichaamsdeel dat ze kon bewegen te buigen en te strekken, maar alle belangrijke spieren in haar lichaam schokten gelijktijdig, en het was moeilijk om überhaupt iets onder controle te krijgen. Ze probeerde om langzaam en diep adem te halen en op die manier te ontspannen. Het was hopeloos. Met de lucht die ongeveer tien graden onder het vriespunt was door het raam stromend, vocht ze een hopeloze en ongelijke strijd.

De gedachte aan de zee in deze kou deed haar het nog kouder krijgen dan ze het al had.

Ze werd overmand door angst.

'Lise! Kom terug! Lise, kom alsjeblieft terug!' schreeuwde ze uit alle macht.

Maar er gebeurde niets.

Jens zat met een schok rechtop in bed.

Hij had ergens over gedroomd, maar hij herinnerde zich niets. Hij keek op de klok. Het was nog maar vijf uur, dus hij kon nog een vol uur meer slapen. Genoeglijk draaide hij zich op zijn andere zij en viel weer in slaap.

*

'Jon.' *Ze ademt zwaar tegen zijn nek. Snuift zijn geur op. Het is een teken dat je bij elkaar past, heeft ze ergens gelezen. Als een vrouw de lichaamsgeur van een man niet lekker vindt, is dat omdat ze niet bij elkaar passen. Je kunt het anders net zo goed meteen opgeven. Het is gedoemd om te mislukken! Maar zij vindt zijn geur vreselijk aantrekkelijk. Die is sexy. Kruidig. Mannelijk.*

Haar mond zoekt de zijne. Hij aarzelt.

Katrine heeft die arme Jon gedumpt. Hij is diep ongelukkig. Lise is naar het strand gegaan om met hem te praten. Katrine is naar bed gegaan.

Het vuur is gedoofd. Ze zijn hier gaan slapen met een aantal quilts.

En dan legt hij opeens zijn arm om haar heen en zijn hand vertelt dat hij meer wil. De hele situatie verandert plotseling van karakter.

Ze gaan heel dicht tegen elkaar aan liggen onder de quilt, en het wordt plotseling heel broeierig tussen hun lichamen.

Ze kust hem op de wang. Op zijn hals.

Dan neemt hij een besluit, en hij kust haar. Zand en handen overal op haar lichaam. Kleding verdwijnt. Jon boven op haar. Jon is in haar.

En dan is het alweer voorbij.

Hij valt zwaar terug in het zand naast haar. Ze is teleurgesteld, maar schudt het van zich af.

Dan hoort ze dat hij weer huilt. Hij krult zich op als een kind.

'Jon, vergeet haar.'

'Dat kan ik niet.'

'Wij tweeën kunnen het zo leuk hebben, samen.' *Ze raakte hem aan.* 'Kun je dat niet voelen?'

'Sorry, Lise.'

Hij trekt zich van haar terug.

'Sorry, ik had niet... Het was een vergissing.' Hij staat op en begint zich aan te kleden.

Ze springt op. Nu neemt het een heel verkeerde wending. Ze drukt haar lichaam tegen het zijne.

'Jon, luister nou. Het hoeft niet zo snel te gaan. We hebben de tijd.'

Hij schudt zijn hoofd en duwt haar van zich af.

'Ik had het niet moeten doen, sorry.'

De klootzak. Hij had haar voor de lol gehad. Had haar verdomme gebruikt voor een troostwip!

Ze gaat het water in.

'Lise, kom terug.'

'Lazer op!' Ze begint van de kust weg te zwemmen. Achter een golfbreker langs.

'Kom terug, Lise. Sorry. Ik ben hartstikke zat en ik had het niet moeten doen. We vergeten het gewoon helemaal. Zeg het niet tegen Katrine. Please!'

Hij heeft spijt. En Katrine mag het niet weten. Ze voelt zich vernederd.

'Rot op.'

'Lise, stop nou. Je kunt daar toch niet alleen zwemmen. Het is hier helemaal verlaten. En je bent ook hartstikke zat! Kom nou terug!'

'Lul!'

Ze zwemt langs de golfbreker. Weet niet wat ze wil. Het water vermengt zich met de tranen van woede.

Hij roept haar en zwemt haar achterna.

*

Er was wat voelde als een eeuwigheid in de hel voorbijgegaan.

Maar het was een hel die niet uit likkende vlammen bestond, maar daarentegen uit windstoten van ijs die haar lichaam troffen als ijspegels en zich in haar vlees boorden. Sommige lichaamsdelen waren gevoelloos, andere deden pijn en ze had er verschrikkelijk veel last van. Ze voelde zich ongelooflijk alleen, en ze kon niemand vertellen dat ze hier lag.

Lise kwam terug en keek welwillend naar haar.

'Wil je me vertellen wat er gebeurd is met Jon?' vroeg Katrine.

Lise ging op de stoel zitten, met haar grote warme bontjas aan, waar Katrine niet aan probeerde te denken.

'Jon, die eh, hoe zal ik het zeggen... was niet helemaal klaar voor een nieuwe relatie. Hij was zo weg van jou. Het was een troostwip. Daarna begon hij te janken en zei dat hij er spijt van had. Probeer je je dat eens voor te stellen. Je hebt die vent net geneukt. En dan zegt hij dat hij er spijt van heeft! Om te beginnen was het alleen maar omdat ik weg wilde van hem, dat ik het water in ging. We hadden eerder die nacht allemaal samen gezwommen, daar bij het kampvuur gezeten en gedronken. Dat kun je je nog wel herinneren, toch?' Dat kon Katrine wel. Dat was toen ze te veel gedronken had. Ze had gezongen en gedronken als een oude zeeman.

'Ik wilde alleen maar weg van hem. Dus ik ging het water in. Toen ging hij mij daar staan roepen. En ik schreeuwde dat hij me kon komen halen, als hij wat van me wilde.'

Lise zweeg. Ze verzonk in haar eigen gedachten.

'En dat deed hij dus. Hij zwom naar me toe. Achter de golfbrekers langs. Waarna ik zelfs nog verder ben gezwommen. Maar toen keerde ik om en zwom ik weer terug. Hij was heel moe, heel erg dronken,' zei ze met een spijtige uitdrukking, die niet erg overtuigend was. 'En erg moedeloos.'

'Wat gebeurde er toen?' vroeg Katrine bevreesd.

Lise keek haar uitdrukkingsloos aan. Ze keek alsof ze zorgvuldig afwoog of ze het hele verhaal zou vertellen of niet.

'Wat gebeurde er toen?' vroeg ze weer en kon de agressie in haar stem horen. 'Ik moet het weten.'

'Je weet toch hoe het eindigde. Hij verdronk. Ik zou kunnen

zeggen dat het kwam omdat hij mij probeerde te redden. Maar...'

'Maar wat?' fluisterde ze. Ze moest het weten. Al was het het laatste wat ze hoorde voordat ze stierf, ze moest het weten. Zijn dood had zoveel plaats ingenomen, en haar leven kapotgemaakt. Als zou blijken dat alles heel anders in elkaar zat dan ze al die jaren had geloofd... Ze verdiende het om dat ten minste te weten voordat ze stierf.

'Maar dat zou niet helemaal kloppen. Het begon met een omhelzing. Hij verontschuldigde zich en vroeg me om mee terug te komen. Hij was moe. Dronken. Kon niet meer verder zwemmen. Er was niet zo veel voor nodig. Hij gaf het al snel op, Katrine.'

Katrine kon haar oren niet geloven.

'Je hebt hem vermoord!' riep ze.

Lise antwoordde met een glimlachje.

'Je hebt Jon vermoord!' Nu schreeuwde ze. En bleef schreeuwen. Haar eigen verdriet. Haar schuldgevoel omdat hij was verdronken door haar schuld. En in werkelijkheid was Lise verantwoordelijk voor zijn dood.

Katrine snikte.

'Nee. Neeeeh.'

Lise verdween de deur uit.

Het was nooit haar schuld geweest... Ze kon nog net de opluchting voelen, voordat alles zwart werd en ze het bewustzijn verloor.

Jens dacht dat het niet waar was toen het alarm van zijn mobieltje afging. Hij had zijn ogen net weer gesloten. Maar het was en bleef zes uur. Hij nam een snelle douche, kleedde zich aan en ging Simone wakker maken. 'Ik moet vroeg weg, Simon. Er zijn vannacht wat dingen gebeurd.' Onbestemde geluiden klonken van onder het dekbed.

'Jij zorgt zelf wel dat je opstaat en wegkomt, hè?'

Het haar dat erboven uitstak, knikte.

'Goed.'

Hij ging stilletjes de kamer uit. Waarom wist hij eigenlijk niet. Je kon waarschijnlijk zonder problemen een middelgrote fanfare naast Simone neerzetten. Hij betwijfelde sterk dat ze op tijd op zou staan en maakte een memo voor zichzelf op zijn telefoon om haar om zeven uur te bellen. Toen reed hij naar het bureau.

Het was erg rustig in de kantoren. Jens ging even koffie zetten en even later kwam Per Kragh de deur binnen.

'Wat denken jullie eigenlijk – die computer mee naar huis nemen?' vroeg Kragh boos en verongelijkt. Toen ze elkaar vannacht spraken, had hij blijkbaar niet het detail meegekregen dat het een soloactie van Katrine was geweest om de computer mee naar huis te nemen.

'Ja, maar het was eigenlijk...' Hij aarzelde. 'Ja, maar nu zijn we wel te weten gekomen dat Lise Barfoed een sterk motief heeft, als blijkt dat de zaak tegen Nukajev niet rond komt.'

'En haar motief zou zijn dat ze het een goed idee vond om de biologische vader van haar kind te vermoorden?' zei Kragh sceptisch.

'We weten niet hoe het zit met die twee. Misschien heeft hij haar iets beloofd of misschien heeft hij haar bedreigd. Of omgekeerd. Misschien voelde Barfoed zich bedreigd door hem. Misschien zou hij het allemaal aan haar man gaan vertellen? De perfecte ingrediënten voor een echt goed jaloeziedrama. Dat moet je toch toegeven.'

'Toegegeven. Maar je vergeet dat we iemand in voorlopige hechtenis hebben, die een stuk schuldiger lijkt, omdat hij is ontsnapt!'

'Of hij is bang om onschuldig te worden veroordeeld voor iets dat hij niet gedaan heeft. Misschien doet het hem denken aan zijn gevangenschap en de martelingen. En vervolgens raakte hij in paniek?'

'Ben je nu ook al psycholoog, Høgh?'

Jens gaf geen antwoord.

'Sorry,' zei Kragh. 'Dat had ik niet moeten zeggen. Het is gewoon... Ik sta onder zo'n verschrikkelijk grote druk vanwege dit ontsnappingsverhaal. En ik hou er gewoon niet van wanneer mensen hier spullen weghalen en dingen achter mijn rug om doen. Ik wil geen ongeleide projectielen op mijn afdeling.'

'Ze heeft gehandeld uit de sterke overtuiging dat er nog iets is wat nog uitgezocht moet worden in deze zaak.'

'Ja, daar moeten we haar dan maar naar vragen wanneer ze hier komt. Ze is toch onderweg?'

'Daar ga ik zeker van uit. We hebben hier om zeven uur afgesproken.' Hij keek op de klok. Dat was het algauw.

Jens' mobiele telefoon ging af.

'Misschien is zij het.' Hij keek. Onbekend nummer.

'Met Maria,' klonk een zekere au pairs ongelukkige stem. 'Ik weet niet waar Vibeke is. Ze is weg!'

'Wanneer heb je haar voor het laatst gezien?'

'Gisteren, voordat ik naar bed ging.'

'En vanochtend was ze verdwenen?'

'Ja.'

'En de kinderen zijn thuis?'

'Ja, daar pas ik op.'

'Denk je niet dat ze gewoon aan het hardlopen is? Of naar haar werk?'

'Nee, haar schoenen staan hier. En ze hoeft maandag pas weer naar haar werk.'

'Misschien heeft ze meerdere paren?'

'Ze heeft vier paar hardloopschoenen. Die staan hier allemaal.'

'Hm,' Jens keek naar Kragh. 'Momentje, Maria, blijf even hangen.' Hij legde zijn hand over de hoorn. 'Vibeke Winther is uit haar huis verdwenen. De au pair weet niet waar ze is.'

'Net wat we nodig hadden,' kreunde Kragh. 'Stuur er een wagen heen en zeg tegen het meisje dat ze alle deuren op slot moet doen en, afgezien van de politie, niemand binnen moet laten.'

Jens instrueerde de huilende Maria en stelde haar gerust dat de politie er snel zou zijn.

Daarna belde hij Katrine om te informeren hoe ver ze was.

'Met Katrine Wraa, ik ben op dit moment niet bereikbaar, laat uw naam en nummer achter, dan bel ik terug.' Jens wachtte ongeduldig tot het antwoordapparaat klaar was.

'Met Jens. Ik wilde alleen maar even horen wanneer je hier kunt zijn. Bel me even.'

Katrine werd wakker. Koud, rillend en bang.

Haar telefoon was afgegaan in de woonkamer. Lise had hem mee daar naartoe genomen. Als het Jens maar was. Als hij zich maar snel zou afvragen waar ze bleef, en daarop reageerde.

Haar lichaam schokte hevig en ongecontroleerd. Het raam stond nog steeds open, en nu was het zelfs beginnen te sneeuwen. Sneeuwvlokken prikten op de pijnlijke en koude huid als kleine naaldjes. Ze had het zo koud als ze nooit voor mogelijk had gehouden.

En ze herinnerde zich alles.

Lise had Jon verdronken.

Hij had geen zelfmoord gepleegd.

Katrine werd vervuld van woede en opluchting tegelijk. Ze had al die jaren gedacht dat zijn dood haar schuld was. En in werkelijkheid was het die van Lise geweest...

Lise had Jon vermoord. En Mads. En zijzelf was de volgende.

Hoeveel doden had ze werkelijk op haar geweten? De rillingen liepen over haar ruggengraat, toen het tot haar doordrong. De dood van Lises moeder was ook een ongeluk geweest. Een verdrinkingsongeval in Noorwegen.

Het was het jaar voordat Lise bij hen in de klas kwam in de derde gebeurd. Maar was het überhaupt een ongeluk geweest als het erop aankwam? Daar was niet achter te komen. Maar als Katrine voor een moment aannam dat het dat niet geweest was... dan was het vooruitzicht heel afschrikwekkend.

Had ze in de loop der jaren ook met anderen afgerekend? Mensen die haar in de weg zaten? En het was niet ontdekt, omdat het tragische ongevallen leken die niemand eerder met elkaar in verband had gebracht.

Niet tot op dit moment.

In dit licht bezien, leek het ineens niet logisch dat Lise Vibeke Winther niet in een eerder stadium uit de weg had geruimd. Zij was het echte struikelblok geweest voor de verhouding. Lise zou zelf niet hebben geaarzeld om bij haar man weg te gaan.

Dus waarom had ze dit probleem niet op dezelfde manier opgelost als haar conflicten met anderen die haar in de loop der tijd in de weg hadden gezeten?

Katrine had moeite met helder nadenken, omdat ze het nu zo koud had, dat het zeer deed in haar botten. Maar ze moest alle puzzelstukjes op hun plaats zien te krijgen en het allemaal begrijpen. Ze moest Lises modus analyseren, de wijze waarop ze het had gedaan. Lise was nooit eerder onder verdenking komen te staan omdat beide moorden ongelukken leken. Ze hadden plaatsgevonden in situaties waarin Lise in nauwe relatie tot haar slachtoffer had gestaan. En bij Jon had ze nog het voordeel gehad dat niemand had geweten dat zij zich die nacht samen met hem op het strand had bevonden.

Ze had natuurlijk niet op een onopvallende manier zo dicht bij Vibeke Winther in de buurt kunnen komen. De twee vrouwen kenden elkaar immers niet.

Maar ze had zo veel andere dingen kunnen doen. Ze had haar kunnen overrijden? Zich toegang tot het huis kunnen verschaffen en haar van de trap duwen. Het huis in brand steken, zoals de vrouwelijke arts die jaren geleden de vrouw en kinderen van haar minnaar had vermoord.

Wat had haar tegengehouden?

Mads had haar blijkbaar aan het lijntje weten te houden, en haar beloofd dat de oplossing nabij was? Het was blijkbaar pas toen Mads met haar brak – wat nog steeds giswerk was, maar zo moest het zijn gegaan – dat ze over de rand was gegaan en in diep affect had gehandeld. Ze had iets nieuws gedaan en had daarmee het risico verhoogd dat ze er niet mee wegkwam. Maar tot haar grote geluk was Nukajev dezelfde avond langsgekomen.

Maar waar kwam het mes eigenlijk vandaan? Als ze het van huis mee had genomen, dan was het meer met voorbedachten rade geweest dan Katrine nu had aangenomen.

Toen drong het ineens tot haar door. Jakob, Lises man, was niet alleen een handige verkoper –Lise had over hem gesproken als 'de kaplaarzenvent'. Het was absoluut niet ondenkbaar dat hij visgerei achter in de auto had liggen.

Misschien had Mads de relatie in het ziekenhuis beëindigd nadat ze net samen waren geweest. Zij was hem met haar auto achterna gereden, niet in staat om het te accepteren.

Hij had nog niet kunnen douchen toen hij thuiskwam. Je zou aannemen dat dat het eerste was wat hij zou willen doen. Hij had net een whisky voor zichzelf ingeschonken en was misschien al op weg naar de badkamer. Toen stond zij plotseling voor de deur. Hij liep mee naar de voortuin, zodat Vibeke en Maria hen niet konden horen praten. Ze maakten ruzie, en hij had zich omgedraaid om terug naar het huis te lopen. Lise was buiten zichzelf van woede geweest en had het mes mee gehad. Ze had hem van achteren neergestoken.

Haar alibi? Het alibi van de schoonouders? Hadden ze dat gecontroleerd? Nee. Maar Lise was daar zeker niet geweest, die avond. Ze was tussen negen uur en elf uur op het Rijks geweest, was Mads gevolgd en had hem in zijn voortuin vermoord.

Het was gewoon griezelig, zo gemakkelijk als zij loog. Zo ongelooflijk makkelijk en moeiteloos, zonder dat je ook maar iets aan haar kon merken of horen. Zonder aarzeling of nervositeit. En er viel geen berouw te bespeuren over de levens die ze had genomen, en het verdriet dat ze had veroorzaakt. Ze charmeerde en manipuleerde zich een weg, zelfs tegenover haar allernaasten. Jakob, die in de overtuiging verkeerde dat hij twee biologische dochters had. En in werkelijkheid was hij niet de vader van haar jongste. En alsof dat nog niet genoeg was, was de echte biologische vader achter zijn rug om bij de geboorte van zijn dochter geweest. Niet alleen erbij geweest – Mads Winther had zijn dochter zelfs ter wereld gebracht.

En Lise had geglimlacht toen ze het er gisteren over hadden gehad en had Katrine rustig verteld dat ze alleen bevallen was!

Het was bekend uit studies over orgaandonatie dat ongeveer 5 procent van de kinderen niet de biologische vader had, waar iedereen, onder wie hijzelf, van uitging. Katrine had dit tot nu toe het grootste bedrog gevonden dat een vrouw kon plegen jegens haar man. Mannen konden op hun beurt een dubbelleven leiden met twee gezinnen en ga zo maar door, zoals Mads Winther had gedaan.

Barfoed en Winther hadden er nog een extra dimensie aan toegevoegd.

Het bedrog der bedrogen.

Katrine had gedacht dat het een mooi stel moest zijn geweest.

Maar nu was ze diep geschokt bij de gedachte aan waartoe de twee in staat waren geweest.

Samen en ieder voor zich.

Ze moest onder ogen zien dat het te lang had geduurd voordat haar verdenking op Lise was gevallen. Daar waren waarschijnlijk twee belangrijke redenen voor; haar eigen slechte geweten tegenover Lise had haar beoordelingsvermogen vertroebeld en – ontdekte ze nu – het feit dat Lise verloskundige was, had haar nog terughoudender gemaakt om haar te verdenken. Het was, hoe je het ook wendde of keerde, ongelooflijk moeilijk je voor te stellen dat een persoon die dagelijks menselijk leven ter wereld hielp brengen, het ook zonder aarzeling zou kunnen nemen. De empathie waar je bij dat beroep over moest beschikken, viel moeilijk te rijmen met iemand die de dingen had gedaan die zij had gedaan.

Maar het was bekend dat het zeggen van de juiste dingen op

het juiste moment voor maatschappelijke acceptatie kon worden aangeleerd en geïmiteerd. Het overkwam Lise echter waarschijnlijk alleen wanneer ze er iets mee kon bereiken; lof en bewondering van collega's of van anderen voor haar prestaties.

En ze was zo'n beetje overal geweest, zoals Mette Rindom het had uitgedrukt. Het zou Katrine niet verbazen om te horen dat conflicten met managers en collega's haar verder hadden doen kijken.

Mads Winther was misschien een meewerkende factor geweest aan het feit dat ze bij het Rijks was gebleven?

Katrine dacht aan Lises uitleg over de bevalling van Nukajevs vrouw.

Die had sympathiek en vol gevoel geklonken, maar Katrine was ervan overtuigd dat ze zou kunnen horen hoe de 'juiste dingen' werden gezegd omwille van de politie. Ze had haar inlevingsvermogen en mensenkennis voor Jens wat opgeschroefd. En ze was er volledig mee weggekomen.

Katrine strooide niet graag rond met diagnoses. Maar op dit moment dacht ze dat dissociale persoonlijkheidsstoornis waarschijnlijk niet ver van de waarheid was.

En hier lag ze dan, Katrine.

Ze voelde hoe een verontrustende lethargie zich van haar meester maakte. Het laatste wat nu mocht gebeuren was dat ze in slaap viel. Ze moest bezig blijven en haar lichaam in beweging houden.

De moed erin houden. Niet opgeven.

Ze moest wakker blijven. Ze *moest...*

'Katrine zal hier snel zijn met de computer,' zei Jens tegen Kragh en Torsten, die met gefronste wenkbrauwen naar Jens' uitleg hadden geluisterd. 'En hoe loopt de zoektocht naar Nukajev?'

'Geen nieuws. Hij lijkt van de aardbodem verdwenen,' zei Torsten. 'Het verbaast me verdorie wel dat hij in staat is geweest het zo lang vol te houden.'

'Ja,' zei Kragh. 'Maar nu hebben we de media, en binnenkort het daglicht, mee. Dus hij duikt waarschijnlijk snel op.'

'En Lise Barfoed? Wanneer wordt zij hierheen gebracht?' zei Jens.

'Wij moeten aan het team dat vandaag naar haar toe gaat doorgeven, dat ze haar hier mee naartoe moeten nemen,' zei Kragh. 'Het is een krankzinnige geschiedenis, dat met dat kind... Als het tenminste klopt.'

'Ja, er zijn een paar gezinnen die dit hard zal gaan treffen,' zei Jens.

'Jens, zorg jij ervoor dat je haar hier krijgt?'

'Graag.'

Kragh en Torsten vertrokken. Jens pakte de telefoon en belde de dienstdoende agent.

'Het team dat Lise Barfoed moet beschermen totdat we Nukajev te pakken hebben, moet weten dat ze haar hiernaartoe moeten brengen voor verhoor.'

'Moment...' Jens hoorde het geluid van vingers op het toetsenbord op de achtergrond.

'Het is vandaag blijkbaar geannuleerd.'

'Geannuleerd? Hoezo *geannuleerd*?' Hij schreeuwde bijna in het oor van de arme man.

'Ja, ze zou direct naar haar schoonouders rijden om daar na haar nachtdienst te gaan slapen. En verder is de afspraak dat ze daar blijft, kan ik zien. Aan het einde van de dag moet dan een statusrapport over de situatie worden opgesteld voordat er...'

'Dus je zegt dat ze op haar werk is geweest en op dit moment op weg is naar haar schoonouders?'

'Dat is juist.'

Jens beëindigde het gesprek en belde de kraamafdeling van het Rijks. Op hetzelfde moment klonk het geluidssignaal van zijn memo om Simone wakker te bellen. Hij zette het uit. Hij moest straks maar even bellen.

'Kraamafdeling, met verloskundige Pia Skovby.'

'Ik moet Lise Barfoed spreken.'

'Nou, die is hier niet.'

'Dus ze is net klaar?'

'Nee, ze is vannacht naar huis gegaan, is mij verteld door de nachtploeg. Ik kwam voor mijn dagdienst en kreeg te horen dat ze zich niet goed voelde en naar huis moest, net nu die Tsjetsjeen op de vlucht is en zo. Ik denk dat ze zichzelf misschien een beetje had overschat – dat is nou net iets voor haar – en er was uiteraard het volste begrip voor.'

'Bedankt,' zei Jens toonloos en hing op.

Hij belde meteen Lise Barfoeds schoonouders.

'Lise?' zei de schoonmoeder verbaasd. 'Nee, die is op haar werk en daarna zou ze naar huis gaan om te slapen. Hoewel ik het wel een beetje onveilig vind met die Tsjetsjeen. Je weet niet waar die toe in staat is. Maar jullie passen hopelijk goed op haar?'

'Vanzelfsprekend doen we dat,' zei Jens en stond op het punt om het gesprek te beëindigen toen hij iets bedacht.

'Was Lise zondagavond en -nacht bij u?'

'Ze was hier met de meisjes voor het avondeten en daarna zou ze naar de bioscoop met een vriendin. Naar een negenuur-voorstelling in Lyngby, dus ze reed hier rond acht uur weg. Ze kwam terug om te slapen, maar ik zou toch echt niet weten hoe laat. Toen lagen we al in bed.'

'Bedankt,' zei Jens en nam afscheid.

Een bloedstollend vermoeden begon heel geleidelijk in zijn nek en verspreidde zich via zijn schedel naar zijn voorhoofd. Waar was Lise Barfoed in vredesnaam heen?

Waar was Nukajev? En Vibeke Winther?

En waar bleef Katrine verdorie toch?

Oké, oké, rustig nu, dacht hij. Misschien staat Katrine in de file op de snelweg?

Misschien was ze er heel principieel in om niet tijdens het autorijden te telefoneren? Dat vond hij zich niet moeilijk voor te stellen. Ze was wel behoorlijk principieel. Het probleem met deze verklaringen was alleen dat ze ook niet het type was dat wegbleef zonder even te bellen.

Hij belde haar weer.

'Hoi, met Katrine...' Hij legde neer en marcheerde naar Kragh en legde hem snel uit wat hij had ontdekt.

'Er zijn te veel vermiste personen in deze zaak,' concludeerde Kragh.

'Daar kan ik het alleen maar mee eens zijn,' zei Jens. 'En ik heb zojuist Lise Barfoeds alibi voor zondagavond doorgeprikt. Ze was niet de hele avond bij haar schoonouders, zoals ze beweerde.'

'Aha.'

'Ze kan het dus heel goed gedaan hebben.'

'En Nukajev?'

'Ik weet het niet. Maar het zit me niet lekker dat Katrine nog niet verschenen is.'

'Ze zit zeker vast in de ochtendspits.'

'Ze is op de andere dagen nooit te laat gekomen en op een dag als vandaag zou ze voor dag en dauw van huis gegaan zijn. En ze neemt niet op.'

'Dus, wat zeg je?'

'We weten niet waar Lise Barfoed is en ze heeft een web van leugens gesponnen over waar ze is.'

'We zullen een wagen naar haar huis sturen.'

'Dat is een goed idee. Maar er speelt ook iets tussen haar en Katrine. Een oude rancune vanwege een zelfmoordgeval toen ze jong waren. En als Lise Barfoed echt onze dader is en ze het gevoel heeft gekregen dat Katrine haar op het spoor is...'

'Dus jij meent dat het feit dat Katrine nog niet verschenen is, daar iets mee te maken kan hebben?'

'Het is niet onmogelijk.'

'En hoe zit het met Vibeke Winther? Ze heeft haar huis verlaten, zonder dat iemand weet waar ze is.'

Jens wreef over zijn hoofd. Verdomme. Kragh had gelijk. Hij was gewoon zo verschrikkelijk bang dat Katrine iets zou overkomen.

'Oké, we sturen wagens naar Winther en naar Barfoed, en ik zou heel graag naar Katrine gaan om te kijken of er niet iets met haar aan de hand is.'

'En haar op de snelweg kruisen?'

'Dat moet dan maar.'

Kragh keek hem sceptisch aan.

'Ik heb je hier meer nodig.'

Verdomme...

'Maar oké. Rij er maar heen en bel me zodra je iets weet.'

'Goed.' Jens draaide zich abrupt om en was binnen een halve seconde bij Hanne.

'Katrines adres, Hanne. Snel!'

Hanne kon zien dat er iets heel erg mis was, en haar vingers dansten gehoorzaam over het toetsenbord, zonder ook maar een vraag te stellen.

Hij kreeg het adres en snelde verder, pakte zijn spullen, telefoon en dienstpistool, trok zijn jas aan en zat binnen een minuut in de auto.

Snel toetste hij het adres in op zijn gps en reed noordwaarts de stad uit met zijn zwaailichten aan. Nu tijdens de ochtendspits was het de juiste richting om je in te verplaatsen. Bijna iedereen op de weg bewoog zich naar de stad. Na een klein halfuur was hij bij de afrit die van de snelweg naar Hillerød naar het adres aan de noordkust leidde, dat Hanne hem had gegeven.

Hij belde Katrine nog eens. 'Met Katrine Wraa...,' klonk haar voicemail nogmaals deprimerend.

Haar lichaam voelde vreemd aan.

Het was één groot pijnlijk organisme en tegelijk volledig verdoofd, gevoelloos en in een doodse toestand. Het grote geschok was gestopt. In plaats daarvan, trilde zowat alles in haar. Ze had nog nooit in haar leven zoiets onaangenaams meegemaakt. Op dit moment zou ze er alles voor over hebben om uit deze pijnlijke gevangenschap te ontsnappen.

Hoe lang had ze geslapen?

Het was onmogelijk vast te stellen. Maar ze was zo veel kouder dan eerst, dat ze dacht dat er wel een flinke tijd voorbij was gegaan. Toch was het nog steeds donker buiten.

'Opstaan, maar.'

Pas nu registreerde ze sloom Lises aanwezigheid in de slaapkamer. Als ze zich had voorgesteld haar mee naar het strand te krijgen, zou ze haar zelf moeten dragen. Ze was niet in staat om te lopen.

En toen drong het in al zijn gruwelijkheid tot haar door hoe hulpeloos ze was. Ze was zo verzwakt dat ze niets kon doen om te ontsnappen of zichzelf te verdedigen. De meeste weerstand die ze kon geven, was door zich zwaar en onverplaatsbaar te maken.

Lise maakte de riemen los van het bed, rolde Katrine geroutineerd op haar zij en bond haar handen samen achter haar rug.

Haar lichaam voelde aan als een stuk bevroren voedsel uit het koelvak.

'Zo, in de benen met jou.' De stem was gebiedend.

Katrine kwam niet van haar plaats.

'Nou, ik heb echt een grote hoeveelheid morfine. Een voldoende grote dosis – en dan haal je niet erg lang meer adem, hoor.'

'Maar dan weten ze dat ik geen zelfmoord heb gepleegd,' fluisterde Katrine.

'Prima, dan doen we het zo,' zei Lise en ritselde wat achter haar rug.

Een heel concrete angst overviel haar plotseling. Lise zou het doen. Ze leek op een andere manier gestrest dan eerder. Misschien had ze het onhoudbare van haar plannen ingezien.

Het werd waarschijnlijk gauw licht en het zou niet lang duren voordat iemand zich zou afvragen waarom Katrine niet op het bureau was verschenen. En ze zouden zich ook gaan afvragen waar Lise was. Lise zou het behoorlijk moeilijk krijgen om hier onderuit te komen. Ze was niet bij haar schoonouders geweest, niet op haar werk en hoe zat het met die bescherming waar ze onder was geplaatst? Ze had zich met dingen beziggehouden die nu onmogelijk uit te leggen waren en haar DNA zat door het hele huis, ook al had ze handschoenen aan gehad. Het klopte gewoon allemaal niet meer. Dat was dan tenminste een troost, als het allemaal helemaal verkeerd af zou lopen. Dan zou ze haar straf uiteindelijk toch krijgen.

Tegelijkertijd ging Katrines telefoon weer voor de derde of vierde keer.

Jens, dacht ze hoopvol. Hij moest toch reageren als ze niet kwam opdagen. Dus nu was het zaak om tijd te rekken, en misschien de kans op vluchtmogelijkheden te vergroten door mee te gaan naar het strand, ook al was de gedachte alleen al verschrikkelijk.

'Oké,' fluisterde Katrine en probeerde overeind te komen. Lise hielp haar te gaan staan maar Katrines benen waren stijf en volledig oncontroleerbaar. Ze zakte er doorheen.

'Kom, en nu gaan staan,' zei Lise hard.

Katrine worstelde om rechtop te gaan staan. Het werd er niet makkelijker op door het feit dat haar handen achter haar rug gebonden waren. Op een bepaald punt zou Lise haar handen los moeten maken. Als het eruit zou moeten zien als zelfmoord. Tenzij natuurlijk, dacht ze terneergeslagen, ze dat later pas zou doen. Als het voorbij was.

'Je komt hier niet mee weg, dat weet je, hè?' fluisterde Katrine.

'Dat is niet jouw probleem.'

'Dit loopt verkeerd af voor jou. Je had het bij je ongelukken moeten laten. Dit gaat jouw niveau ver te boven.'

Ze kreeg een rake klap tegen haar wang.

'Je houdt je mond!'

'Zullen we gaan?' vroeg Katrine uitdagend.

Lise gaf geen antwoord, maar pakte haar bij haar arm en trok haar met zich mee de kamer uit. De warme kamer in komen was geweldig en verschrikkelijk tegelijk. De warmte trof haar bijna bevroren ledematen en deed pijn. Net als toen je een kind was en binnenkwam na urenlang gesleed te hebben en je bevroren rode wangen pijn deden. Maal honderd.

Maar het was slechts van korte duur, want Lise leidde haar doelgericht naar de terrasdeuren. Katrine overwoog haar mogelijkheden. Kon ze Lise met haar handen op de rug gebonden overmeesteren? Ze probeerde zich los te wurmen en wilde zichzelf tegen haar bewaakster aangooien en haar omver werpen, maar ze was te zwak. Lise reageerde snel en pakte haar bij haar handen achter haar rug en voerde haar tot aan de deur. Ze deed hem open en ze kwamen in dezelfde bijtende kou die haar in de slaapkamer gekweld had.

Katrines gevoelloze blote voeten voelden de sneeuw amper. Ze liepen door de tuin, die ze nog niet eens bij daglicht had kunnen zien. Het zou gauw licht worden en de contouren van bomen en struiken kwamen langzaam uit de duisternis naar voren. Ze kwamen bij het hek aan het einde van de tuin en gingen er door. Lise hield zich stevig vast aan de leuning van de houten trap die met zijn drieëntwintig treden naar het strand leidde. Katrine kon nauwelijks haar benen buigen en wankelde hulpeloos de met ijs bedekte en glibberige treden af.

En toen gebeurde het.

Lise gleed uit en trok Katrine de laatste tien treden met zich mee naar beneden. Ze landden in het zand dat bedekt was met sneeuw. Katrine sloeg met haar bij voorbaat pijnlijke hoofd tegen een steen.

Lise was snel weer op de been en trok Katrine omhoog. Ze was duidelijk ongeduldig, nu. Ze wilde het allemaal achter de rug hebben.

Ze trok Katrine mee naar de waterkant, waar een papperige

ijsmassa was gevormd in een kleine inham tussen twee golfbrekers. Het water moest heel dicht tegen het vriespunt zijn. Het was afschrikwekkend om te zien.

Het was allemaal zo ongelooflijk rauw, koud en gewelddadig. Katrine stond hier in haar T-shirt en broekje, op blote voeten.

'Je raakt alles kwijt. Je man, je kinderen, huis, geld, baan, prestige.'

'Zoals ik al eerder zei: dat is niet jouw probleem. Jouw probleem is dat je hier niet levend vandaan komt. Wat er ook met mij gebeurt, ik leef dan nog steeds. Denk daar maar eens over na. Zolang je kunt. Ik denk ook dat de zelfmoordbrief bij jou op tafel me wel een beetje zal helpen.'

'Heb je een...'

'Ja, dat klopt. Een mooie ook nog, al zeg ik het zelf. Je legt ook uit waarom je het zo moeilijk vond om hier terug te komen, en waarom je schuldgevoel zo groot was. Jij was namelijk in werkelijkheid gaan zwemmen met Jon. Ja, je zou kunnen zeggen dat je in zekere zin mijn rol hebt gekregen.'

'Dat hebben ze zo door,' zei Katrine ijskoud. 'Mensen die mij kennen, weten heel goed dat ik nooit zoiets zou doen.'

'Je dacht dat ook niet van mij.'

'Ik ben erachter gekomen.'

'Maar veel te laat.'

'Ze weten best dat ik absoluut niet suïcidaal ben. Mijn vader weet het, en mijn vrienden ook. Ik hoor liever wat er gebeurd is tussen jou en Mads? Waarom heb je het gedaan?'

'Hij loog.'

'Dus hij wilde toch niet van haar gaan scheiden? Zoals hij je had beloofd?'

Lise gaf geen antwoord. Katrine vatte dat op als een ja.

'Vanwege de ziekte van zijn zoontje?'

Nog steeds geen antwoord.

'Dus je bent hem gevolgd nadat jullie samen waren geweest in het Rijks?'

'Oké! Ja, ik ben achter hem aan gereden. Hij hield zich niet aan onze afspraak en wilde er een punt achter zetten – net doen alsof er niets was gebeurd. En hij... de klootzak...' Er was nog meer. Dat kon Katrine duidelijk horen. Maar dat was misschien te vernederend voor Lise om aan haar te vertellen.

'Dus je had het mes al mee van huis?'

'Het is niet wat je denkt. Het was niet iets wat ik gepland had. Maar Jakobs visgerei lag achter in de auto waar het al een eeuw lag.'

'En wat heb je ermee gedaan?'

'Ik heb het natuurlijk teruggelegd. En heb het schoonge-maakt toen ik thuiskwam.'

'Maar er is één ding dat ik niet begrijp. Waarom heb je Víbeke niet gewoon vermoord? Ik denk dat zij de echte spelbreker voor je was?'

'Hij had me de belofte gedaan dat het zo zou gaan als hij zei! Hij had het belóófd!'

'Maar hij hield zich er niet aan. En toen heb je hem vermoord. Je hebt de vader van je eigen dochter neergestoken.'

'Kijk, dit is nou precies hoe dat gaat. Het komt door jou en hem en mensen zoals jullie. Jullie dwingen mij hiertoe. Kun je dat niet zien? Jullie verdraaien alles! Ik had geen keuze. Jullie laten mij geen keuze,' schreeuwde ze.

'En het laat je volledig koud dat er een onschuldige man de ge-vangenis in is gegaan voor een moord die jij hebt gepleegd. Je vindt het zeker wel een geluk dat hij langskwam?'

'Natuurlijk!'

'En toen verzon je dat hij ook bij jouw huis was geweest en je bedreigd had?'

Lise haalde haar schouders op en knikte.

'En Jon? En je moeder?'

'Zie je dat niet? Het was hun eigen schuld. Mijn moeder – als je eens wist hoe vreselijk gestoord zij in haar hoofd was. En Jon. Die dacht dat hij me gewoon kon gebruiken voor een verdom-de troostwip!'

'Dus het is eigenlijk altijd de schuld van iemand anders geweest, zeg je?'

'Natuurlijk is dat zo,' riep Lise. 'Ik ben toch niet zoals die exotische seriemoordenaars van je, hè? Het is jullie eigen verdomde schuld. Jullie dwingen me in een hoek. Dat was al zo bij Malene en...' Ze zweeg.

'En wie?' zei Katrine ademloos, 'waren er meer?'

'Het maakt niet uit. En nu is het voorbij, Katrine.'

'Wie is Malene? Je moet het me vertellen!'

Maar ze kreeg geen antwoord.

Lise trok haar handen omhoog achter haar rug, zodat haar schouders pijn deden en dwong haar op haar knieën in het ijskoude water, dat tegen haar benen opsloeg.

De kou was onbeschrijfelijk.

Lise dwong haar voorover. Katrine gaf uit alle macht weerstand, maar het had maar een miezerig effect. Als het doel van het haar laten liggen afkoelen, naast om haar te martelen, was om haar te verzwakken, dan had het gewerkt. Onder normale omstandigheden zou Katrine veel sterker zijn geweest dan Lise. Dat was ze nu beslist niet.

Katrine kwam op haar buik te liggen.

Lise dwong haar hoofd naar het water toe. Katrine nam een paar snelle diepe ademteugen en hield haar adem in toen haar gezicht tegen het wateroppervlak sloeg.

Het water koelde haar huid op een intensere en indringendere manier dan de lucht.

Twee minuten. Over twee minuten zou Jens bij het huis van Katrine aankomen volgens de gps. Hij had verschillende keren gebeld, nadat hij de snelweg had verlaten, maar ze antwoordde nog steeds niet. Hij had Kragh ook gebeld om er zeker van te zijn dat ze niet was komen opdagen.

Zijn gevoel dat er iets heel erg fout was, groeide gestaag. Het had zich tot een cocktail ontwikkeld bestaande uit te veel onbekende ingrediënten.

Hij ging nog wat sneller rijden en reed ruim boven de toegestane snelheid, hoewel de wegen glad waren omdat het weer had gesneeuwd vannacht. De gps stuurde hem een klein straatje in. Iets verderop moest hij weer een bocht om en de kustweg volgen, en dan zou hij er zijn. Hij reed alsof de duivel hem op de hielen zat en hij kwam op een klein binnenweggetje naar de kust. Hier was het. Honderd meter verderop stond de auto van Katrine. Afgezien van een auto die een paar huizen verder geparkeerd stond, was de weg verlaten.

Hij had gelijk gehad.

Er was nog iemand hier. Maar hij wist niet of het Lises auto was. Of die van een buurman. Het kon zijn dat er anderen waren die net zo gek waren als zij en hier in de winter woonden.

Het water was zoveel genadelozer.

Omvattend.

Haar hele bovenlichaam lag nu in het water. Haar enige kans was om te proberen haar adem zo lang in te houden dat Lise dacht dat ze dood was. En dan snel omhoog komen. En... meer wist ze niet.

Ze hield haar adem in voor iets wat een eeuwigheid leek. In werkelijkheid had ze geen idee of er tien seconden of een minuut voorbij waren gegaan.

Ze merkte paniekerig hoe haar lichaam heel anders reageerde dan ze gewend was. Het drong tot haar schrik tot haar door dat ze niet zo lang haar adem in zou kunnen houden als normaal. Dat moest komen vanwege de totale belasting, waaraan haar hele lichaam nu werd blootgesteld, plus haar hoge angstniveau. Ze begon zich te verzetten, probeerde om op te staan, maar Lise hield haar hoofd onder water en zette een been op haar rug. Het was genoeg om Katrine schaakmat te zetten. Ze probeerde in plaats daarvan zich kalm te houden, zich slap te maken, misschien zou Lise nu denken dat dat zojuist haar doodsstrijd was geweest, en dat ze hier nu met haar longen vol met koud zeewater lag. Het idee was verschrikkelijk, en ze worstelde met de vrees dat het echt op die manier zou aflopen. Het kan niet waar zijn. Het kan niet waar zijn, dacht ze doodsbang, maar merkte hoe haar ademhalingsreflex tegen haar wil begon op te spelen.

En toen, plotseling, zonder dat ze het op enigerlei wijze kon beheersen, opende haar mond zich verraderlijk in een stille schreeuw en ze voelde wat ze gevreesd had. Het koude water in haar keel en haar longen, de pijn, de paniek en de angst in de wetenschap dat het nu definitief voorbij was.

Het water in haar lichaam. Het moest eruit, eruit! Maar er was niets wat ze kon doen.

In haar doodsangst zag ze Jon voor zich, net voordat ze verdronk.

Deze nachtmerrie had hij ook meegemaakt.

Jens parkeerde een paar huizen verderop, pakte zijn spullen en rende naar het huis. Er was licht aan, maar hij kon niemand zien daarbinnen. Hij liep naar de voordeur en pakte voorzichtig de deurklink vast. Heel even drong zich een gedachte aan hem op; Wat als ze gewoon bezoek had en zich had verslapen? En daar kwam hij dan haar huis binnenstormen?

Dat verhaal zou legendarisch worden als het echt zo zou zitten.

Maar de deur was open. Hij ging naar binnen. En op het moment dat hij Katrines zomerhuisje binnenstapte, wist hij dat hij gelijk had.

Er was iets heel erg mis.

De kleine woonkamer had dezelfde temperatuur als buiten. Koude lucht kwam naar binnen via een terrasdeur die wijd open stond. Hij controleerde snel de kamers.

Die waren leeg. Vervolgens rende hij de deur uit, de tuin in.

De duisternis van de winternacht was grotendeels geweken en hij kon de voetafdrukken zien in de vers gevallen sneeuw.

Op dat moment kwam er een vrouw een hek aan het eind van

de tuin door rennen, dat naar het geluid te beoordelen naar zee leidde.

Het was Lise Barfoed.

En ze was zich schijnbaar een ongeluk geschrokken. Ze schreeuwde.

'Ze zijn daar beneden!'

'Wie zijn daar?

'Nukajev en Katrine. Het is verschrikkelijk, hij heeft ons hier sinds vannacht vastgehouden. We hebben geprobeerd te ontsnappen. Katrine ligt daar beneden. Ik denk dat ze verdronken is.'

Katrine. Verdronken... Nee, dat kon niet waar zijn... alles in hem kneep zich samen.

'Waar is hij, zeg je?'

'Hij is daar beneden. Dat zeg ik toch. Je moet rennen en proberen om haar te redden. Zijn jullie hier met meer?'

Jens dacht als een gek na. Waarom zou Nukajev Lise laten lopen als Katrine verdronken was. Dat was niet logisch. En hoe zou Aslan Nukajev het hier ooit hebben kunnen vinden? Ze blu ft, was zijn conclusie en hij greep haar bij haar arm.

'Je komt met mij mee naar beneden.'

'Naar hem? Denk je dat ik gek ben?'

'Nou, dan krijg je deze om en wacht je hier.' Hij haalde een kunststof strip tevoorschijn en wilde haar handen vastbinden.

'Hallo! Sorry! ik ben degene die hier overvallen is!' schreeuwde ze woedend.

'We zullen zien. Geef me je autosleutels.'

'En onderwijl gaat Katrine dood,' riep Lise.

Hij aarzelde een moment. Maar het was genoeg. Ze wurmde zich los en rende het huis in.

Jens sprintte naar het tuinhek. Daar beneden op het strand, vlakbij de waterkant, zag hij een angstaanjagend beeld.

Het levenloze lichaam van Katrine lag voor de helft in het water met haar gezicht naar beneden.

Ze was alleen maar gekleed in T-shirt en slipje.

'Nee! Dat kan niet waar zijn!' Hij stormde van de trap af en was in een paar stappen bij haar. Hij trok haar uit het water en constateerde tot zijn schrik dat ze geen ademhaling had. Hij ging meteen over tot het geven van hartmassage. Hij had onlangs zijn EHBO-kennis opgefrist. Het belangrijkste is de hartmassage, was hen keer op keer ingeprent.

Het hart op gang krijgen. Het hart op gang krijgen, zei hij in zichzelf, terwijl hij met beide handen regelmatig op haar borstbeen drukte. Dertig keer.

Toen gaf hij haar mond-op-mondbeademing. Haar lippen waren blauw en ze was lijkbleek onder de gebruinde huid.

Ze was ongelooflijk koud!

Hij keek naar haar terwijl de koude rillingen over zijn rug liepen. Hoe lang had ze in het water gelegen? Hoe lang was ze al dood?

Jens blies vijf keer warme lucht in haar koude mond en ging door met de hartmassage.

Kom op! dacht hij wanhopig.

En toen gebeurde het!

Ze spoog water en hoestte, zoals hij nog nooit eerder had gehoord.

'Verdomme, Katrine!' riep hij opgelucht uit. Hij legde zijn oor tegen haar mond. Ze ademde. Godzijdank! Hij legde haar in de stabiele zijligging.

Hij moest haar de warmte in zien te krijgen voordat de kou haar het leven benam. Ze was meegaander dan hem lief was. Hij trok zijn jas uit en legde die over haar heen en belde gauw 112. Hij instrueerde de dienstdoende agent om er onmiddellijk een ambulance heen te sturen en aan Per Kragh door te geven dat Lise Barfoed de dader was, dat ze zich in de omgeving ophield en dat hij versterking moest sturen.

'En echt als de razende bliksem! Katrine was verdronken toen ik aankwam!' schreeuwde hij bijna in de telefoon.

Hij tilde Katrine op, droeg haar naar de trap en vocht als een paard om haar naar boven te dragen.

Het voelde als een eeuwigheid, maar eindelijk kwam hij bij het huis aan. De terrasdeur stond nog steeds open. Was ze binnen...?

Jens ging de deur door. Op dat moment voelde hij een verlammende pijn in zijn nek. Lise Barfoed was nog in het huis en sloeg hem van achteren neer.

Hij zou bijna zijn evenwicht verliezen en met Katrine vallen, maar in de laatste seconde herstelde hij zich en moest hij haar geheel onvrijwillig een beetje ruw op de vloer neerleggen.

Hij draaide zich om naar Lise Barfoed, die meteen weer toesloeg met de pook, die ze als wapen gebruikte. Hij weerde de slag af met zijn linkerarm. De pijn was verlammend, maar hij slaagde erin om Lise Barfoed met zijn andere arm een goeie rechtse toe te brengen.

Ze ging neer.

Jens draaide zich om naar Katrine, die zacht lag te kreunen aan de andere kant van de kamer. Ze zag er beroerd uit. Volledig lijkbleek, doornat en verkleumd.

Hij ging snel naar de slaapkamer en haalde haar dekbed en een deken, die hij over haar heen legde.

De rest ging heel snel. Uit zijn ooghoeken zag hij Lise Barfoed bewegen en weer op de been komen.

Met het bloed uit haar mond en neus lopend, sjokte ze richting Jens met de pook opgeheven, klaar om te slaan.

Jens trok zijn Heckler & Koch.

'Sta stil,' schreeuwde hij, 'of ik schiet.' Door de pijn in zijn nek en arm werd het even zwart voor zijn ogen.

Lise bemerkte zijn aarzeling, rende naar de deur en verdween.

Jens rende achter haar aan, maar ze had de voordeur bereikt en had hem achter zich dichtgeslagen. Hij rende achter haar aan, maar stopte in de hal. Wachtte ze hem buiten op? Hij hield het pistool voor zich uit en deed snel de deur open.

Shit! Ze was meteen naar de auto gerend en zat er nu al in. Jens spurtte erheen. Lise startte de motor. De auto begon te rijden. Hij kon niet dichtbij genoeg komen om het voorportier te grijpen. Hij stopte even, richtte, schoot en raakte eerst het ene en daarna het andere achterwiel.

De auto slingerde. En stopte.

Jens rende erheen en zag Lise op het zelfde moment het portier open gooien en het op een lopen zetten. Imponerend doorzettingsvermogen, dacht hij, en ging achter haar aan. Hij haalde haar snel in en wierp zich met zijn hele gewicht op haar. Ze landden hard in de sneeuw.

'Handen op je rug.'

Ze lag helemaal stil. En toen, plotseling, gooide ze haar achterhoofd hard achterover in een poging hem een kopstoot te geven.

Jens ontweek haar ternauwernood. Hij ging bovenop haar zitten en legde haar handen achter haar rug. Al snel kreeg hij een strip te pakken en zette deze strak vast om haar handen.

Hij kreeg Lise Barfoed op de been en trok haar snel mee terug het huis in.

Schoten?

Had ze meerdere schoten gehoord?

Katrine kwam suf en ellendig bij. Ze kon zich eigenlijk niet herinneren zich ooit eerder in haar leven zo ellendig te hebben gevoeld.

Ze herinnerde zich met afgrijzen de laatste minuten tot alles zwart werd.

Het water in haar longen. Ze snakte naar adem bij de gedachte. Wat was er gebeurd dat ze nu kon ademen? Was ze dood? Was er toch leven na de dood? Wat was er in vredesnaam gebeurd?

Ze opende voorzichtig haar ogen en keek door kleine spleetjes en kwam er tot haar grote verbazing achter dat ze in haar woonkamer lag.

Ze begreep er niets van. Hoe was ze hier gekomen? Waar was Lise?

Plotseling voelde ze zich warm. Het was geweldig om het weer warm te krijgen. Wat had ze het toch koud gehad. Maar nu voelde ze zich plotseling heel warm. Had iemand de kachel opgestookt?

Ze opende opnieuw haar ogen weer op een kiertje. Nee, dat leek niet het geval te zijn.

Ze voelde zich steeds warmer en kon zelfs voelen hoe het bloed haar lichaam in stroomde.

Het was heerlijk.

Totdat ze zich verdwaasd en angstig een verhaal herinnerde dat ze gehoord had over een man die op een Noorse berg verdwaald was. Ze vonden hem zonder kleren onder een boom waar hij beschutting had gezocht tegen de sneeuwstorm.

Want korte tijd voordat je van de kou omkomt, stroomt het bloed de buitenste aderen weer in.

En op dat moment – voelt het heerlijk warm.

Jens bond Lise snel met de strips vast op een stoel.

Hij haastte zich naar Katrine, die op de grond lag waar hij haar had achtergelaten. Ze haalde licht en oppervlakkig adem, maar ze was diep bewusteloos.

Hij kon überhaupt geen contact met haar krijgen. Instinctief zou hij de bijna bevroren ledematen warm wrijven, maar dat zou vast niet goed zijn...

Hij keek naar het bleke gezicht dat boven het dekbed uitstak. Zou ze überhaupt warmer worden van daar op de vloer te liggen? Haar koude lichaam zou waarschijnlijk onmogelijk zelf warmte kunnen genereren onder het dekbed?

Hij zette de paneelradiator in de woonkamer op z'n hoogst, pakte een matras van het bed en hees haar erop. Resoluut trok hij zijn jas en laarzen uit en kroop onder het dekbed om haar met zijn eigen lichaam te verwarmen.

Mijn hemel, wat was ze toch koud. Hij zag het plotseling erg somber in. Zou ze dit ooit overleven?

Ze lagen zo voor wat wel een eeuwigheid leek.

Hij vond haar toestand verschrikkelijk slecht lijken. Haar ademhaling werd schokkerig en moeilijker.

Maar opeens hoorde hij een geluid ver weg, dat steeds dichterbij kwam.

Als dat maar...

Ja, het was echt zo. Een helikopter.

Hij stond op en rende snel de weg op en gebaarde met armen en benen.

De helikopter landde en een team van paramedici spoedde zich de woning in.

Ze werkten snel en geconcentreerd, en er bestond afgaande op hun ernstige gezichten geen twijfel over dat haar toestand uiterst kritiek was.

Hij hoorde alarmerende losse kreten over extreme onderkoeling en te hoge of te lage waarden van het een en het ander.

Katrine werd in een isolerend, zilverfolieachtig materiaal gewikkeld, kreeg een warmte-infuus aangelegd, en korte tijd later steeg de helikopter weer op met Katrine aan boord en zette koers naar het Rijksziekenhuis.

Jens bleef in het huis op de komst van versterking wachten, die zich over Lise Barfoed zou kunnen ontfermen. Zij keek kalm uit het raam.

Jens keek uit het keukenraam of hij de versterking al zag.

Kort daarna arriveerden twee bekende, grote, zwarte Peugeots. Kim Johansen en Torsten Bistrup stapten uit een ervan.

Jens legde kort uit wat er was gebeurd sinds zijn aankomst bij het huis.

Lise Barfoed werd naar een van de auto's gevoerd.

'Is er nieuws over Vibeke Winther?' vroeg Jens.

'Ze belde net voordat we vertrokken. Ze had rust nodig en had met Thomas Kring in een hotel overnacht. Maar toen ze wakker werd en haar voicemail afluisterde, kon ze wel horen dat het mis was.'

'Waarom had ze in godsnaam haar arme au pair niet op de hoogte gebracht?'

'Ze was er niet zeker van dat Maria haar mond zou kunnen houden tegenover de politie. En omdat ze nu juist even rust wilde van de politie...' antwoordde Torsten en haalde zijn schouders op. 'Ik denk dat ze wel besefte dat het niet zo handig geweest was.'

'Argh! Sommige mensen!'

'Wat doe je eraan,' zei Torsten en liep naar de auto's die even later het zomerhuisje verlieten.

Jens ging terug naar het huis en ging op de bank in Katrines woonkamer zitten.

Het was ineens heel stil.

Hij keek om zich heen. Hier woonde ze dus.

Als het beter met haar ging, kon hij het hele verhaal van haar te horen krijgen. Hij weigerde om iets anders te denken dan dat ze natuurlijk weer beter zou worden.

Hoewel hij diep in zijn hart wel wist dat het risico dat dat misschien niet het geval was maar al te groot was.

Simone! Hij was helemaal vergeten haar te bellen. Hij pakte zijn telefoon en wilde haar gaan bellen.

Aan de andere kant. Ze moest het toch leren... Hij stopte de telefoon terug in zijn zak.

Eindelijk arriveerde het team van technisch rechercheurs dat Torsten had ingeroepen. Jens vertelde ze precies alles wat hij wist over de gebeurtenissen van de nacht.

Er waren grote gaten. Wanneer was Lise gekomen? Hoe was ze binnengekomen? De deur was niet geforceerd. Had Katrine haar zelf binnengelaten? Was zij het die Mads Winther vermoord had? Had ze bekend? Wat was er gebeurd voordat ze op het strand belandden? Om er maar een paar te noemen...

Ze gingen met zijn allen naar het strand en de technische recherche nam foto's en afdrukken waar Jens Katrine in de sneeuw had gevonden.

'Jongens, ik denk dat ik het aan jullie overlaat,' zei hij en gaf hen de sleutels van het huis en liep naar zijn auto.

Hij moest terug naar de stad, naar het Rijks, en horen hoe haar toestand was.

Hij stapte in zijn auto en reed naar Kopenhagen.

Jens was op eigen houtje gaan sightseeën in Sjanghai. Hij stond maar liefst 350 meter boven het aardoppervlak in de Oriental Pearl Tower en keek uit over de miljoenenstad, waar een mengsel van mist en smog als een lage nevel overheen lag.

Simone was met Veronique naar de repetities van de balletvoorstelling, die over een paar dagen in première zou gaan. Na enkele maanden in Beijing, was het Franse ensemble verder gereisd hier naartoe, waar Jens en Simone tot Veroniques grote blijdschap zich voor een kleine week bij hen hadden aangesloten.

Simone begon een beetje belangstelling voor dansen te tonen en sprak met haar moeder over hoe ze een plek in Kopenhagen konden vinden waar ze zou kunnen oefenen. Het zou goed voor haar zijn om iets te hebben waar ze zich voor kon inzetten, dacht Jens, als ze maar niet net zoals Veronique zou gaan doen...

Katrine zou zeggen dat hij moest stoppen met zich zo veel zorgen te maken.

Hij miste haar. Katrine.

Haar toestand was het eerste etmaal heel kritiek geweest. Het had maar een haartje gescheeld, hadden de artsen later gezegd. Een kwestie van minuten.

Maar al op de dag na de moordaanslag had Katrine erop aangedrongen een verklaring af te leggen over alles wat er in het zomerhuisje was voorgevallen. Per Kragh en Jens hadden naast het ziekenhuisbed gezeten, terwijl zij vertelde over de dood van Jon, van Lises moeder, van Mads, en over de dochter, Marie, en haar geboorte, de verknipte afspraken die het paar had gemaakt en de sleutel van het huisje, die Lise in haar bezit had gehad.

'Ze noemde ook een Malene,' had Katrine gezegd. 'Onder de personen die ze vermoord heeft. Dat is alles wat ik weet. Ze wilde niet zeggen wie het was. En ik ben bang dat ze er een "en" aan toevoegde alsof het er meer waren. Maar ik kon niet meer uit haar krijgen.'

'Ik ga haar stevig aan de tand voelen,' had Jens gezegd.

En dat had hij gedaan. Maar zonder een bekentenis los te krijgen. En er dook ook geen Malene op toen hij tussen de onopgeloste zaken zocht.

Wie was zij?

Jens had vervolgens de vader van Lise opgezocht.

Axel Barfoed, oogarts, stond op het naamplaatje op de deur.

De nu gepensioneerde arts had Jens binnengelaten in een villa met een onmiskenbare muffe geur van bedomptheid en ouderdom in een sterke mix. Zijn gezicht was gesloten en als versteend. Blijkbaar in ontkenning en niet onder de indruk van de misdaden van zijn dochter. Het bleek dat vader en dochter elkaar al jaren niet meer hadden gezien. Jens had uitgelegd dat zijn dochter zou worden aangeklaagd voor doodslag en dood door nalatigheid en dat de dood van zijn vrouw een van de sterfgevallen was, die ze onderzochten.

'Mijn vrouw is uitgegleden en in het water gevallen,' zei de heer Barfoed stellig. 'Het was een tragisch ongeluk.'

'Ik moet u helaas voorbereiden op een andere mogelijkheid,' zei Jens. 'We hebben reden om aan te nemen dat uw dochter het ongeval heeft veroorzaakt. Maar dat valt natuurlijk moeilijk te bewijzen, zoveel jaren later, zonder bewijzen of getuigen.'

De heer Barfoed keek Jens achterdochtig aan.

'Hoe was de relatie tussen uw vrouw en uw dochter?'

'Die was perfect. Mijn vrouw was een goede en toegewijde moeder voor onze dochter.'

'En de naam Malene? In verband met een sterfgeval?' ging Jens verder.

'Zegt dat u iets?'

De oude man keek hem aan alsof hij plotseling op een vreemde taal was overgegaan die hij niet begreep, en schudde geërgerd zijn hoofd.

'Zegt mij niets,' snauwde hij.

'Het is niet uitgesloten dat het iets betreft wat vele jaren geleden gebeurd is. Misschien toen ze een kind was. Maar we weten het niet. Het kan ook iets in haar volwassen leven zijn geweest. We hebben gewoon geen ongevallen of onopgeloste moordzaken kunnen vinden waarbij die naam voorkwam.'

De heer Barfoed bromde en schudde zijn hoofd opnieuw. Maar nu probeerde hij zich ten minste iets te herinneren, kon Jens aan de geconcentreerde uitdrukking zien. Er ging een minuut voorbij, misschien meer, waarin Axel Barfoed de verste uithoeken van zijn geheugen afzocht. Jens gaf hem rustig de tijd.

Plotseling keek hij Jens met een verschrikte uitdrukking aan.

'Dat kan niet kloppen...' zei hij langzaam en vol ongeloof.

'Vertelt u het maar,' zei Jens. En toen kreeg hij het verhaal te horen over twee meisjes die in een grindgroeve hadden gespeeld. Het ene was bedolven onder het grind.

Het andere, zijn eigen dochter, keerde terug naar huis, ellendig en zich een ongeluk geschrokken.

'Mijn dochter had het meiske gewaarschuwd niet naar de rand te gaan. Het was haar eigen schuld!'

Het gezicht van de heer Barfoed was weer hetzelfde. De scheuren in de rots waren ontstaan en weer gesloten voor de ogen van Jens.

Niemand anders dan Lise Barfoed wist de ware toedracht van deze 'ongelukken', had Jens op de terugweg naar het Hoofdbureau gedacht. Maar ze had Katrine erover in vertrouwen genomen op een moment dat ze dacht dat Katrine ging sterven en ze dacht dat ze ermee weg zou komen.

Er was reden genoeg om aan te nemen dat ze verantwoordelijk was geweest voor de dood van deze mensen.

Katrine was met ziekteverlof geweest in de weken na haar ontslag uit het ziekenhuis.

Ze hadden elkaar een paar keer gezien. Hij had haar bij haar thuis opgezocht en ze had voorgesteld dat ze een strandwandeling zouden maken.

Ze hadden daar gestaan waar het gebeurd was.

Daar, waar ze verdronken was en Jens gekomen was en haar leven had gered.

Aslan was kort na zijn ontsnapping aangehouden in de buurt van het opvangtehuis voor zuigelingen.

Een paar dagen later had hij toestemming gekregen om naar het opvangtehuis te komen om zijn zoon te zien. Kort voordat Jens naar China gegaan was, had Aslan gebeld en hem stralend verteld dat ze er nu naartoe werkten dat hij op den duur zijn zoon thuis kon krijgen.

Dit alles hadden hij en Katrine besproken toen ze langs de waterkant liepen.

'Als ik een slachtofferprofiel zou maken,' had Katrine met een peinzende uitdrukking gezegd. 'Van mijzelf...'

'Nu is het gelukkig geen werkelijkheid geworden, hè?'

'Een paar minuten wel, theoretisch gezien.'

'Tja...'

'Ze heeft me te pakken gekregen.'

'Hoor eens,' zei hij. 'Je hebt haar ook te pakken gekregen. Je hebt de hele zaak opgelost. En als er iemand is die zich slecht zou moeten voelen en zichzelf iets verwijten, dan zijn Kragh en ik dat wel. We hadden naar je moeten luisteren. Dan was het niet misgegaan.'

Ze had een beetje wrang geglimlacht, wat zoals hij nu wist, betekende dat zij niet overtuigd was.

En nu was ze in Sharm el Sheikh. Bij die Australische duikvent.

Jens maakte een onbedoelde grimas met zijn mond.

Maar over een week zouden ze beiden weer terug op het bureau zijn.

Klaar voor nieuwe zaken.

Bendes of niet.

Katrine plaatste het mondstuk in haar mond.

Ze ademde er langzaam en aarzelend doorheen.

Ian had haar bij haar armen beet en hield haar blik vast.

'Oké?' vroeg hij.

'Oké,' knikte ze.

Ze gleden langzaam het water in. Even reageerde haar lichaam reflexmatig en verzette het zich. Ze dacht aan Jon, en aan haar eigen verdrinkingsdood. Maar Ian bleef haar rustig vasthouden, zoals ze hadden afgesproken.

Nu was er water boven haar hoofd.

En nu... Nu nam ze haar eerste ademteug. En nog een.

Ze had geen schuld aan de dood van Jon. Hij had zichzelf niet van het leven beroofd.

Voor het eerst sinds toen voelde ze zich vrij. Ze vormde met duim en wijsvinger een cirkel naar Ian. Het internationale teken van duikers; alles oké – we gaan door!

Ze zetten koers naar het koraalrif op de bodem.

WOORD VAN DANK

Wij willen onze familie en vrienden graag hartelijk bedanken voor hun steun door de jaren heen. En een heel speciale dank aan onze drie prachtige kinderen Sofus, Molly en Janus voor hun geduld.

Dit boek berust op fictie, en iedere gelijkenis met bestaande personen en werkelijke gebeurtenissen is geheel toevallig en onopzettelijk.
   Wij hebben tijdens ons werkproces deskundigen op een serie gebieden geraadpleegd. Zonder jullie hadden we dit boek niet kunnen schrijven. Wij zijn enorm dankbaar voor de genereuze wijze waarop jullie je kennis hebben gedeeld. Onze welgemeende dank.
   Mochten er fouten of vergissingen voorkomen met betrekking tot de feiten in dit boek, dan is dat geheel en al onze eigen verantwoordelijkheid.
   We willen de volgende personen graag bedanken:

Ove Dahl, hoofd moordzaken, afdeling moordzaken, politie van Kopenhagen.
Hans Ole Djernes, inspecteur, afdeling moordzaken, politie van Kopenhagen.
Kjeld Christensen, onderzoeksleider, afdeling moordzaken, Politie van Kopenhagen.
Bent Christensen, onderzoeksleider, afdeling moordzaken, Politie van Kopenhagen.
Keld Olesen, commissaris van politie, politie van Noord-Sjælland.

Michael Hastrup, forensisch technicus, Rijkspolitie, Nationaal Forensische Eenheid, Forensisch Centrum.

Charlotte Kappel, psycholoog, promovendus aan de University of Liverpool, School of Psychology.

Kristina Kepinska Jakobsen, psycholoog, Politieacademie, Rijkspolitie.

Randi Nordahl, psycholoog.

Mette Nayberg, psycholoog, Dansk Krisekorps ApS.

Morten Ejlskov, psycholoog, Organisation ApS.

Hans Petter Hougen, hoogleraar forensische geneeskunde aan de Universiteit van Kopenhagen.

Freddy Lippert, hoofd spoedeisende hulp en gezondheidsdienst, Hoofdstedelijke Regio.

Christina Falck Gansted, verloskundige, Rigshospitalet.

Kirsten Landor, student farmacie.